이 책을 만드신 선생님

최문섭 최희영 한송이 고길동 송낙천 최영욱 김종군 박선영

이 책을 검토하신 선생님

'수학나눔연구회' 선생님들

최상위수학 라이트 중 3-1

펴낸날 [개정판 1쇄] 2019년 4월 25일 [개정판 12쇄] 2024년 8월 15일
펴낸이 이기열
펴낸곳 (주)디딤돌 교육
주소 (03972) 서울특별시 마포구 월드컵북로 122 청원선와이즈타워
대표전화 02-3142-9000
구입문의 02-322-8451
내용문의 02-336-7918
팩시밀리 02-335-6038
홈페이지 www.didimdol.co.kr
등록번호 제10-718호

최상위 수학

Light 라이트

중 3
1

디딤돌

Structure

상위권으로 가는 필수 교재,
최상위 수학 라이트

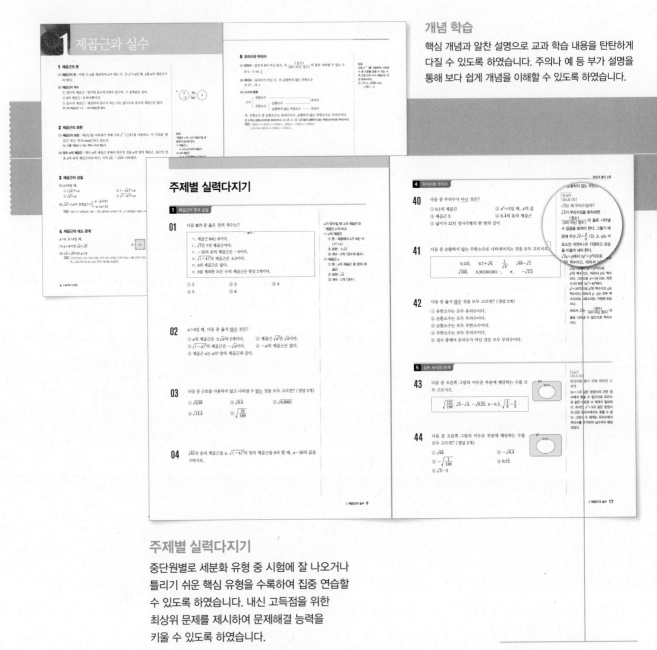

개념 학습

핵심 개념과 알찬 설명으로 교과 학습 내용을 탄탄하게
다질 수 있도록 하였습니다. 주의나 예 등 부가 설명을
통해 보다 쉽게 개념을 이해할 수 있도록 하였습니다.

주제별 실력다지기

중단원별로 세분화 유형 중 시험에 잘 나오거나
틀리기 쉬운 핵심 유형을 수록하여 집중 연습할
수 있도록 하였습니다. 내신 고득점을 위한
최상위 문제를 제시하여 문제해결 능력을
키울 수 있도록 하였습니다.

최상위 Q&A

학습에 필요한 궁금증을
해결해 주고, 학년별 연계를
통하여 핵심 내용을 볼 수
있도록 하였습니다.

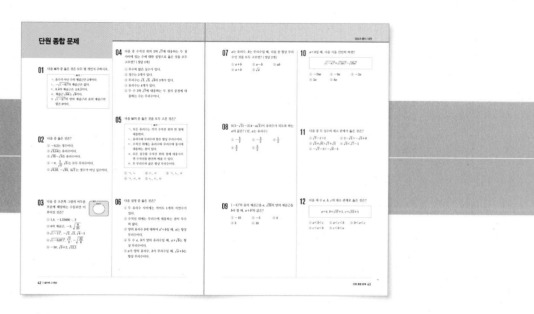

단원 종합 문제

대단원 학습 내용을 정리할 수 있도록
학습 내용, 난이도, 문제 형태를 고려하여
엄선된 문제를 구성하였습니다.

Contents

I 실수와 그 연산

1 제곱근과 실수

1 제곱근의 뜻

(1) **제곱근의 뜻** : 어떤 수 x를 제곱하여 a가 되는 수, 즉 $x^2=a$일 때, x를 a의 제곱근이라 한다.

(2) **제곱근의 개수**

　① 양수의 제곱근 : 양수와 음수의 2개가 있으며, 그 절댓값은 같다.

　② 0의 제곱근 : 0 하나뿐이다.

　③ 음수의 제곱근 : 제곱하여 음수가 되는 수는 없으므로 음수의 제곱근은 없다.

　　예 4의 제곱근은 ±2, −4의 제곱근은 없다.

2 제곱근의 표현

(1) **제곱근의 표현** : 제곱근을 나타내기 위해 기호 $\sqrt{}$ (근호)를 사용하고, 이 기호를 '제곱근' 또는 '루트(root)'라고 읽는다.

　　예 $\sqrt{a}$를 '제곱근 a' 또는 '루트 a'라고 읽는다.

(2) **양수 a의 제곱근** : 양수 a의 제곱근 중에서 양수인 것을 a의 양의 제곱근, 음수인 것을 a의 음의 제곱근이라 하고, 각각 $\sqrt{a}$, $-\sqrt{a}$로 나타낸다.

> **주의**
> '제곱근 a'와 'a의 제곱근'을 혼동하지 않도록 한다.
> ① 제곱근 a
> 　➡ $\sqrt{a}$ (a의 양의 제곱근)
> ② a의 제곱근
> 　➡ $\pm\sqrt{a}$ (제곱해서 a가 되는 수)

3 제곱근의 성질

(1) $a \geq 0$일 때,

　① $(\sqrt{a})^2 = a$ 　　　　　② $(-\sqrt{a})^2 = a$

　③ $\sqrt{a^2} = a$ 　　　　　④ $\sqrt{(-a)^2} = a$

(2) $\sqrt{a^2} = (a$의 절댓값$) = \begin{cases} a & (a \geq 0) \\ -a & (a < 0) \end{cases}$

> **개념+** 어떤 수의 절댓값은 기호 $|\ |$를 사용하여 나타낸다. 즉, a의 절댓값을 기호로 나타내면 $|a|$이다.

> **주의**
> $a<0$일 때, $\sqrt{a^2}=-a$ ← 양수
> ➡ $\sqrt{(-3)^2}=-3$ 　　　(×)
> 　$\sqrt{(-3)^2}=-(-3)=3$ (○)

4 제곱근의 대소 관계

$a > 0$, $b > 0$일 때,

(1) $a < b$이면 $\sqrt{a} < \sqrt{b}$

(2) $\sqrt{a} < \sqrt{b}$이면 $a < b$

> **개념+** 근호가 있는 수와 근호가 없는 수의 대소 관계는 근호가 없는 수를 근호가 있는 수로 바꾼 후 비교한다.
> 즉, $\sqrt{a}$와 b의 대소는 $\sqrt{a}$와 $\sqrt{b^2}$의 대소를 비교한다.

5 유리수와 무리수

(1) **유리수** : 분모가 0이 아닌 분수, 즉 $\dfrac{(정수)}{(0이\ 아닌\ 정수)}$ 의 꼴로 나타낼 수 있는 수

　예 $2, -5, 0.5, \dfrac{1}{3}$

(2) **무리수** : 유리수가 아닌 수, 즉 순환하지 않는 무한소수

　예 $\sqrt{2}, -\sqrt{3}, \pi$

(3) **소수의 분류**

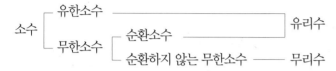

즉, 무한소수 중 순환소수는 유리수이고, 순환하지 않는 무한소수는 무리수이다.

　예 $0.7\dot{5}$는 순환소수이므로 유리수이고, $2+\sqrt{2}, 4-\sqrt{2}, 2\sqrt{5}$ 등은 순환하지 않는 무한소수이므로 무리수이다.

개념+ (유리수)+(무리수)=(무리수), (유리수)−(무리수)=(무리수)
(0이 아닌 유리수)×(무리수)=(무리수)

주의
근호($\sqrt{\ }$)를 사용하여 나타낸 수 중 근호를 없앨 수 있는 수, 즉 근호 안의 수가 제곱수인 것은 유리수이다.
예 $\sqrt{4}=2, \sqrt{0.36}=0.6,$
　$-\sqrt{16}=-4$

6 실수

(1) **실수** : 유리수와 무리수를 통틀어 실수라 한다.

(2) **실수의 분류**

```
       ┌ 양의 정수 (자연수) : 1, 2, 3, ⋯
   ┌ 정수 ┼ 영 (0)
유리수┤    └ 음의 정수 : -1, -2, -3, ⋯
실수┤  └ 정수가 아닌 유리수 : -1.7, -1/3, 0.5, 1.8̇, ⋯
   └ 무리수 : √5, -√7, π, ⋯
```

(3) **실수 사이의 관계**

자연수, 정수, 유리수, 무리수, 실수 사이에는 오른쪽 그림과 같은 관계가 성립한다.

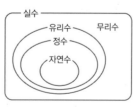

✚ 일반적으로 '수'라 하면 실수를 의미한다.

주의
실수 중에서 유리수가 아닌 수는 모두 무리수이다.

7 실수와 수직선

(1) 유리수와 수직선
① 모든 유리수는 각각 수직선 위의 한 점에 대응한다.
② 서로 다른 두 유리수 사이에는 무수히 많은 유리수가 있다.
③ 유리수에 대응하는 점만으로 수직선을 완전히 메울 수는 없다.

(2) 무리수와 수직선
① 모든 무리수는 각각 수직선 위의 한 점에 대응한다.
② 서로 다른 두 무리수 사이에는 무수히 많은 무리수가 있다.
③ 무리수에 대응하는 점만으로 수직선을 완전히 메울 수는 없다.

(3) 실수와 수직선
① 모든 실수는 각각 수직선 위의 한 점에 대응한다.
② 서로 다른 두 실수 사이에는 무수히 많은 실수가 있다.
③ 수직선은 실수에 대응하는 점 전체로 완전히 메울 수 있다.

(4) 무리수를 수직선 위에 나타내기
정사각형의 넓이를 이용하여 무리수를 수직선 위에 나타낼 수 있다.

예 무리수 $\sqrt{2}$, $\sqrt{5}$를 수직선 위에 각각 나타내면 다음 그림과 같다.

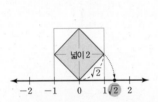 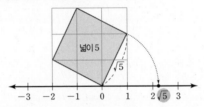

개념+ 수직선에서 기준점의 좌표가 0이 아닌 경우
① 기준점에서 오른쪽으로 $\sqrt{a}$만큼 떨어져 있는 수 ➡ (기준점의 좌표)$+\sqrt{a}$
② 기준점에서 왼쪽으로 $\sqrt{a}$만큼 떨어져 있는 수 ➡ (기준점의 좌표)$-\sqrt{a}$

✚ ① 실수와 수직선 위의 점은 일대일로 대응된다.
　➡ 수직선은 실수를 나타 내는 직선이다.
② 서로 다른 두 유리수 사이 에는 무수히 많은 유리수 와 무리수가 있다.
③ 서로 다른 두 무리수 사이 에는 무수히 많은 유리수 와 무리수가 있다.

주의
넓이가 $a(a>0)$인 정사각형의 한 변의 길이는 $\sqrt{a}$이다.

✚ 피타고라스 정리

➡ $a^2+b^2=c^2$

8 실수의 대소 관계

(1) 실수를 수직선 위에 나타내었을 때 오른쪽에 있는 수가 왼쪽에 있는 수보다 더 크다.

커진다.

0

작아진다.

(2) 두 실수 a, b의 대소 관계는 $a-b$의 부호로 알 수 있다.
① $a-b>0$이면 $a>b$
② $a-b=0$이면 $a=b$
③ $a-b<0$이면 $a<b$

예 2와 $\sqrt{3}+1$의 대소를 비교해 보면
$2-(\sqrt{3}+1)=2-\sqrt{3}-1=1-\sqrt{3}=\sqrt{1}-\sqrt{3}<0$
$\therefore 2<\sqrt{3}+1$

✚ 실수의 대소를 비교하는 방법
(1) 두 실수의 대소 관계
① 두 수의 차 이용
　➡ 복잡한 수는 두 수 의 차의 부호로 판 단한다.
② 부등식의 성질 이용
③ 제곱근의 값을 이용
(2) 세 실수의 대소 관계
　➡ 세 실수 a, b, c에 대 하여 $a<b$, $b<c$이면 $a<b<c$이다.

주제별 실력다지기

01 다음 **보기** 중 옳은 것의 개수는?

> ┤ 보기 ├
> ㄱ. 제곱근 64는 8이다.
> ㄴ. $\sqrt{7}$은 7의 제곱근이다.
> ㄷ. -25의 음의 제곱근은 -5이다.
> ㄹ. $\sqrt{(-4)^2}$의 제곱근은 ± 2이다.
> ㅁ. 0의 제곱근은 없다.
> ㅂ. 0을 제외한 모든 수의 제곱근은 항상 2개이다.

① 2   ② 3   ③ 4
④ 5   ⑤ 6

a가 양수일 때 'a의 제곱근'과
'제곱근 a'의 비교
(1) a의 제곱근
  ① 뜻 : 제곱해서 a가 되는 수
    $(x^2 = a)$
  ② 표현 : $\pm\sqrt{a}$
  ③ 개수 : 2개 (양수와 음수)
(2) 제곱근 a
  ① 뜻 : a의 제곱근 중 양의 제
    곱근
  ② 표현 : $\sqrt{a}$
  ③ 개수 : 1개 (양수)

02 $a > 0$일 때, 다음 중 옳지 <u>않은</u> 것은?

① a의 제곱근은 $\pm\sqrt{a}$의 2개이다.   ② 제곱근 $\sqrt{a^2}$은 $\sqrt{a}$이다.
③ $\sqrt{(-a)^2}$의 제곱근은 $-\sqrt{a}$이다.   ④ $-a$의 제곱근은 없다.
⑤ 제곱근 a는 a의 양의 제곱근과 같다.

03 다음 중 근호를 사용하지 않고 나타낼 수 <u>없는</u> 것을 모두 고르면? (정답 2개)

① $\sqrt{0.09}$ ② $\sqrt{0.4}$ ③ $\sqrt{0.0001}$

④ $\sqrt{14.4}$ ⑤ $\sqrt{\dfrac{25}{169}}$

04 $\sqrt{81}$의 음의 제곱근을 a, $\sqrt{(-4)^2}$의 양의 제곱근을 b라 할 때, $a-2b$의 값을 구하시오.

05 $a<0$일 때, 다음 중 옳은 것을 모두 고르면? (정답 2개)

① $-\sqrt{a^2}=-a$ ② $\sqrt{(-a)^2}=-a$ ③ $(\sqrt{-a})^2=a$

④ $(-\sqrt{-a})^2=a$ ⑤ $-\sqrt{(-a)^2}=a$

06 $A=\sqrt{(x+2)^2}+\sqrt{(2-x)^2}$일 때, 다음 **보기** 중 옳은 것을 모두 고른 것은?

> ┤ 보기 ├
> ㄱ. $x<-2$이면 $A=-2x$ ㄴ. $-2<x<0$이면 $A=-2x+4$
> ㄷ. $0<x<2$이면 $A=4$ ㄹ. $x>2$이면 $A=2x$

① ㄱ, ㄴ ② ㄴ, ㄷ ③ ㄴ, ㄹ

④ ㄱ, ㄴ, ㄷ ⑤ ㄱ, ㄷ, ㄹ

07 $-1<a<1$일 때, $\sqrt{(a-1)^2}-\sqrt{(3-a)^2}$을 간단히 하면?

① -4 ② -2 ③ 2

④ $2a-2$ ⑤ $2a-4$

$-1<a<1$이므로
$a-1<0,\ 3-a>0$

08 $-1<a<0$일 때, $\sqrt{(1-a)^2}-\sqrt{\left(\dfrac{1}{2}a-1\right)^2}+\sqrt{\dfrac{1}{4}a^2}$을 간단히 하시오.

09 $0<a<1$일 때, $\sqrt{\left(a-\dfrac{1}{a}\right)^2}-\sqrt{\left(a+\dfrac{1}{a}\right)^2}-\sqrt{(-2a)^2}$을 간단히 하면?

① $-4a$ ② $-2a$ ③ 0

④ $-4a+\dfrac{2}{a}$ ⑤ $\dfrac{2}{a}$

10 $a>0$, $b<0$일 때, $\sqrt{(a-b)^2}-\sqrt{(b-2a)^2}$을 간단히 하면?

① $3a-2b$ ② $3a+2b$ ③ $a-2b$

④ $-a$ ⑤ a

11 $ab<0$, $a-b>0$일 때, 다음 식을 간단히 하시오.

$$-\sqrt{(-a)^2}-2|b|+\sqrt{9b^2}-(-\sqrt{a})^2$$

$$\sqrt{a^2}=|a|=\begin{cases} a & (a\geq 0) \\ -a & (a<0) \end{cases}$$
$\uparrow$
a의 절댓값

12 두 수 a, b가 $ab<0$, $a+b<0$, $|a|<|b|$를 만족할 때, 다음 식을 간단히 하시오.

$$a|b|-\sqrt{b^2(a-b)^2}+a\sqrt{b^2}-\sqrt{a^2(b-a)^2}$$

각 식의 부호를 먼저 판별한다.

13 $\sqrt{(\sqrt{5}-2)^2}-\sqrt{(2-\sqrt{5})^2}$을 간단히 하면?

① -4 ② $-2\sqrt{5}+4$ ③ 0

④ $2\sqrt{5}-4$ ⑤ 4

14 $\sqrt{(5-\sqrt{17})^2}+\sqrt{(4-\sqrt{17})^2}$을 간단히 하면?

① -9 ② -1 ③ 1

④ 9 ⑤ $1+2\sqrt{17}$

15 $\sqrt{37+a}=b$를 만족하는 두 자연수 a, b에 대하여 $a+b$의 값 중 가장 작은 값은?

① 5 ② 12 ③ 19
④ 22 ⑤ 35

근호 안의 식 (수)$+x$, (수)$-x$가 1^2, 2^2, 3^2, $\cdots$ 과 같은 (자연수)^{2}의 꼴이 되어야 한다.

16 $\sqrt{20-n}$이 자연수가 되도록 하는 자연수 n의 값 중 가장 작은 값을 a, 가장 큰 값을 b라 할 때, $b-a$의 값은?

① 1 ② 4 ③ 7
④ 12 ⑤ 15

17 $\sqrt{120+4x}$가 자연수가 되도록 하는 가장 작은 자연수 x의 값을 구하시오.

18 $\sqrt{45-3a}$가 정수가 되도록 하는 모든 자연수 a의 값의 합을 구하시오.

19 $\sqrt{100+2a}-\sqrt{150-3b}$의 값이 가장 작은 정수가 되도록 하는 두 자연수 a, b에 대하여 $a+b$의 값을 구하시오.

$\sqrt{100+2a}$는 최소의 정수, $\sqrt{150-3b}$는 최대의 정수가 되도록 하는 자연수 a, b의 값을 찾는다.

20 $\sqrt{216a}$가 자연수가 되도록 하는 가장 작은 두 자리의 자연수 a의 값을 구하시오.

근호 안의 식 (수)$\times x$, $\dfrac{(수)}{x}$가 1^2, 2^2, 3^2, $\cdots$ 과 같은 (자연수)^{2}의 꼴이 되어야 한다.
① $\sqrt{a^2bx}$의 꼴이면
➡ $x=b\times 1^2$, $b\times 2^2$, $b\times 3^2$, $\cdots$
② $\sqrt{\dfrac{a^2b}{x}}$의 꼴이면
➡ $x=b\times(a$의 약수$)^2$

21 서로 다른 2개의 주사위를 던져서 나오는 눈의 수를 각각 x, y라 할 때, $\sqrt{6xy}$가 자연수가 되는 경우는 모두 몇 가지인가?

① 1가지   ② 2가지   ③ 4가지

④ 6가지   ⑤ 12가지

22 $\sqrt{\dfrac{27}{x}}$과 $\sqrt{\dfrac{2}{3}y}$가 각각 자연수가 되도록 하는 가장 작은 자연수 x와 y의 값의 합을 구하시오.

23 $\sqrt{\dfrac{450}{n}}$이 자연수가 되도록 하는 자연수 n의 개수는?

① 2   ② 4   ③ 6

④ 12   ⑤ 18

24 $\sqrt{\dfrac{180}{a}}=b$를 만족하는 두 자연수 a, b의 순서쌍 (a, b)를 모두 구하시오.

25 다음 **보기** 중 대소 관계가 옳은 것을 모두 고른 것은?

> 보기
> ㄱ. $3<\sqrt 5$　　　　　　ㄴ. $-\dfrac{\sqrt 7}{2}>-\dfrac{\sqrt 8}{2}$
> ㄷ. $\sqrt{0.6}>0.6$　　　　ㄹ. $\dfrac{1}{3}<\sqrt{\dfrac{1}{10}}$

① ㄱ, ㄴ　　　　② ㄱ, ㄷ　　　　③ ㄴ, ㄷ
④ ㄴ, ㄹ　　　　⑤ ㄷ, ㄹ

26 다음 중 두 수의 대소 관계가 옳은 것을 모두 고르면? (정답 2개)

① $\sqrt 2-3>\sqrt 2-4$　　② $\sqrt{14}+1>5$　　③ $3>2+\sqrt 2$
④ $1+\sqrt 3<1+\sqrt 2$　　⑤ $-\sqrt 6+\sqrt 7<-2+\sqrt 7$

> 두 실수 a, b에 대하여
> $a-b>0$이면 $a>b$
> $a-b=0$이면 $a=b$
> $a-b<0$이면 $a<b$

27 다음 중 □ 안에 알맞은 부등호의 방향이 나머지 넷과 <u>다른</u> 하나는?

① $\sqrt{40}+7 \ \square\ 13$　　② $\sqrt{14}-2 \ \square\ 1$　　③ $5-\sqrt{10} \ \square\ 2$
④ $\sqrt 2-\sqrt 3 \ \square\ \sqrt 2-\sqrt 5$　　⑤ $\sqrt{18}-\sqrt{12} \ \square\ 4-\sqrt{12}$

28 다음 중 두 실수의 대소 관계가 옳지 <u>않은</u> 것을 모두 고르면? (정답 2개)

① $5<\sqrt 2+3$　　　　　　② $\sqrt{15}+\sqrt{11}<\sqrt{11}+4$
③ $\sqrt{19}-1<\dfrac{7}{2}$　　　　④ $\sqrt{\dfrac{1}{6}}-2<\sqrt{\dfrac{1}{5}}-2$
⑤ $-4-\sqrt 3>-\sqrt{10}-\sqrt 3$

29 $a=\sqrt{17}$, $b=1+\sqrt 6$, $c=4$일 때, 다음 중 세 수 a, b, c의 대소 관계로 옳은 것은?

① $a<b<c$　　　　② $a<c<b$　　　　③ $b<a<c$
④ $b<c<a$　　　　⑤ $c<b<a$

> 세 실수 a, b, c에 대하여
> $a<b$, $b<c$이면 $a<b<c$이다.

30 다음 세 수 a, b, c의 대소 관계를 부등호를 사용하여 나타내시오.

$$a=2\sqrt{3}+3, \qquad b=3\sqrt{3}+2, \qquad c=7$$

31 다음 세 수 A, B, C의 대소 관계를 부등호를 사용하여 나타내시오.

$$A=\sqrt{12}-3, \qquad B=\sqrt{7}+4, \qquad C=\sqrt{7}+\sqrt{12}$$

32 다음 각 수를 수직선 위에 나타내면 아래 그림과 같이 점 A, B, C에 대응할 때, 점 B에 대응하는 수를 구하시오.

$$1+\sqrt{10}, \qquad \sqrt{5}, \qquad 7-\sqrt{10}$$

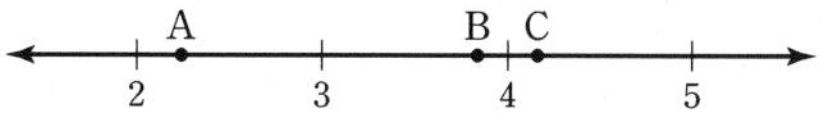

33 세 수 $\sqrt{3}-\sqrt{5}$, $\sqrt{3}-2$, $1-\sqrt{5}$를 수직선 위에 나타내었을 때, 오른쪽에 있는 수부터 차례로 나열하시오.

34 다음 중 $\sqrt{2}$와 $\sqrt{3}$ 사이에 있는 수가 <u>아닌</u> 것은?
(단, $\sqrt{2}$의 값은 1.414, $\sqrt{3}$의 값은 1.732로 계산한다.)

① $\sqrt{2}+0.01$ ② $\sqrt{3}-0.1$ ③ $\dfrac{\sqrt{2}+\sqrt{3}}{2}$

④ $\sqrt{2}+0.4$ ⑤ $\sqrt{3}-0.2$

두 수 a, b $(a<b)$ 사이에 있는 수
➡ a보다 크고 b보다 작은 수

35 다음 중 두 수 $\sqrt{5}$와 7 사이에 있는 수가 <u>아닌</u> 것은?

① $\sqrt{6.4}$ ② $\sqrt{\dfrac{15}{2}}$ ③ $\sqrt{11}$

④ $\sqrt{38}$ ⑤ $\sqrt{50}$

36 두 수 $1-\sqrt{3}$과 $\sqrt{3}+2$ 사이에 있는 모든 정수의 합을 구하시오.

37 다음 수들을 큰 것부터 차례로 나열하시오.

$$3, \quad -\sqrt{\dfrac{11}{4}}, \quad \dfrac{8}{3}, \quad -\sqrt{5}, \quad 0, \quad \sqrt{6}$$

38 다음 중 수직선 위에 나타내었을 때, 가장 오른쪽에 위치하는 수는?

① $\sqrt{3}$ ② $\sqrt{2}+\sqrt{3}$ ③ $\sqrt{3}-0.1$

④ $\sqrt{6}+\sqrt{3}$ ⑤ $2+\sqrt{3}$

39 $0<k<1$일 때, 다음을 큰 것부터 차례로 나열하시오.

$$\sqrt{k}, \quad k^2, \quad k, \quad \dfrac{1}{\sqrt{k}}$$

$0<k<1$을 만족하는 적당한 k의 값을 대입해 본다.

40 다음 중 무리수가 <u>아닌</u> 것은?

① 0.1의 제곱근
② $x^2=5$일 때, x의 값
③ 제곱근 3
④ $0.\dot{4}$의 음의 제곱근
⑤ 넓이가 12인 정사각형의 한 변의 길이

41 다음 중 순환하지 않는 무한소수로 나타내어지는 것을 모두 고르시오.

$$0.12\dot{5}, \quad 0.7+\sqrt{6}, \quad \frac{1}{\sqrt{4}}, \quad \sqrt{49}-\sqrt{2}$$
$$\sqrt{169}, \quad 0.301301301\cdots, \quad \pi, \quad -\sqrt{2.5}$$

42 다음 중 옳지 <u>않은</u> 것을 모두 고르면? (정답 2개)

① 유한소수는 모두 유리수이다.
② 순환소수는 모두 무리수이다.
③ 순환소수는 모두 무한소수이다.
④ 무한소수는 모두 무리수이다.
⑤ 실수 중에서 유리수가 아닌 것은 모두 무리수이다.

5 실수 사이의 관계

43 다음 중 오른쪽 그림의 어두운 부분에 해당하는 수를 모두 고르시오.

$$\sqrt{\frac{121}{196}}, \sqrt{5}-\sqrt{4}, -\sqrt{6.25}, \pi-0.\dot{2}, \sqrt{\frac{1}{9}}-\frac{2}{3}$$

44 다음 중 오른쪽 그림의 어두운 부분에 해당하는 수를 모두 고르면? (정답 2개)

① $\sqrt{64}$
② $-\sqrt{0.4}$
③ $-\sqrt{\frac{1}{100}}$
④ $0.7\dot{2}$
⑤ $\sqrt{3}-3$

(무리수)
=(유리수가 아닌 수)
=(순환하지 않는 무한소수)

최상위 Q&A 001

$\sqrt{2}$는 왜 무리수일까?

$\sqrt{2}$가 무리수임을 밝히려면 $\dfrac{(정수)}{(0이\ 아닌\ 정수)}$의 꼴로 나타낼 수 없음을 밝혀야 한다. 그렇기 때문에 우선 $\sqrt{2}=\dfrac{p}{q}$ (단, p, q는 서로소인 자연수)라 가정하고 모순을 이끌어 내야 한다.
$\sqrt{2}q=p$에서 $2q^2=p^2$이므로 p^2은 짝수이고, 따라서 p도 짝수이다. 그러므로 $p=2k$ (k는 자연수)라 하면 $2q^2=4k^2$에서 $q^2=2k^2$이므로 q^2은 짝수이고 q도 짝수이다. 따라서 p, q는 모두 짝수이므로 서로소라는 가정에 모순이다.
따라서 $\sqrt{2}$는 $\dfrac{(정수)}{(0이\ 아닌\ 정수)}$의 꼴로 나타낼 수 없으므로 무리수이다.

최상위 Q&A 002

방정식을 풀기 위해 확장된 수체계

$2x=1$과 같은 방정식의 근은 정수에서 찾을 수 없으므로 유리수와 같은 새로운 수체계가 필요하다. 하지만 $x^2=3$과 같은 방정식의 근은 유리수에서도 찾을 수 없다. 그래서 수체계는 유리수에서 무리수를 추가하여 실수까지 확장되었다.

45 정수, 유리수, 실수 사이의 관계가 오른쪽 그림과 같을 때, 다음 중 어두운 부분에 해당하는 수는 몇 개인지 구하시오.

$$3.14,\ \sqrt{4.9},\ 1.\dot{2},\ -\sqrt{1.96},\ -\sqrt{(-34)^2}$$

46 자연수, 정수, 유리수, 무리수, 실수 사이의 관계를 나타내면 오른쪽 그림과 같다. 다음 중 어두운 부분에 해당하는 수를 모두 고르시오.

$$0.272727\cdots,\ \frac{12}{3},\ -\sqrt{3.6},\ 2-\sqrt{10},\ \left(-\sqrt{\frac{7}{25}}\right)^2$$

6 실수의 이해

47 다음 설명 중 옳지 <u>않은</u> 것을 모두 고르면? (정답 2개)

① 서로 다른 두 실수 사이에는 무수히 많은 실수가 있다.
② 1과 2 사이에는 무수히 많은 무리수가 있다.
③ 서로 다른 두 유리수 사이에는 무수히 많은 유리수가 있다.
④ 수직선은 무리수에 대응하는 점들로 완전히 메울 수 있다.
⑤ 수직선 위에 나타낼 수 없는 무리수가 있다.

48 다음 **보기** 중 옳은 것을 모두 고르시오.

┤ 보기 ├
ㄱ. 0과 1 사이에는 5개의 무리수가 있다.
ㄴ. a가 유리수이면 $\sqrt{a}$는 무리수이다.
ㄷ. 두 수 a, b가 무리수이면 ab도 무리수이다.
ㄹ. 수직선은 유리수에 대응하는 점들로 완전히 메울 수 없다.
ㅁ. $\sqrt{2}$와 $\sqrt{3}$ 사이에는 무수히 많은 유리수가 있다.

49 a는 양의 유리수, b는 무리수일 때, 다음 설명 중 옳은 것을 모두 고르면?

(정답 2개)

① $\sqrt{a}$는 항상 무리수이다.
② $a+b$는 무리수이다.
③ b에 대응하는 점들로 수직선을 완전히 메울 수 있다.
④ 두 수 a와 b 사이에는 무수히 많은 정수가 있다.
⑤ 두 수 a와 b 사이에는 무수히 많은 무리수와 유리수가 있다.

50 a는 유리수, b는 무리수일 때, 다음 **보기** 중 항상 무리수인 것을 모두 고르시오.

보기
ㄱ. a^2+b　　ㄴ. $\dfrac{a-b}{2}$　　ㄷ. $\sqrt{a}\times b^2$ ㄹ. $\dfrac{a}{b}$　　ㅁ. $\dfrac{b}{a}$ $(a\neq0)$

다음 계산 결과는 항상 무리수이
다.
① (유리수)±(무리수)
② (0이 아닌 유리수)×(무리수)
③ (0이 아닌 유리수)÷(무리수)
④ (무리수)÷(0이 아닌 유리수)

51 양의 유리수 a와 무리수 b에 대하여 다음 중 항상 옳은 것은?

① $\sqrt{a}-b$는 유리수이다.　　② $\sqrt{a}+b$는 무리수이다.
③ $\sqrt{a}\times b$는 무리수이다.　　④ $a+b$는 무리수이다.
⑤ $\dfrac{b}{\sqrt{a}}$는 유리수이다.

---

7 제곱근을 포함한 부등식

52 다음 부등식을 만족하는 자연수 a의 값 중 가장 큰 수를 M, 가장 작은 수를 m이라 할 때, $M+m$의 값을 구하시오.

$$5\leq\sqrt{3a-2}<6$$

각 변을 제곱하여 $\sqrt{}$를 없앤 후
부등식을 푼다.
$a>0$, $b>0$, $x>0$일 때,
① $\sqrt{a}<\sqrt{x}<\sqrt{b}$
　$\Rightarrow a<x<b$
② $a<\sqrt{x}<b$
　$\Rightarrow a^2<x<b^2$

53 $3.2<2\sqrt{x}<5$를 만족하는 모든 자연수 x의 값의 합은?

① 12   ② 18   ③ 20

④ 26   ⑤ 32

54 다음 두 부등식을 동시에 만족하는 자연수 x의 개수를 구하시오.

$$-\sqrt{21}<-\sqrt{x}<-3, \qquad \sqrt{15}<\sqrt{5x}<\sqrt{98}$$

55 자연수 n에 대하여 $f(n)=(\sqrt{n}$보다 작은 자연수의 개수$)$라 할 때, $f(1)+f(2)+f(3)+\cdots+f(10)$의 값은?

① 10   ② 12   ③ 13

④ 16   ⑤ 19

56 두 자연수 m, n에 대하여 $\sqrt{m}$보다 크거나 같은 최소의 정수를 $f(m)$, $\sqrt{n}$보다 작거나 같은 최대의 정수를 $g(n)$이라 할 때, $f(32)-g(128)$의 값은?

① -7 ② -6 ③ -5

④ 5   ⑤ 17

57 어떤 무리수 x에 대하여 x에 가장 가까운 정수를 $f(x)$라 할 때, $f(\sqrt{37})$의 값을 구하시오.

---

8 실수의 수직선 대응

58 오른쪽 그림에서 □ABCD는 한 변의 길이가 1인 정사각형이다. 다음 중 옳지 <u>않은</u> 것은?
(단, $\overline{AC}=\overline{AQ}$, $\overline{BD}=\overline{BP}$)

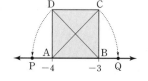

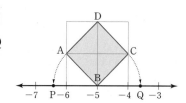

수직선에서 점 P의 좌표가 a일 때, 점 Q의 좌표는 $a+\overline{PQ}$

① $\overline{AC}=\overline{BD}=\sqrt{2}$
② $\overline{AQ}=\overline{BP}$
③ $\overline{AC}$를 한 변으로 하는 정사각형의 넓이는 2이다.
④ 점 P의 좌표는 $-3-\sqrt{2}$이다.
⑤ 점 Q의 좌표는 $-3+\sqrt{2}$이다.

59 오른쪽 그림에서 □ABCD는 정사각형이고, $\overline{BA}=\overline{BP}$, $\overline{BC}=\overline{BQ}$일 때, 두 점 P, Q에 대응하는 두 수의 합을 구하시오.

60 다음 그림과 같이 수직선 위에 한 변의 길이가 1인 4개의 정사각형이 있다. 이때 점 A, B, C, D, E의 좌표로 옳지 <u>않은</u> 것은?

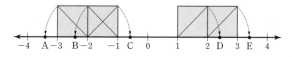

① $A(-2-\sqrt{2})$ ② $B(-1-\sqrt{2})$ ③ $C(-1+\sqrt{2})$
④ $D(1+\sqrt{2})$ ⑤ $E(2+\sqrt{2})$

61 다음 그림과 같이 수직선 위에 넓이가 각각 3, 5인 두 정사각형 ABCD, EFGH가 있다. $\overline{AD}$와 $\overline{EF}$를 반지름으로 하는 부채꼴을 그려 수직선과 만나는 점을 각각 P, Q라 할 때, 두 점 P, Q의 좌표를 구하시오.

넓이가 $a\,(a>0)$인 정사각형의 한 변의 길이 x는
$x=\sqrt{a}$

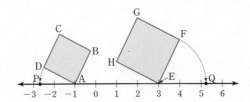

62 오른쪽 그림과 같이 직사각형 ABCD가 반원 O와 두 점 C, D에서 접한다. $\overline{BC}=1$일 때, 두 점 P, Q의 좌표를 각각 구하시오.

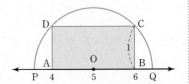

63 오른쪽 그림에서 □ABCD는 정사각형이고, $\overline{AD}=\overline{AP}$, $\overline{AB}=\overline{AQ}$일 때, 두 점 P, Q에 대응하는 두 수의 곱을 구하시오.

피타고라스 정리를 이용하여 □ABCD의 한 변의 길이를 구한다.

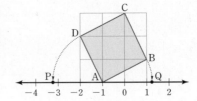

64 오른쪽 그림에서 □ABCD는 정사각형이고, $\overline{BA}=\overline{BP}$, $\overline{BC}=\overline{BQ}$이다. 두 점 P, Q에 대응하는 수를 각각 a, b라 할 때, $a+b$의 값을 구하시오.

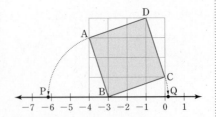

2 근호를 포함한 식의 계산

1 제곱근의 곱셈과 나눗셈

(1) $a>0$, $b>0$이고 m, n이 유리수일 때,

 ① $\sqrt{a}\sqrt{b}=\sqrt{ab}$ ② $m\sqrt{a}\times n\sqrt{b}=mn\sqrt{ab}$

 ③ $\dfrac{\sqrt{a}}{\sqrt{b}}=\sqrt{\dfrac{a}{b}}$ ④ $\dfrac{m\sqrt{a}}{n\sqrt{b}}=\dfrac{m}{n}\sqrt{\dfrac{a}{b}}$ (단, $n\neq0$)

(2) $a>0$, $b>0$일 때,

 ① $\sqrt{a^2b}=\sqrt{a^2}\sqrt{b}=a\sqrt{b}$ ② $\sqrt{\dfrac{a}{b^2}}=\dfrac{\sqrt{a}}{\sqrt{b^2}}=\dfrac{\sqrt{a}}{b}$

> ✛ $a\sqrt{b}$의 꼴로 고칠 때에는 $\sqrt{}$ 안의 수가 최소가 되도록 한다.
> ➡ $\sqrt{2}\sqrt{4}\sqrt{6}=\sqrt{2^2\times2^2\times3}$
> $=4\sqrt{3}$

2 제곱근의 덧셈과 뺄셈

제곱근끼리의 덧셈과 뺄셈은 다항식의 계산에서 동류항끼리 모아서 더하거나 빼듯이 근호 안의 수가 같은 것끼리 모아서 계산한다.

$a>0$이고 m, n이 유리수일 때,

(1) $m\sqrt{a}+n\sqrt{a}=(m+n)\sqrt{a}$ (2) $m\sqrt{a}-n\sqrt{a}=(m-n)\sqrt{a}$

> [주의]
> $\sqrt{a}+\sqrt{b}\neq\sqrt{a+b}$
> $\sqrt{a}-\sqrt{b}\neq\sqrt{a-b}$

3 근호가 있는 복잡한 식의 계산

분배법칙을 이용하여 괄호를 푼다.

$a>0$, $b>0$, $c>0$일 때,

(1) $\sqrt{a}(\sqrt{b}+\sqrt{c})=\sqrt{ab}+\sqrt{ac}$, $\sqrt{a}(\sqrt{b}-\sqrt{c})=\sqrt{ab}-\sqrt{ac}$

(2) $(\sqrt{a}+\sqrt{b})\sqrt{c}=\sqrt{ac}+\sqrt{bc}$, $(\sqrt{a}-\sqrt{b})\sqrt{c}=\sqrt{ac}-\sqrt{bc}$

> ✛ 근호가 있는 식의 계산
> ① $\sqrt{a^2b}$, $\sqrt{\dfrac{a}{b^2}}$ ($a>0$, $b>0$)
>   의 꼴인 경우
>   ➡ $a\sqrt{b}$, $\dfrac{\sqrt{a}}{b}$의 꼴로 고친다.
> ② 분모에 무리수가 있는 경우
>   ➡ 분모를 유리화한다.
> ③ 덧셈, 뺄셈, 곱셈, 나눗셈
>   이 섞여 있는 경우
>   ➡ 곱셈, 나눗셈을 먼저
>   하고 덧셈과 뺄셈을 나
>   중에 한다.

4 분모의 유리화

분모에 무리수가 있는 분수의 분모, 분자에 각각 0이 아닌 같은 수를 곱하여 분모를 유리수로 고치는 것을 분모의 유리화라 한다.

(1) $\dfrac{b}{\sqrt{a}}=\dfrac{b\sqrt{a}}{\sqrt{a}\sqrt{a}}=\dfrac{b\sqrt{a}}{a}$ (단, $a>0$)

(2) $\dfrac{c}{\sqrt{a}-\sqrt{b}}=\dfrac{c(\sqrt{a}+\sqrt{b})}{(\sqrt{a}-\sqrt{b})(\sqrt{a}+\sqrt{b})}=\dfrac{c(\sqrt{a}+\sqrt{b})}{a-b}$ (단, $a>0$, $b>0$)

 _예 $\dfrac{1}{\sqrt{2}}=\dfrac{\sqrt{2}}{\sqrt{2}\sqrt{2}}=\dfrac{\sqrt{2}}{2}$, $\dfrac{1}{\sqrt{2}+1}=\dfrac{\sqrt{2}-1}{(\sqrt{2}+1)(\sqrt{2}-1)}=\dfrac{\sqrt{2}-1}{2-1}=\sqrt{2}-1$

> [주의]
> 분모의 근호 안에 제곱인 인수가 있을 때에는 $\sqrt{a^2b}=a\sqrt{b}$의 꼴로 고친 후 분모를 유리화한다.

> ✛ $(a+b)(a-b)=a^2-b^2$
> 임을 이용한다.

5 제곱근의 값

(1) **제곱근표** : 1.00부터 99.9까지의 수에 대한 양의 제곱근의 값을 반올림하여 소수점 아래 셋째 자리까지 계산해 놓은 표

(2) **제곱근표에 있는 수의 값 구하기**

처음 두 자리 수의 가로줄과 끝자리 수의 세로줄이 만나는 곳의 수를 찾는다.

예 $\sqrt{2.15}=1.466$, $\sqrt{2.27}=1.507$

수	0	⋯	5	6	7	8	9
⋮	⋮	⋮	⋮	⋮	⋮	⋮	⋮
2.0	1.414	⋯	1.432	1.435	1.439	1.442	1.446
2.1	1.449	⋯	1.466	1.470	1.473	1.476	1.480
2.2	1.483		1.500	1.503	1.507	1.510	1.513
⋮	⋮	⋮	⋮	⋮	⋮	⋮	⋮

개념+ $\sqrt{2}$, $\sqrt{3}$, $\sqrt{5}$의 값은 자주 나오는 수이므로 외워두면 편리하다.
➡ $\sqrt{2}=1.414$, $\sqrt{3}=1.732$, $\sqrt{5}=2.236$

(3) **제곱근표에 없는 수의 값 구하기**

근호 안의 수를 지수가 짝수인 10 또는 $\frac{1}{10}$의 거듭제곱인 수와의 곱으로 나타낸 후 제곱근의 성질을 이용하여

$\sqrt{a}\times 10^n$ 또는 $\sqrt{a}\times\frac{1}{10^n}$ (단, $1.00\leq a\leq 99.9$, n은 자연수)

의 꼴로 고쳐서 계산한다.

① 근호 안의 수가 100보다 큰 수의 값

$\sqrt{100a}=10\sqrt{a}$, $\sqrt{10000a}=100\sqrt{a}$, ⋯ (단, $1.00\leq a\leq 99.9$)

예 $\sqrt{206}=\sqrt{2.06\times 10^2}=10\sqrt{2.06}=10\times 1.435=14.35$

② 근호 안의 수가 1보다 작은 수의 값

$\sqrt{\dfrac{a}{100}}=\dfrac{\sqrt{a}}{10}$, $\sqrt{\dfrac{a}{10000}}=\dfrac{\sqrt{a}}{100}$, ⋯ (단, $1.00\leq a\leq 99.9$)

예 $\sqrt{0.0207}=\sqrt{\dfrac{2.07}{10^2}}=\dfrac{\sqrt{2.07}}{10}=\dfrac{1.439}{10}=0.1439$

6 무리수의 정수 부분과 소수 부분

(1) (무리수)=(정수 부분)+(소수 부분)이므로
(소수 부분)=(무리수)−(정수 부분)

(2) 무리수 $\sqrt{a}$에서 $n<\sqrt{a}<n+1$ (단, n은 정수)이면
$\sqrt{a}$의 정수 부분은 ➡ n, 소수 부분은 ➡ $\sqrt{a}-n$

예 $1<\sqrt{2}<2$이므로 $\sqrt{2}=1.\times\times\times$
따라서 $\sqrt{2}$의 정수 부분은 1, 소수 부분은 $\sqrt{2}-1$이다.

✚ 제곱근표에 나와 있는 수는 1.00부터 9.99까지는 0.01의 간격으로, 10.0부터 99.9까지는 0.1의 간격으로 되어 있다.

주의
제곱근표에서 $\sqrt{2}$의 값이 1.414 라고 해서 $\sqrt{2}$의 소수 부분을 0.414로 생각하지 않도록 주의한다.

주제별 실력다지기

1 분모의 유리화

01 $\dfrac{5}{\sqrt{24}}=a\sqrt{6}$, $\dfrac{3}{2\sqrt{5}}=b\sqrt{5}$일 때, $\sqrt{ab}$의 값을 구하시오.

$a>0$일 때,
$$\dfrac{b}{\sqrt{a}}=\dfrac{b\sqrt{a}}{\sqrt{a}\sqrt{a}}=\dfrac{b\sqrt{a}}{a}$$

최상위
Q&A 003
분모의 유리화는 왜 하는 걸까?
$\dfrac{1}{\sqrt{2}}$ 는 $\dfrac{1}{1.414\cdots}$와 같이 분모가 무리수, 즉 순환하지 않는 무한소수이므로 계산하기 어렵다. 하지만 $\dfrac{1}{\sqrt{2}}=\dfrac{\sqrt{2}}{2}$와 같이 분모를 유리화하면 $\dfrac{1.414\cdots}{2}=0.707\cdots$와 같이 계산하기가 수월해진다.

02 $\dfrac{2-\sqrt{21}}{\sqrt{7}}$의 분모를 유리화하면 $\dfrac{a\sqrt{7}-b\sqrt{3}}{c}$일 때, $a+b+c$의 값은?

(단, a, b, c는 자연수이고 a, c는 서로소이다.)

① 2   ② 7   ③ 9
④ 14   ⑤ 16

03 $2-\dfrac{1}{2-\dfrac{1}{2-\sqrt{3}}}$을 간단히 하면 $a+b\sqrt{3}$이 된다. 이때 $a+b$의 값을 구하시오.

(단, a, b는 유리수)

$(a+b)(a-b)=a^2-b^2$임을 이용한다.

2 제곱근을 포함한 식의 계산(실수의 사칙계산)

04 다음 중 옳지 <u>않은</u> 것은?

① $-\sqrt{15}\times\sqrt{2}\div\sqrt{5}=-\sqrt{6}$ ② $\dfrac{4}{3}\times\dfrac{3}{\sqrt{8}}\div\dfrac{1}{5\sqrt{2}}=10$

③ $\sqrt{\dfrac{7}{2}}\div\sqrt{\dfrac{14}{5}}\div\sqrt{\dfrac{5}{19}}=\dfrac{\sqrt{19}}{2}$ ④ $2\sqrt{7}\times\sqrt{9}\div\dfrac{1}{\sqrt{7}}=6$

⑤ $5\sqrt{21}\div10\sqrt{3}\times\sqrt{\dfrac{9}{7}}=\dfrac{3}{2}$

제곱근의 곱셈과 나눗셈의 혼합 계산
① 근호 안의 제곱인 인수를 근호 밖으로 꺼낸다.
② 나눗셈은 역수의 곱셈으로 고친 후 계산한다.
③ 분모를 유리화하여 간단히 한다.

05 $\sqrt{2}\times\sqrt{6}\times\sqrt{2a}\times\sqrt{8}\times\sqrt{3a}=120$일 때, a의 값은? (단, $a>0$)

① 5   ② 6   ③ 7
④ 8   ⑤ 9

06 $\sqrt{48}=a\sqrt{3}$, $\sqrt{72}=b\sqrt{2}$일 때, $\sqrt{8ab}$의 값은?

① $6\sqrt{3}$ ② $8\sqrt{3}$ ③ $12\sqrt{3}$

④ $8\sqrt{6}$ ⑤ $10\sqrt{6}$

07 $\sqrt{147}=a\sqrt{3}$, $\dfrac{\sqrt{54}}{3\sqrt{2}}\div\dfrac{\sqrt{3}}{\sqrt{15}}\times\sqrt{\dfrac{6}{5}}=b\sqrt{c}$일 때, $a+b+c$의 값을 구하시오.
(단, a, b, c는 유리수이고, c는 가장 작은 자연수가 되도록 한다.)

08 다음 계산 중 옳지 <u>않은</u> 것은?

① $\sqrt{(-3)^2}-\sqrt{8^2}=-5$ ② $(-\sqrt{2})^2+\sqrt{(-11)^2}=13$

③ $\sqrt{(-7)^2}-\sqrt{\dfrac{1}{9}}\times\sqrt{(-27)^2}=-2$ ④ $\sqrt{25}\div(-\sqrt{5})^2\times\sqrt{(-2)^2}=10$

⑤ $\sqrt{\left(-\dfrac{3}{2}\right)^2}\times\sqrt{4}-\sqrt{81}\div\{-\sqrt{(-3)^2}\}=6$

09 $\sqrt{(-6)^2}-(-\sqrt{8})^2\div\sqrt{\left(-\dfrac{4}{3}\right)^2}+\sqrt{2^4}\times\sqrt{100}$을 계산하면?

① 39   ② 40   ③ 41

④ 42   ⑤ 43

10 $a>0$, $b>0$일 때, 다음 중 옳지 <u>않은</u> 것을 모두 고르면? (정답 2개)

① $\sqrt{ab^2}=b\sqrt{a}$ 　 ② $\sqrt{2a}+\sqrt{a}=\sqrt{3a}$ 　 ③ $\sqrt{a}\sqrt{b}=\sqrt{ab}$

④ $\dfrac{\sqrt{a}}{\sqrt{b}}=\dfrac{\sqrt{ab}}{b}$ 　 ⑤ $\sqrt{a^2+b^2}=a+b$

11 다음 계산 중 옳지 <u>않은</u> 것은?

① $-6\sqrt{2}-3\sqrt{2}=-9\sqrt{2}$ 　 ② $\sqrt{75}+\sqrt{12}=7\sqrt{3}$

③ $\sqrt{32}-\dfrac{1}{\sqrt{2}}=\dfrac{7\sqrt{2}}{2}$ 　 ④ $\sqrt{5}-\sqrt{125}-\sqrt{50}=-4\sqrt{5}-5\sqrt{2}$

⑤ $5\sqrt{2}-3\sqrt{48}-\sqrt{8}+3\sqrt{3}=3\sqrt{2}-\sqrt{3}$

> 제곱근의 덧셈과 뺄셈은 근호 안의 수가 같은 것끼리 묶어 계산한다.
>
> 최상위
> **Q&A 004**
> **다항식의 계산과 유사한 근호를 포함한 식의 계산**
> 중2 과정에서 학습한 다항식의 덧셈과 뺄셈에서 동류항끼리 모아서 계산했던 것처럼 근호를 포함한 식의 덧셈과 뺄셈에서도 제곱근을 문자처럼 생각하여 근호 안의 수가 같은 것끼리 모아서 계산한다.
>
> 중2 다항식의 계산
> $(3a-b)+(a+3b)$
> $=(3+1)a+(-1+3)b$
> $=4a+2b$
>
> 중3 근호를 포함한 식의 계산
> $(3\sqrt{2}-\sqrt{3})+(\sqrt{2}+3\sqrt{3})$
> $=(3+1)\sqrt{2}+(-1+3)\sqrt{3}$
> $=4\sqrt{2}+2\sqrt{3}$

12 다음을 간단히 하시오.

$$\sqrt{8}\left(\sqrt{32}-\dfrac{6}{\sqrt{2}}\right)+3\sqrt{2}(\sqrt{2}+\sqrt{8})$$

13 오른쪽 그림과 같이 넓이가 각각 $5\,\text{cm}^2$, $20\,\text{cm}^2$인 두 정사각형이 있다. 이때 $\overline{AB}+\overline{BC}$의 길이를 구하시오.

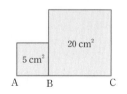

14 $\sqrt{2}=x$, $\sqrt{20}=y$일 때, $\sqrt{0.02}+\sqrt{80}=ax+by$이다. 이때 $5ab$의 값은?

(단, a, b는 유리수)

① $\dfrac{1}{5}$ ② $\dfrac{2}{5}$ ③ 1

④ 4 ⑤ 5

15 $\sqrt{75}+\dfrac{18}{\sqrt{3}}-\sqrt{48}=a\sqrt{3}$, $\sqrt{0.3}\div\sqrt{\dfrac{9}{5}}\times\sqrt{432}=b\sqrt{2}$일 때, 두 유리수 a, b에 대하여 $a+b$의 값은?

① 7 ② 9 ③ 11

④ 13 ⑤ 15

---

3 제곱근을 포함한 식의 계산(문자가 사용된 계산)

16 두 수 a, b에 대하여 $a\triangle b=a+b-ab$라 할 때, $\sqrt{2}\triangle(\sqrt{8}-2)$의 값은?

① $5\sqrt{2}-4$ ② $5\sqrt{2}-6$ ③ $3\sqrt{2}-6$
④ $\sqrt{2}-6$ ⑤ $\sqrt{2}-2$

새로운 연산 기호가 포함된 식은 주어진 연산 기호의 설명에 따라 수를 대입한다.

17 두 수 a, b에 대하여 $a\odot b=a-\sqrt{2}b+\sqrt{3}$, $a\blacklozenge b=\sqrt{3}a-b$라 할 때, $\{\sqrt{3}\odot(-1)\}\blacklozenge(-\sqrt{6})$의 값은?

① $6+2\sqrt{6}$ ② 6 ③ $2\sqrt{6}$
④ $6-2\sqrt{6}$ ⑤ $-2\sqrt{6}$

18 두 수 x, y에 대하여 $x \bigstar y = \sqrt{2}x - \sqrt{3}y$라 할 때, $\sqrt{2} \bigstar (1-\sqrt{3})$의 값은?

① $-1-\sqrt{3}$ ② $-1+\sqrt{3}$ ③ $1+\sqrt{3}$

④ $5-\sqrt{3}$ ⑤ $5+\sqrt{3}$

19 두 수 x, y에 대하여 $x \odot y = x - 2\sqrt{y}$라 할 때, $(4+3\sqrt{2}) \odot 8$의 소수 부분을 구하시오. (단, $y>0$)

20 두 수 x, y에 대하여 $x \triangle y = \begin{cases} x & (x \le y) \\ y & (x > y) \end{cases}$, $x \triangledown y = \begin{cases} x & (x > y) \\ y & (x \le y) \end{cases}$라 할 때, 다음 식의 값을 구하시오.

$$\{(\sqrt{3}-1) \triangle \sqrt{2}\} \triangledown \{(2-\sqrt{2}) \triangle (\sqrt{3}-\sqrt{2})\}$$

두 수의 대소를 먼저 비교한다.

21 실수 a, b, c, d에 대하여 $A(a, b)$, $B(c, d)$일 때, $A \odot B = ac - bd$라 하자. $P\left(\sqrt{2}, -\dfrac{1}{\sqrt{3}}\right)$, $Q\left(-\sqrt{2}, \dfrac{2}{3}\right)$, $R\left(\dfrac{1}{6}, 2\sqrt{2}\right)$, $S\left(\sqrt{3}, -\dfrac{1}{\sqrt{2}}\right)$일 때, $(P \odot Q) - (R \odot S)$의 값을 구하시오.

22 $\sqrt{3}=a$, $\sqrt{5}=b$일 때, 다음 중 $\sqrt{135}$를 a, b를 사용하여 나타낸 것을 모두 고르면? (정답 2개)

① $3ab$ ② $5ab$ ③ $15ab$
④ a^2b ⑤ a^3b

제곱근을 주어진 문자를 사용하여 나타내는 방법
① 근호 안의 수를 소인수분해한다.
② 근호를 분리한다.
③ 주어진 문자를 사용하여 나타낸다.

23 $\sqrt{2}=a$, $\sqrt{3}=b$일 때, 다음 중 $\sqrt{0.72}$를 a, b를 사용하여 나타낸 것을 모두 고르면? (정답 2개)

① $\dfrac{ab^2}{10}$ ② $\dfrac{a^2b^3}{10}$ ③ $\dfrac{a^3b^2}{10}$
④ $\dfrac{a^2b^3}{5}$ ⑤ $\dfrac{ab^2}{5}$

24 $\sqrt{3}=a$, $\sqrt{5}=b$일 때, 다음 중 $2\sqrt{2}$를 a, b를 사용하여 나타낸 것은?

① $a+b$ ② $\sqrt{a+b}$ ③ a^2+b^2
④ $\sqrt{a^2+b^2}$ ⑤ ab

25 $\sqrt{5}=a$일 때, 다음 **보기** 중 옳은 것을 모두 고른 것은?

보기
ㄱ. $\sqrt{0.5}=0.1a$ ㄴ. $\sqrt{180}=6a$
ㄷ. $\sqrt{0.0125}=\dfrac{a^3}{100}$ ㄹ. $\dfrac{1}{10}=a\sqrt{0.02}$

① ㄱ, ㄴ ② ㄴ, ㄷ ③ ㄷ, ㄹ
④ ㄱ, ㄴ, ㄹ ⑤ ㄴ, ㄷ, ㄹ

4 문자의 관계식을 이용한 식의 계산

26 $a>0$, $b>0$이고 $ab=27$일 때, $a\sqrt{\dfrac{3b}{a}}+b\sqrt{\dfrac{12a}{b}}$의 값은?

① 36   ② 27   ③ 24

④ 15   ⑤ 9

근호 밖에 있는 문자 a, b를 각각 근호 안으로 넣어 근호 안을 간단히 한 후 대입한다.

27 $x>0$, $y>0$이고 $xy=16$일 때, $x\sqrt{\dfrac{45y}{x}}+y\sqrt{\dfrac{20x}{y}}$의 값은?

① 16   ② $10\sqrt{5}$ ③ 24

④ $18\sqrt{5}$ ⑤ $20\sqrt{5}$

28 $ab=49$일 때, $a\sqrt{\dfrac{16b}{a}}-b\sqrt{\dfrac{25a}{b}}$의 값은? (단, $a>0$, $b>0$)

① -49 ② -7 ③ 7

④ 49   ⑤ 63

29 $a>0$, $b>0$이고, $\sqrt{ab}=12$일 때, $\dfrac{7a\sqrt{b}}{\sqrt{a}}+\dfrac{3b\sqrt{a}}{\sqrt{b}}$의 값을 구하시오.

근호 밖에 있는 문자 a, b를 각각 근호 안으로 넣어 근호 안을 간단히 한 후 대입한다.

30 $a : b = 1 : 3$일 때, $\dfrac{\sqrt{6a+b}}{\sqrt{6a-b}}$를 넘지 않는 최대의 정수는? (단, $a > 0$, $b > 0$)

① -1 ② 0 ③ 1
④ 2 ⑤ 3

31 $2^x = 2 - \sqrt{2}$, $2^y = 2 + \sqrt{2}$일 때, $x+y$의 값을 구하시오.

(1) $m > 0$, $n > 0$일 때,
$\quad a^m \times a^n = a^{m+n}$
(2) $(a+b)(a-b) = a^2 - b^2$

5 식의 값 구하기

32 $x = \sqrt{2}$일 때, 다음 식의 값은?

식을 간단히 한 후에 $x = \sqrt{2}$를 대입한다.

$$3x + \frac{1}{x} - \left(x^2 + \frac{2}{x}\right)$$

① $\dfrac{5\sqrt{2}}{2} - 2$ ② $\dfrac{5\sqrt{2}}{2} - \dfrac{3}{2}$ ③ $\dfrac{9\sqrt{2}}{2} - \dfrac{5}{2}$
④ $\dfrac{9\sqrt{2}}{2} - 2$ ⑤ $\dfrac{7\sqrt{2}}{2}$

33 $a = 3\sqrt{2} - 1$, $b = 3\sqrt{2} + 1$일 때, $\dfrac{1}{a+b} + \dfrac{1}{a-b}$의 값은?

① $\dfrac{\sqrt{2}-3}{6}$ ② $\dfrac{2\sqrt{2}-3}{6}$ ③ $\dfrac{\sqrt{2}-6}{12}$
④ $2\sqrt{2} - 6$ ⑤ $6\sqrt{2} - 2$

34 $a = \dfrac{2-\sqrt{3}}{\sqrt{2}}$, $b = \dfrac{\sqrt{2}+\sqrt{6}}{3}$일 때, $\dfrac{2a+3b}{a-3b}$의 값을 구하시오.

35 $a=2\sqrt{3}+4,\ b=\sqrt{2}-3\sqrt{6}$일 때, $\dfrac{a}{\sqrt{2}}+\dfrac{b}{\sqrt{3}}$의 값은?

① $3\sqrt{6}-\sqrt{2}$ ② $3\sqrt{6}-5\sqrt{2}$ ③ $\dfrac{7\sqrt{6}}{3}$

④ $\dfrac{5\sqrt{6}}{6}+\sqrt{2}$ ⑤ $\dfrac{4\sqrt{6}}{3}-\sqrt{2}$

36 $f(x)=\sqrt{x}(1-\sqrt{x})$일 때, $f(1)+f(2)+f(4)+f(8)+f(16)$의 값은?

(단, $x>0$)

① $3\sqrt{2}-24$ ② $3\sqrt{2}-22$ ③ $3\sqrt{2}-20$
④ $3\sqrt{2}-16$ ⑤ $3\sqrt{2}-12$

37 양수 x의 양의 제곱근을 $f(x)$, 음의 제곱근을 $g(x)$라 할 때, 다음 식의 값을 구하시오.

$$\{f(1)+f(2)+f(3)+\cdots+f(49)\}+\{g(2)+g(3)+g(4)+\cdots+g(50)\}$$

38 자연수 x에 대하여 $f(x)=[\sqrt{x}]$일 때, $f(1)+f(2)+f(3)+\cdots+f(25)$의 값을 구하시오. (단, $[x]$는 x보다 크지 않은 최대의 정수이다.)

자연수 n에 대하여
$n\leq x<n+1$일 때,
$[x]=n$

39 $\sqrt{2}(\sqrt{2}-x)-\sqrt{8}(3-\sqrt{2})$가 유리수가 되도록 하는 유리수 x의 값은?

① -6 ② -3 ③ -2
④ 2 ⑤ 6

a, b는 유리수이고 $\sqrt{x}$가 무리수일 때 $a+b\sqrt{x}$가 유리수가 될 조건 ➡ $b=0$

40 $\sqrt{5}(3\sqrt{5}-2)-a(6-2\sqrt{5})$가 유리수가 되도록 하는 a의 값은?

(단, a는 유리수)

① -3 ② -2 ③ -1
④ 1 ⑤ 2

41 $\dfrac{\sqrt{8}-\sqrt{48}}{\sqrt{2}}+\dfrac{k}{\sqrt{3}}(\sqrt{3}-\sqrt{2})$가 유리수가 되도록 하는 k의 값은?

(단, k는 유리수)

① -6 ② $-\dfrac{2}{3}$ ③ $\dfrac{2}{3}$
④ $\dfrac{3}{2}$ ⑤ 6

42 두 유리수 a, b에 대하여 $a(\sqrt{3}-1)-b+\sqrt{12}=0$일 때, ab의 값은?

① 4 ② 2 ③ 0
④ -2 ⑤ -4

a, b가 유리수이고, $\sqrt{m}$이 무리수일 때,
$a+b\sqrt{m}=0$이면
➡ $a=0$, $b=0$

43 $\sqrt{2}$의 소수 부분을 a, $\sqrt{18}$의 소수 부분을 b라 할 때,
$(a-1)x+(b+4)y-2=0$을 만족하는 두 유리수 x, y에 대하여 $x+y$의 값을 구하시오.

7 제곱근의 값

44 $\sqrt{2}$의 값이 1.414, $\sqrt{20}$의 값이 4.472일 때, 다음 □ 안에 알맞은 수를 써넣으시오.

(1) $\sqrt{200}=\sqrt{2\times\boxed{}}=\boxed{}\sqrt{2}=\boxed{}\times1.414=\boxed{}$

(2) $\sqrt{2000}=\sqrt{20\times\boxed{}}=\boxed{}\sqrt{20}=\boxed{}\times4.472=\boxed{}$

(3) $\sqrt{0.02}=\sqrt{\dfrac{2}{\boxed{}}}=\dfrac{\sqrt{2}}{\boxed{}}=\dfrac{1.414}{\boxed{}}=\boxed{}$

(4) $\sqrt{0.002}=\sqrt{\dfrac{20}{\boxed{}}}=\dfrac{\sqrt{20}}{\boxed{}}=\dfrac{4.472}{\boxed{}}=\boxed{}$

45 다음 중 $\sqrt{4.91}$의 값이 2.216임을 이용하여 그 값을 구할 수 <u>없는</u> 것은?

① $\sqrt{0.0491}$　　　② $\sqrt{0.491}$　　　③ $\sqrt{491}$

④ $\sqrt{49100}$　　　⑤ $\sqrt{4910000}$

46 $\sqrt{3.25}$의 값이 1.803, $\sqrt{32.5}$의 값이 5.701일 때, 다음 중 옳지 <u>않은</u> 것은?

① $\sqrt{325}=18.03$　　　② $\sqrt{3250}=57.01$　　　③ $\sqrt{32500}=180.3$

④ $\sqrt{0.325}=0.5701$　　　⑤ $\sqrt{0.0325}=0.01803$

47 다음 제곱근표를 이용하여 $\sqrt{0.0573}$의 값을 구하시오.

수	0	1	2	3	4
5.6	2.366	2.369	2.371	2.373	2.375
5.7	2.387	2.390	2.392	2.394	2.396
⋮	⋮	⋮	⋮	⋮	⋮
57	7.550	7.556	7.563	7.570	7.576
58	7.616	7.622	7.629	7.635	7.642

제곱근표에 없는 수의 값은 근호 안의 수를 지수가 짝수인 10 또는 $\frac{1}{10}$의 거듭제곱인 수와의 곱으로 나타내어 구한다.

48 다음 제곱근표를 이용하여 값을 구한 것 중 옳지 <u>않은</u> 것은?

수	5	6	7	8
2.8	a	b	1.694	1.697
2.9	1.718	1.720	1.723	1.726
⋮	⋮	⋮	⋮	⋮
4.2	2.062	2.064	2.066	2.069
4.3	2.086	2.088	2.090	2.093
⋮	⋮	⋮	⋮	⋮
28	c	d	5.357	5.367
29	5.431	5.441	5.450	5.459

① $\sqrt{2960}=54.41$ ② $\sqrt{0.0296}=0.1720$ ③ $\sqrt{0.00285}=\dfrac{c}{100}$

④ $\sqrt{0.0285}=\dfrac{a}{10}$ ⑤ $\sqrt{28600}=100d$

49 $\sqrt{7.3}=a$, $\sqrt{73}=b$라 할 때, 다음 중 $\sqrt{0.00073}$을 a 또는 b를 사용하여 나타낸 것으로 옳은 것은?

① $\dfrac{a}{100}$ ② $\dfrac{b}{100}$ ③ $\dfrac{a}{10000}$

④ $\dfrac{b}{10000}$ ⑤ $100a$

50 다음 중 $\sqrt{2}$의 값이 1.414임을 이용하여 그 값을 구한 것으로 옳지 <u>않은</u> 것은?

① $\sqrt{32}=5.656$ ② $\sqrt{0.5}=0.707$ ③ $\dfrac{4}{\sqrt{8}}=1.414$

④ $\sqrt{98}=9.898$ ⑤ $\sqrt{800}=14.14$

51 다음 중 $\sqrt{5}$의 값이 2.236임을 이용하여 그 값을 구할 수 <u>없는</u> 것은?

① $\sqrt{0.05}$ ② $\sqrt{45}$ ③ $\dfrac{3}{\sqrt{20}}$

④ $\sqrt{0.2}$ ⑤ $\sqrt{5000}$

52 다음 중 $17^2=289$임을 이용하여 그 값을 구할 수 있는 것을 모두 고르면?

(정답 2개)

① $\sqrt{0.00289}$ ② $\sqrt{0.289}$ ③ $\sqrt{2.89}$

④ $\sqrt{1156}$ ⑤ $\sqrt{1700}$

53 다음 제곱근표를 이용하여 $\sqrt{0.60}$의 값을 구하시오.

$a\geq0$일 때
$\sqrt{a^2b}=a\sqrt{b}$ 임을 이용한다.

수	0	1	2	3	4
1.4	1.183	1.187	1.192	1.196	1.200
1.5	1.225	1.229	1.233	1.237	1.241
⋮	⋮	⋮	⋮	⋮	⋮
14	3.742	3.755	3.768	3.782	3.795
15	3.873	3.886	3.899	3.912	3.924

54 오른쪽 그림과 같이 한 변의 길이가 각각 3 cm, 2 cm인 두 정사각형 P, Q의 넓이의 합과 정사각형 R의 넓이가 같을 때, 정사각형 R의 한 변의 길이를 구하시오.

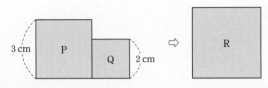

55 오른쪽 그림과 같이 반지름의 길이가 x cm 이고, 중심각의 크기가 60°인 부채꼴과 반지름의 길이가 2 cm인 원이 있다. 이 두 도형의 넓이가 같을 때, x의 값은?

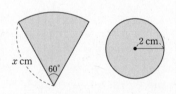

① $2\sqrt{3}$ ② $3\sqrt{2}$ ③ $2\sqrt{6}$

④ $4\sqrt{2}$ ⑤ $4\sqrt{3}$

56 오른쪽 그림과 같이 넓이가 34 cm²인 큰 정사각형의 각 변의 중점을 연결하여 작은 정사각형을 만들었을 때, 작은 정사각형의 한 변의 길이는?

작은 정사각형의 넓이는 큰 정사각형의 넓이의 $\frac{1}{2}$이다.

① $\sqrt{34}$ cm   ② $\sqrt{17}$ cm

③ $\frac{\sqrt{34}}{2}$ cm   ④ $\frac{\sqrt{17}}{2}$ cm   ⑤ $\frac{\sqrt{17}}{4}$ cm

57 오른쪽 그림과 같이 넓이가 각각 3 cm², 12 cm², 27 cm²인 세 정사각형에 대하여 다음 중 옳지 <u>않은</u> 것은?

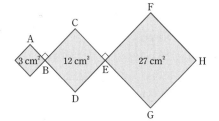

① $\overline{AB}+\overline{BC}=3\sqrt{3}$ cm

② $\overline{DF}=5\sqrt{3}$ cm

③ $\overline{AD}+\overline{DE}=5\sqrt{3}$ cm

④ $\overline{CG}+\overline{GH}=8\sqrt{3}$ cm

⑤ $\overline{BD}+\overline{DF}+\overline{FH}=9\sqrt{3}$ cm

58 다음 그림과 같은 직육면체 모양의 그릇에 물이 가득 채워져 있다. 이 물을 모두 삼각기둥 모양의 그릇에 부었더니 물의 높이가 8 cm일 때, x의 값은?

(단, 그릇의 두께는 무시한다.)

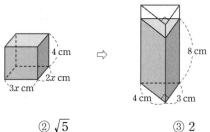

① $\sqrt{6}$　　　　② $\sqrt{5}$　　　　③ 2

④ $\sqrt{3}$　　　　⑤ $\sqrt{2}$

59 다음 그림과 같이 넓이가 3π인 원의 한 점 P가 수직선 위의 점 A(2)에서 만난다. 이 원을 수직선 위에서 오른쪽으로 한 바퀴 굴려 점 P가 수직선 위의 점 B와 만날 때, 점 B의 좌표를 구하시오.

반지름의 길이가 r인 원의 넓이는 πr^2, 둘레의 길이는 $2\pi r$이다.

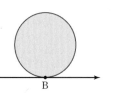

60 다음 그림과 같이 한 변의 길이가 5인 정사각형 모양의 색종이 1장과 밑변의 길이가 10, 높이가 5인 직각삼각형 모양의 색종이 4장이 있다. 이 색종이를 모두 사용하여 정사각형 1개를 만들 때, 만들어진 정사각형의 한 변의 길이를 구하시오. (단, 색종이가 겹치거나 남는 부분이 없도록 한다.)

넓이가 a인 정사각형의 한 변의 길이는 $\sqrt{a}$이다.

 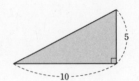

---

9 무리수의 정수 부분과 소수 부분

61 $3\sqrt{2}$의 정수 부분을 a, 소수 부분을 b라 할 때, $b-a$의 값은?

① $3\sqrt{2}-8$ ② $3\sqrt{2}-6$ ③ $8-3\sqrt{2}$

④ $6+3\sqrt{2}$ ⑤ $8+3\sqrt{2}$

무리수 $\sqrt{a}$의 정수 부분이 n이면 소수 부분은 $\sqrt{a}-n$이다.

62 $\sqrt{5}+1$의 정수 부분을 a, 소수 부분을 b라 할 때, $\dfrac{a}{b}$의 값은?

① $2\sqrt{5}-4$ ② $3\sqrt{5}-6$ ③ $\sqrt{5}+2$

④ $2\sqrt{5}+4$ ⑤ $3\sqrt{5}+6$

$$\frac{1}{\sqrt{a}-b}=\frac{\sqrt{a}+b}{(\sqrt{a}-b)(\sqrt{a}+b)}$$
$$=\frac{\sqrt{a}+b}{a-b^2}$$

63 $\sqrt{2}$의 소수 부분을 a, $4-\sqrt{2}$의 소수 부분을 b라 할 때, $2a+b$의 값은?

① 0 ② 1 ③ $\sqrt{2}$

④ 2 ⑤ $2\sqrt{2}$

64 $2\sqrt{3}$의 정수 부분을 a, $\sqrt{7}-1$의 소수 부분을 b라 할 때, $a+\sqrt{7b}$의 값을 구하시오.

65 $4-\sqrt{3}$의 정수 부분을 a, $1+2\sqrt{3}$의 소수 부분을 b라 할 때, $\dfrac{a}{b}$의 값을 구하시오.

$(a+b)(a-b)=a^2-b^2$임을 이용한다.

66 $\sqrt{3}$의 소수 부분을 a라 할 때, $\sqrt{75}$의 소수 부분을 a를 사용하여 나타내면?

① $5a-8$ ② $5a-7$ ③ $5a-3$
④ $5a-1$ ⑤ $5a$

67 자연수 x, y에 대하여 $\sqrt{x}$의 정수 부분을 $f(x)$, $\sqrt{y}$의 소수 부분을 $g(y)$라 할 때, $f(15)-g(20)$의 값은?

① $-7+2\sqrt{5}$ ② $-7-2\sqrt{5}$ ③ $7-2\sqrt{5}$
④ $2\sqrt{5}$ ⑤ $2\sqrt{5}+1$

$\sqrt{15}$의 정수 부분과 $\sqrt{20}$의 소수 부분을 각각 구한다.

68 자연수 n에 대하여 $\sqrt{n}$의 정수 부분을 $f(n)$이라 할 때, $f(x)=5$를 만족하는 자연수 x의 개수는?

① 8 ② 9 ③ 10
④ 11 ⑤ 12

단원 종합 문제

01
다음 **보기** 중 옳은 것은 모두 몇 개인지 구하시오.

> **보기**
> ㄱ. 음수가 아닌 수의 제곱근은 2개이다.
> ㄴ. $-\sqrt{(-6)^2}$의 제곱근은 없다.
> ㄷ. $0.\dot{4}$의 제곱근은 $\pm 0.\dot{2}$이다.
> ㄹ. 제곱근 $\sqrt{64}$는 $\sqrt{8}$이다.
> ㅁ. $\sqrt{(-5)^2}$의 양의 제곱근과 음의 제곱근의 합은 0이다.

02
다음 중 옳은 것은?

① -0.2는 정수이다.
② $\sqrt{3.14}$는 유리수이다.
③ $\sqrt{25}-\sqrt{3}$은 유리수이다.
④ $-\pi,\ \dfrac{1}{\sqrt{3}},\ \sqrt{5}$ 는 모두 무리수이다.
⑤ $\sqrt{0.16},\ -\sqrt{81},\ 3\sqrt{2}$ 는 정수가 아닌 실수이다.

03
다음 중 오른쪽 그림의 어두운 부분에 해당하는 수들로만 이루어진 것은?

① $1.4,\ -1.23456\cdots,\ 2$
② 6의 제곱근, $-3,\ \sqrt{\dfrac{9}{25}}$
③ $\sqrt{(-1)^2},\ -\sqrt{2},\ \sqrt{3},\ \sqrt{4}-1$
④ $\sqrt{(-0.07)^2},\ \dfrac{\sqrt{2}}{3},\ -\sqrt{\dfrac{32}{8}}$
⑤ $-3\pi,\ \sqrt{5}+2,\ \sqrt{12.1}$

04
다음 중 수직선 위의 2와 $\sqrt{7}$에 대응하는 두 점 사이에 있는 수에 대한 설명으로 옳은 것을 모두 고르면? (정답 2개)

① 무수히 많은 실수가 있다.
② 정수는 2개가 있다.
③ 무리수는 $\sqrt{3},\ \sqrt{5},\ \sqrt{6}$의 3개가 있다.
④ 유리수는 4개가 있다.
⑤ 두 수 2와 $\sqrt{7}$에 대응하는 두 점의 중점에 대응하는 수는 무리수이다.

05
다음 **보기** 중 옳은 것을 모두 고른 것은?

> **보기**
> ㄱ. 모든 유리수는 각각 수직선 위의 한 점에 대응한다.
> ㄴ. 유리수와 무리수의 합은 항상 무리수이다.
> ㄷ. 수직선 위에는 유리수와 무리수에 동시에 대응하는 점이 있다.
> ㄹ. 모든 실수를 수직선 위의 점에 대응시키면 수직선을 완전히 메울 수 있다.
> ㅁ. 두 무리수의 곱은 항상 무리수이다.

① ㄱ, ㄴ　　② ㄷ, ㄹ　　③ ㄱ, ㄴ, ㄹ
④ ㄱ, ㄹ, ㅁ　　⑤ ㄴ, ㄷ, ㅁ

06
다음 설명 중 옳은 것은?

① 두 유리수 사이에는 적어도 1개의 자연수가 있다.
② 수직선 위에는 무리수에 대응하는 점이 무수히 많다.
③ 양의 유리수 b에 대하여 $a^2=b$일 때, a는 항상 무리수이다.
④ 두 수 $a,\ b$가 양의 유리수일 때, $a \times \sqrt{b}$는 항상 무리수이다.
⑤ a가 양의 유리수, b가 무리수일 때, $\sqrt{a}+b$는 항상 무리수이다.

07 a는 유리수, b는 무리수일 때, 다음 중 항상 무리수인 것을 모두 고르면? (정답 2개)

① $a+b$ ② $a-b$ ③ ab

④ $a \div b$ ⑤ $\sqrt{a}$

08 $5(2-\sqrt{3})-2(4-a\sqrt{3})$이 유리수가 되도록 하는 a의 값은? (단, a는 유리수)

① $-\dfrac{5}{2}$ ② $-\dfrac{3}{2}$ ③ $\dfrac{1}{2}$

④ $\dfrac{3}{2}$ ⑤ $\dfrac{5}{2}$

09 $(-5)^2$의 음의 제곱근을 a, $\sqrt{25}$의 양의 제곱근을 b라 할 때, $a+b^2$의 값은?

① -10 ② -5 ③ 0

④ 5 ⑤ 10

10 $a<0$일 때, 다음 식을 간단히 하면?

$$\sqrt{(-a)^2}+\sqrt{(2a)^2}-\sqrt{25a^2}$$

① $-24a$ ② $-9a$ ③ $-2a$

④ $2a$ ⑤ $8a$

11 다음 중 두 실수의 대소 관계가 옳은 것은?

① $\sqrt{7}-1>2$ ② $2-\sqrt{5}>-\sqrt{5}+8$

③ $\sqrt{5}+\sqrt{6}>\sqrt{7}+\sqrt{5}$ ④ $\sqrt{5}<\sqrt{7}-1$

⑤ $-\sqrt{7}-3<-\sqrt{6}-3$

12 다음 세 수 a, b, c의 대소 관계로 옳은 것은?

$$a=4,\ b=\sqrt{17}+1,\ c=\sqrt{12}+1$$

① $a<b<c$ ② $a<c<b$ ③ $b<a<c$

④ $c<a<b$ ⑤ $c<b<a$

13 다음 각 수를 수직선 위에 나타내면 아래 그림과 같이 3개의 점 A, B, C에 대응한다. 점 A에 대응하는 수를 a, 점 C에 대응하는 수를 c라 할 때, $a^2-(c+1)^2$의 값을 구하시오.

$$\sqrt{5}-1, \quad -\sqrt{2}, \quad -\sqrt{3}+1$$

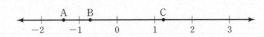

14 다음 중 옳지 <u>않은</u> 것은?

① $-\sqrt{2}\times\sqrt{22}=-2\sqrt{11}$

② $\sqrt{\dfrac{16}{3}}\div\sqrt{\dfrac{2}{9}}=2\sqrt{6}$

③ $\left(-\sqrt{\dfrac{14}{9}}\right)\times 5\sqrt{\dfrac{2}{7}}=-\dfrac{\sqrt{10}}{3}$

④ $\sqrt{20}\div\sqrt{2}\div\sqrt{5}=\sqrt{2}$

⑤ $(-3\sqrt{2})\times(-4\sqrt{6})=24\sqrt{3}$

15 $\dfrac{1}{\sqrt{5}+\sqrt{3}}-\dfrac{1}{\sqrt{5}-\sqrt{3}}$ 을 계산하시오.

16 $\dfrac{\sqrt{98}-\sqrt{27}}{\sqrt{2}}-\dfrac{5\sqrt{3}-\sqrt{18}}{\sqrt{3}}=a+b\sqrt{6}$일 때, ab의 값은? (단, a, b는 유리수)

① -2 ② -1 ③ 0

④ 1 ⑤ 2

17 다음과 같이 두 식의 계산 결과를 각각 a, b라 할 때, $a+b$의 값을 구하시오.

$$\sqrt{(-1)^2}+(-\sqrt{3})^2-(-\sqrt{5})^2=a$$
$$(-\sqrt{4})^2\times\sqrt{\dfrac{25}{16}}-\sqrt{0.81}\times\sqrt{(-10)^2}=b$$

18 자연수 x에 대하여 $\sqrt{x}$ 이하의 자연수의 개수를 $N(x)$라 하자. 이때 $N(1)+N(2)+N(3)+\cdots+N(a)=70$을 만족하는 자연수 a의 값은?

① 20 ② 21 ③ 22

④ 23 ⑤ 24

19 $f(x)=\sqrt{x}-\sqrt{x+1}$일 때,
$f(1)+f(2)+f(3)+\cdots+f(8)$의 값은?

(단, $x>0$)

① $-2\sqrt{2}$ ② -2 ③ $\sqrt{2}$

④ 2 ⑤ $1+2\sqrt{2}$

22 $\sqrt{2}=a$, $\sqrt{3}=b$일 때, 다음 중 $\sqrt{216}$을 a, b를 사용하여 나타낸 것을 모두 고르면? (정답 2개)

① a^2b ② ab^3 ③ $2a^2b$

④ a^3b^3 ⑤ $6ab$

20 $a=2\sqrt{2}+3$, $b=\sqrt{3}-3\sqrt{6}$일 때, $\dfrac{a}{\sqrt{3}}-\dfrac{b}{\sqrt{2}}$의 값은?

① $\sqrt{3}+\dfrac{\sqrt{6}}{6}$ ② $2\sqrt{3}+\dfrac{\sqrt{6}}{6}$ ③ $2\sqrt{3}-\dfrac{\sqrt{6}}{6}$

④ $4\sqrt{3}+\dfrac{\sqrt{6}}{6}$ ⑤ $4\sqrt{3}-\dfrac{\sqrt{6}}{6}$

23 부등식 $2<\sqrt{2a-1}<4$를 만족하는 자연수 a의 개수는?

① 2 ② 3 ③ 4

④ 5 ⑤ 6

21 $\sqrt{43-x}$가 자연수가 되도록 하는 자연수 x의 값 중 가장 작은 자연수를 a, 가장 큰 자연수를 b라 할 때, $\dfrac{b}{a}$의 값은?

① 3 ② 4 ③ 5

④ 6 ⑤ 7

24 부등식 $2<\sqrt{3n}<4$를 만족하는 모든 자연수 n의 값의 합은?

① 7 ② 9 ③ 12

④ 14 ⑤ 16

25 다음 그림과 같이 4개의 정사각형 (가), (나), (다), (라)가 있다. 정사각형 (가)의 넓이는 (나)의 넓이의 5배, (나)의 넓이는 (다)의 넓이의 4배, (다)의 넓이는 (라)의 넓이의 3배이다. 정사각형 (가)의 넓이가 120 cm² 일 때, 정사각형 (라)의 한 변의 길이를 구하시오.

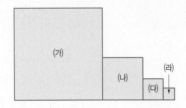

28 다음 그림과 같이 수직선 위에 한 변의 길이가 2인 정사각형이 있다. 이 정사각형의 각 변의 중점을 연결하여 정사각형 PQRS를 만들었다. $\overline{QP}=\overline{QA}$, $\overline{QR}=\overline{QB}$일 때, 두 점 A, B의 좌표를 각각 구하시오.

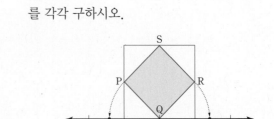

26 자연수 n에 대하여 $\sqrt{n}$의 소수 부분을 $f(n)$이라 할 때, $f(24)-f(6)$의 값은?

① $\sqrt{6}-1$ ② $\sqrt{6}-2$ ③ $\sqrt{6}+2$
④ $3\sqrt{6}-2$ ⑤ $3\sqrt{6}-6$

29 다음 그림에서 □ABCD는 정사각형이고, $\overline{BA}=\overline{BP}$, $\overline{BC}=\overline{BQ}$일 때, 다음을 구하시오.
(1) □ABCD의 한 변의 길이와 넓이
(2) 두 점 P, Q에 각각 대응하는 수

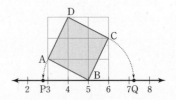

27 $\sqrt{2.37}$의 값이 1.539, $\sqrt{23.7}$의 값이 4.868일 때, 다음 중 옳지 <u>않은</u> 것은?

① $\sqrt{2370}=48.68$ ② $\sqrt{23700}=153.9$
③ $\sqrt{0.237}=0.4868$ ④ $\sqrt{0.0237}=0.01539$
⑤ $\sqrt{0.00237}=0.04868$

30 다음 그림과 같이 넓이가 각각 S_1, S_2, S_3인 세 정사각형 (가), (나), (다)가 있다. $S_1=2$, $S_2=\frac{1}{3}S_1$, $S_3=\frac{1}{3}S_2$일 때, $\overline{AB}$의 길이를 구하시오.

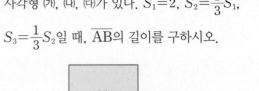

II 식의 계산

1 다항식의 곱셈

1 다항식의 곱에서 계수 구하기

(1) **특정항의 계수 구하기** : 두 다항식의 곱에서 특정항의 계수를 구할 때에는 각 다항식에서 그 곱이 구하려는 항이 되는 것끼리만 골라서 계산하면 편리하다.

(2) **상수항을 포함한 계수의 총합 구하기** : 상수항을 포함한 계수의 총합은 주어진 식의 모든 문자에 1을 대입하여 계산한 값과 같다.

+ 여러 가지 괄호가 있는 식은 (소괄호)➡{중괄호}➡[대괄호]의 순서로 괄호를 풀어 계산한다.

2 다항식의 곱셈

(1) **전개와 전개식**

① 전개 : 두 개 이상의 다항식이 곱해져 있을 때, 괄호를 풀어 하나의 다항식으로 나타내는 것

② 전개식 : 전개하여 얻은 다항식

(2) **(단항식)×(다항식), (다항식)×(단항식)의 계산**

분배법칙을 이용하여 단항식을 다항식의 각 항에 곱한다.

$$a(b+c)=ab+ac, \quad (a+b)c=ac+bc$$

(3) **(다항식)×(다항식)의 계산**

분배법칙을 이용하여 전개한 다음 동류항끼리 모아서 간단히 한다.

$$(a+b)(c+d)=ac+ad+bc+bd$$

주의
음의 부호를 포함한 단항식을 다항식의 각 항에 곱할 때에는 음의 부호를 포함해서 분배법칙을 이용한다.

예 $-2x(3x-5)$
$=(-2x)\times 3x$
$+(-2x)\times(-5)$
$=-6x^2+10x$

3 곱셈 공식

(1) $(a+b)^2=a^2+2ab+b^2$ ◀ 완전제곱식 (합의 제곱)

(2) $(a-b)^2=a^2-2ab+b^2$ ◀ 완전제곱식 (차의 제곱)

(3) $(a+b)(a-b)=a^2-b^2$ ◀ 합과 차의 곱

(4) $(x+a)(x+b)=x^2+(a+b)x+ab$ ◀ x의 계수가 1인 두 일차식의 곱

(5) $(ax+b)(cx+d)=acx^2+(ad+bc)x+bd$ ◀ x의 계수가 1이 아닌 두 일차식의 곱

주의
$(a+b)^2 \neq a^2+b^2$
$(a-b)^2 \neq a^2-b^2$

4 곱셈 공식의 활용

(1) 곱셈 공식을 이용한 수의 계산
① 제곱의 계산 : $(a+b)^2=a^2+2ab+b^2$ 또는 $(a-b)^2=a^2-2ab+b^2$을 이용하여 계산한다.

> 📕 $101^2=(100+1)^2=100^2+2\times100\times1+1^2=10000+200+1=10201$

② 두 수의 곱의 계산 : $(a+b)(a-b)=a^2-b^2$ 또는 $(x+a)(x+b)=x^2+(a+b)x+ab$를 이용하여 계산한다.

> 📕 $99\times101=(100-1)(100+1)=100^2-1^2=10000-1=9999$

(2) 공통된 부분이 있는 식의 전개
공통된 부분을 한 문자로 치환하여 전개한 후, 다시 치환하기 전의 식을 대입하여 전개한다.

> 📘 $(a+b-c)(a-b-c)$를 전개할 때 $a-c=X$로 치환하면
> $(a+b-c)(a-b-c)=(X+b)(X-b)$
> $\qquad\qquad\qquad\qquad\;=X^2-b^2$ } $X=a-c$를 대입
> $\qquad\qquad\qquad\qquad\;=(a-c)^2-b^2$
> $\qquad\qquad\qquad\qquad\;=a^2-2ac+c^2-b^2$
> $\qquad\qquad\qquad\qquad\;=a^2-b^2+c^2-2ac$

주의
치환하는 문자는 식에 나오는 문자와 중복되지 않는 문자로 정한다.

(3) 곱셈 공식의 도형에의 활용
곱셈 공식을 이용하여 어두운 부분의 넓이 구하기
① 주어진 도형의 변의 길이를 문자를 사용하여 나타낸다.
② 도형의 넓이를 구하는 식을 세우고, 곱셈 공식을 이용하여 이를 전개한다.

> 📘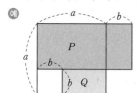
> (1) (도형 P의 넓이)$=(a+b)(a-b)=a^2-b^2$
> (2) (도형 Q의 넓이)$=b(a-b)=ab-b^2$

5 곱셈 공식의 변형

(1) $a^2+b^2=(a+b)^2-2ab=(a-b)^2+2ab$

(2) $(a+b)^2=(a-b)^2+4ab$, $(a-b)^2=(a+b)^2-4ab$

(3) $x^2+\dfrac{1}{x^2}=\left(x+\dfrac{1}{x}\right)^2-2=\left(x-\dfrac{1}{x}\right)^2+2$

(4) $\left(x+\dfrac{1}{x}\right)^2=\left(x-\dfrac{1}{x}\right)^2+4$, $\left(x-\dfrac{1}{x}\right)^2=\left(x+\dfrac{1}{x}\right)^2-4$

반대
$$a^2+b^2=(a+b)^2-2ab$$
$$=(a-b)^2+2ab$$
반대

주제별 실력다지기

1 다항식의 곱셈에서 계수 구하기

01 $(Ax-5y)(x+2y-B)$의 전개식에서 xy의 계수가 3이고 y의 계수가 -5일 때, 상수 A, B에 대하여 $A+B$의 값을 구하시오.

02 $(\sqrt{2}x+y-3)(\sqrt{2}x-y+3)$의 전개식에서 x^2의 계수가 a이고 y의 계수가 b일 때, $a-b$의 값은?

① -4 ② -2 ③ 0
④ 2 ⑤ 4

03 $x(2x^2-3x+1)(x^2-x-1)$의 전개식에서 x^3의 계수를 A이고 x의 계수를 B라 할 때, AB의 값을 구하시오.

04 $(3x+y-2)^2(x-ay+3)$의 전개식에서 상수항을 포함한 모든 항의 계수의 총합이 20일 때, 상수 a의 값은?

① -13 ② -12 ③ -6
④ -2 ⑤ -1

05 $(1-2x+3x^2+x^3)(2+x-x^2+x^3)$을 전개하였을 때, 상수항을 제외한 각 항의 계수의 총합을 구하시오.

06 $(x-ay-1)(x-4y+b)$의 전개식에서 xy의 계수가 -8, 상수항이 -5일 때, 상수항을 포함한 모든 항의 계수의 총합을 구하시오. (단, a, b는 상수)

07 $(2011x^2-2010x+1)^5$의 전개식이 $a_1x^{10}+a_2x^9+\cdots+a_{10}x+a_{11}$일 때, $a_1+a_2+a_3+\cdots+a_{10}$의 값을 구하시오. (단, a_1, a_2, a_3, $\cdots$, a_{11}은 상수)

$a_1+a_2+\cdots+a_{10}$은 상수항을 제외한 각 항의 계수의 합이다.

2 $(a\pm b)^2$, $(a+b)(a-b)$의 전개

08 상수 A, B, C, D가 다음 조건을 만족할 때, $A+B+C+D$의 값을 구하시오.

> (개) $(x+Ay)^2=x^2+8xy+By^2$　　(내) $(x+Cy)^2=x^2-12xy+Dy^2$

식의 전개는 곱셈 공식을 완벽히 외운 후 충분한 연습을 통하여 언제든 빠르고 정확히 기억나도록 해야 한다.

09 다음 중 옳지 <u>않은</u> 것을 모두 고르면? (정답 2개)

① $(-4y+1)^2=16y^2-8y+1$

② $(-x+5y)(-x-5y)=x^2-25y^2$

③ $(\sqrt{2}x-\sqrt{3}y)(\sqrt{2}x+\sqrt{3}y)=2x-3y$

④ $(-m-3n)^2=m^2-6mn+9n^2$

⑤ $(x-y)^2=(-x+y)^2$

10 $(-5x-2y)(5x-2y)+3(x-2y)^2$을 간단히 하면 $-22x^2+axy+by^2$일 때, 상수 a, b에 대하여 $a+b$의 값은?

① -4 ② -2 ③ 0

④ 2 ⑤ 4

11 다음 □ 안에 알맞은 수들의 합을 구하시오.

$$(x-1)(x+1)(x^{\square}+1)=(x^2-1)(x^2+1)$$
$$=x^{\square}-1$$

$(a+b)(a-b)=a^2-b^2$이 연속하여 2회 사용되었다.

12 다음 식을 전개하시오.

$$(2a-b)(2a+b)(4a^2-b^2)$$

13 $a \triangle b = a^2 - b^2$이라 할 때, $(x-y)\triangle(x+y)$를 간단히 하면?

① $2x^2+2y^2$ ② $2x^2-2y^2$ ③ $2x^2+2y^2-4xy$

④ $-4xy$ ⑤ $4xy$

새로운 계산법을 제시하는 문제는 제시된 계산법대로 식을 쓴 후 푼다.

14 $\begin{vmatrix} a & b \\ c & d \end{vmatrix} = ad-bc$라 할 때, $\begin{vmatrix} (2x-y) & (y-3x) \\ (3x+y) & (-2x+y) \end{vmatrix}$를 간단히 하면?

① $-13x^2+4xy-2y^2$ ② $-13x^2+4xy$ ③ $-5x^2-4xy$

④ $5x^2-2y^2$ ⑤ $5x^2+4xy-2y^2$

3 $(x+a)(x+b), (ax+b)(cx+d)$의 전개

15 다음 중 식의 전개가 옳은 것은?

① $(y+4)(y-6)=y^2+2y-24$

② $(3a+1)(2a+1)=6a^2+6a+1$

③ $(3x-2)(7x-4)=10x^2-26x+8$

④ $(4m-3)(-7m+2)=-28m^2+29m-6$

⑤ $(-2x-3y)(x+4y)=-2x^2-11x-12y^2$

16 $(x-2)(5x+a)$를 전개한 식이 $5x^2-13x+b$일 때, 상수 a, b의 값은?

① $a=-3, b=-6$　　② $a=-3, b=5$　　③ $a=-3, b=6$

④ $a=3, b=-6$　　⑤ $a=3, b=6$

17 $(5x-7y)(4x+Ay)=20x^2-Bxy-42y^2$일 때, 상수 A, B에 대하여 $B-A$의 값은?

① -8　　　　　　② -4　　　　　　③ 4

④ 8　　　　　　⑤ 64

18 $(x-2y)(-x+2y)-(x+3y)(x-5y)$를 간단히 하면 $-2x^2+axy+by^2$일 때, $b-a$의 값은? (단, a, b는 상수)

① 5　　　　　　② 9　　　　　　③ 11

④ 13　　　　　　⑤ 17

19 다음 중 □ 안에 들어갈 수가 가장 작은 것은?

① $(x+3)(x-1)=x^2+2x-□$

② $(a-5b)(a-□b)=a^2-9ab+20b^2$

③ $(-x-3y)(x+2y)=-x^2+□xy-6y^2$

④ $\left(x-\dfrac{1}{3}\right)\left(□x+\dfrac{1}{4}\right)=x^2-\dfrac{1}{12}x-\dfrac{1}{12}$

⑤ $(2a-b)(3a+b)=6a^2+□ab-b^2$

20 $(2x+a)(x-1)+(x-a)(-a-x)$를 간단히 하면 x의 계수가 음수이다. 이때 이 다항식의 상수항을 구하시오. (단, a는 자연수)

21 다음 □ 안에 알맞은 수를 써넣으시오.

$$94^2 = (100 - □)^2$$
$$= 100^2 - 2 \times 100 \times □ + □^2$$
$$= 10000 - □ + 36$$
$$= □$$

주어진 수를 적절하게 변형하여
곱셈 공식을 이용하여 전개한다.

22 다음 중 주어진 수의 계산을 간편하게 하기 위하여 이용되는 곱셈 공식으로
적절하지 <u>않은</u> 것은?

① 84^2 ➡ $(x+y)^2 = x^2 + 2xy + y^2$

② 95^2 ➡ $(x-y)^2 = x^2 - 2xy + y^2$

③ 62×58 ➡ $(x+y)(x-y) = x^2 - y^2$

④ 107×97 ➡ $(x+a)(x+b) = x^2 + (a+b)x + ab$

⑤ 103×97 ➡ $(ax+b)(cx+d) = acx^2 + (ad+bc)x + bd$

23 다음 중 50.3×49.7을 계산하는 데 가장 편리한 곱셈 공식은?

① $(a+b)^2 = a^2 + 2ab + b^2$

② $(a-b)^2 = a^2 - 2ab + b^2$

③ $(a+b)(a-b) = a^2 - b^2$

④ $(a+b)(c+d) = ac + ad + bc + bd$

⑤ $(x+a)(x+b) = x^2 + (a+b)x + ab$

24 $(\sqrt{3}-\sqrt{2})^{10}(\sqrt{3}+\sqrt{2})^{12} = a + b\sqrt{6}$일 때, $a+b$의 값은? (단, a, b는 유리수)

① -1 ② 1   ③ 3

④ 5   ⑤ 7

25 $(2-\sqrt{5})^2(2+\sqrt{5})^2(5-2\sqrt{6})(5+2\sqrt{6})$을 계산하면?

① -1 ② 1 ③ 13

④ $9-4\sqrt{6}$ ⑤ $49-20\sqrt{6}$

26 $(\sqrt{2}-\sqrt{3}+\sqrt{5})(\sqrt{2}+\sqrt{3}-\sqrt{5})$를 계산하면 $a+b\sqrt{c}$일 때, 세 유리수 a, b, c의 합 $a+b+c$의 값은? (단, c는 가능한 가장 작은 자연수이다.)

① 4 ② 7 ③ 8

④ 11 ⑤ 13

27 다음 식을 전개하였을 때, xy의 계수가 가장 큰 것은?

① $(-2x-5y)^2$ ② $-3(x-2y)(2y-x)$

③ $(xy+4)(xy-2)$ ④ $(2x-y)(x-y)+(3y-x)^2$

⑤ $(5x-y)(5x+y)-(x-y)(y-x)$

28 $(x-\sqrt{2})(x^2+2)(x^4+4)(x+\sqrt{2})=240$이 성립하도록 하는 자연수 x의 값은?

① 1 ② 2 ③ 3

④ 4 ⑤ 5

29 $(3+1)(9+1)(81+1)=a(3^b-1)$일 때, ab의 값은?

(단, $0<a<1$, b는 자연수)

① 2 ② 4 ③ 8

④ $\dfrac{17}{2}$ ⑤ 16

$(a+b)(a-b)=a^2-b^2$을 연속하여 이용할 수 있도록 좌변에 적절한 식을 곱한다.

30 $A=(2+4)(2^2+4^2)(2^4+4^4)(2^8+4^8)$일 때, $A+2^{15}$의 값을 구하시오.

$(a+b)(a-b)=a^2-b^2$

31 다음 식의 전개 과정 중 $\square$ 안에 알맞은 식을 구하시오.

$$(x-y-1)^2=\{(x-y)-1\}^2=x^2-2xy+y^2-2(\boxed{})+1$$

항이 3개일 경우 적당한 2개를 묶어 치환한 후 전개한다.

32 $(x+y+2)(x+y-2)$를 치환을 이용하여 전개하시오.

33 $x(x+1)(x+2)(x+3)$을 치환을 이용하여 전개하려고 할 때, ①~④에 알맞은 식을 구하시오.

$$x(x+1)(x+2)(x+3) \Rightarrow \{x(①)\}\{(x+1)(②)\} \Rightarrow ③=t로 \ 치환$$
$$\Rightarrow (주어진 \ 식)=t^2+2t \Rightarrow t에 \ 다시 \ ③을 \ 대입하여 \ 전개 \Rightarrow ④$$

전개했을 때, 일차항의 계수가 같아지도록 식을 2개씩 묶는다.

34 다음 식에서 세 상수 a, b, c에 대하여 $a-b+c$의 값을 구하시오.

$$(x+1)(x+3)(x-2)(x-4)=x^4+ax^3+bx^2+14x+c$$

5 분모의 유리화를 이용한 식의 계산

35 $\dfrac{\sqrt{5}-\sqrt{3}}{\sqrt{5}+\sqrt{3}}-\dfrac{\sqrt{5}+\sqrt{3}}{\sqrt{5}-\sqrt{3}}$ 을 계산하면?

① $-2\sqrt{30}$ ② $-4\sqrt{15}$ ③ $-2\sqrt{15}$

④ $2\sqrt{15}$ ⑤ $8\sqrt{2}$

36 $\dfrac{2}{1+\sqrt{3}}+\dfrac{2}{\sqrt{3}+\sqrt{5}}+\dfrac{2}{\sqrt{5}+\sqrt{7}}+\dfrac{2}{\sqrt{7}+\sqrt{9}}$ 를 계산하면?

① 1 ② $\sqrt{7}-\sqrt{3}$ ③ $\sqrt{7}-1$

④ 2 ⑤ 3

37 다음 식의 값을 구하시오.

$$\dfrac{1}{1+\sqrt{2}}+\dfrac{1}{\sqrt{2}+\sqrt{3}}+\dfrac{1}{\sqrt{3}+\sqrt{4}}+\cdots+\dfrac{1}{\sqrt{98}+\sqrt{99}}+\dfrac{1}{\sqrt{99}+\sqrt{100}}$$

38 $f(x)=\sqrt{x}+\sqrt{x+1}$ 일 때, $\dfrac{1}{f(1)}+\dfrac{1}{f(2)}+\dfrac{1}{f(3)}+\cdots+\dfrac{1}{f(80)}$ 의 값은?

① 8 ② 10 ③ $-1+4\sqrt{5}$

④ $1-4\sqrt{5}$ ⑤ $1+4\sqrt{5}$

39 $x=\sqrt{2}$ 일 때, $\dfrac{\sqrt{x-1}-\sqrt{x+1}}{\sqrt{x-1}+\sqrt{x+1}}$ 의 값은?

① $-\sqrt{2}$ ② $-\dfrac{\sqrt{2}}{2}$ ③ $-\sqrt{2}+1$

④ 2 ⑤ $\sqrt{2}+1$

40 오른쪽 그림에서 $P+Q=P+S$임을 이용하여 설명할 수 있는 곱셈 공식은?

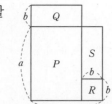

① $(a+b)^2=a^2+2ab+b^2$

② $(a-b)^2=a^2-2ab+b^2$

③ $(a+b)(a-b)=a^2-b^2$

④ $(x+a)(x+b)=x^2+(a+b)x+ab$

⑤ $(ax+b)(cx+d)=acx^2+(ad+bc)x+bd$

41 오른쪽 그림의 직사각형에서 어두운 부분의 넓이를 나타내는 식이 $ax^2+bxy+y^2$일 때, 상수 a, b에 대하여 $a-b$의 값은?

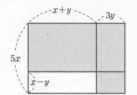

① -16 ② -13

③ 13 ④ 16

⑤ 24

42 오른쪽 그림과 같이 가로의 길이가 $6a$ m, 세로의 길이가 $5a$ m인 직사각형 모양의 화단 안에 폭이 2 m인 길을 만들었다. 길을 제외한 화단의 넓이는?

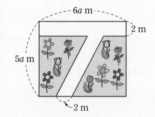

① $(30a^2-22a-4)$ m^2 ② $(30a^2-22a)$ m^2

③ $(30a^2-22a+4)$ m^2 ④ $(30a^2-11a+1)$ m^2

⑤ $(30a^2-11a+2)$ m^2

43 오른쪽 그림과 같이 한 변의 길이가 a인 정사각형 모양의 색종이를 대각선을 따라 자른 후 다시 직각이등변삼각형 2개를 잘라내어 직사각형으로 변형하였다. 다음 중 그림을 설명하는 식은?

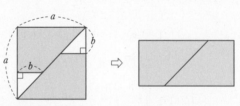

① $(a+b)^2=a^2+2ab+b^2$ ② $(a-b)^2=a^2-2ab+b^2$

③ $(a+b)(a-b)=a^2-b^2$ ④ $(a+2b)(a-b)=a^2+ab-2b^2$

⑤ $(a+b)^2-b^2=a^2+2ab$

7 $x = a + \sqrt{b}$의 꼴로 주어진 경우의 식의 값 구하기

44 $x = \dfrac{1}{3 - \sqrt{10}}$일 때, $x^2 + 6x - 5$의 값은?

① -6 ② -4 ③ -2

④ 1 ⑤ 5

45 $x = \dfrac{2 - \sqrt{3}}{2 + \sqrt{3}}$일 때, $x^2 - 14x + 1$의 값은?

① -1 ② 0 ③ 1

④ 49 ⑤ 52

46 $x = 3 - \sqrt{5}$일 때, $(x^2 - 6x + 1)(x^2 - 6x + 7)$의 값은?

① -9 ② -8 ③ 7

④ 27 ⑤ 40

47 $x = \sqrt{10} + 2$일 때, $\sqrt{(x-1)(x-3)}$의 값은?

① $\sqrt{5}$ ② 3 ③ $\sqrt{13}$

④ 5 ⑤ 9

48 $\dfrac{1}{\sqrt{5} - 2}$의 소수 부분을 a라 할 때, $a^2 + 4a - 2$의 값은?

① -3 ② -1 ③ 1

④ 3 ⑤ 7

49 $x+y=-6$, $xy=4$일 때, $2x^2-5xy+2y^2$의 값을 구하시오.

50 $x-y=3$, $x^2+y^2=5$일 때, xy의 값은?

① -8 ② -2 ③ 2

④ 4 ⑤ 8

51 $x+y=6$, $xy=-1$일 때, 다음 두 조건을 만족하는 a, b에 대하여 $a-b$의 값을 구하시오.

$$a^2+b^2=(a+b)^2-2ab$$
$$=(a-b)^2+2ab$$

> (가) $x^2+y^2=a$ (나) $(x-y)^2=b$

52 $x=\dfrac{\sqrt{3}+1}{\sqrt{3}-1}$, $y=\dfrac{\sqrt{3}-1}{\sqrt{3}+1}$일 때, x^2+xy+y^2의 값은?

① 12 ② $12+\sqrt{3}$ ③ $15-\sqrt{3}$

④ 15 ⑤ 18

53 $x+y=2$, $xy=-1$일 때, x^4+y^4의 값은?

① 42 ② 40 ③ 38

④ 36 ⑤ 34

54 $m-n=5$, $mn=-2$일 때, $m^2+6mn+n^2$의 값은?

① 3 ② 5 ③ 7

④ 9 ⑤ 11

55 $a-b=-2$, $ab=3$일 때, 다음 **보기** 중 옳지 <u>않은</u> 것을 모두 고르시오.

> 보기
>
> ㄱ. $a^2+b^2=2$ ㄴ. $(a+b)^2=16$
>
> ㄷ. $\dfrac{2}{a}-\dfrac{2}{b}=-\dfrac{4}{3}$ ㄹ. $\dfrac{b}{a}+\dfrac{a}{b}=\dfrac{10}{3}$

56 $a^2-5ab+b^2=-1$, $a^2+ab+b^2=5$일 때, $(a-b)^2$의 값은?

① 2   ② 4   ③ 6

④ 8   ⑤ 10

57 $(x-1)(y-1)=1$, $xy=4$일 때, $\dfrac{x}{y}+\dfrac{y}{x}$의 값을 구하시오.

58 $a-b=-3$, $ab=2$, $x+y=4$, $xy=-1$일 때, $(ax-by)(bx-ay)$의 값을 구하시오.

59 $x+\dfrac{1}{x}=7$일 때, $x^2+\dfrac{1}{x^2}$의 값은?

① 12   ② 14   ③ 43

④ 45   ⑤ 47

$$x^2+\frac{1}{x^2}=\left(x+\frac{1}{x}\right)^2-2$$
$$=\left(x-\frac{1}{x}\right)^2+2$$

60 $x+\dfrac{1}{x}=3$일 때, $\left(x-\dfrac{1}{x}\right)^2$의 값을 구하시오.

61 $x+\dfrac{1}{x}=3$일 때, $\sqrt{x}+\dfrac{1}{\sqrt{x}}$의 값을 구하시오. (단, $x>0$)

62 $x^2-6x+1=0$일 때, $x^2+3x+\dfrac{3}{x}+\dfrac{1}{x^2}$의 값을 구하시오.

63 $x-\dfrac{1}{x}=2$일 때, $\left(2x+\dfrac{2}{x}\right)^2$의 값은?

① 8   ② 16   ③ 24

④ 32   ⑤ 40

64 $x^2+8x-1=0$일 때, 다음 중 옳은 것을 모두 고르면? (정답 2개)

① $x-\dfrac{1}{x}=8$ ② $\dfrac{x}{2}-\dfrac{1}{2x}=-4$ ③ $x^2+\dfrac{1}{x^2}=62$

④ $\left(x+\dfrac{1}{x}\right)^2=64$ ⑤ $x+\dfrac{1}{x}=\pm2\sqrt{17}$

65 $3^{2x}=12-3\sqrt{7}$, $3^{2y}=12+3\sqrt{7}$일 때, $x+y$의 값을 구하시오.

2 인수분해

1 인수분해의 뜻

(1) 인수분해 : 하나의 다항식을 둘 이상의 단항식이나 다항식의 곱의 꼴로 나타 내는 것

$$x^2+3x+2 \xrightarrow[\text{전개}]{\text{인수분해}} (x+1)(x+2)$$

(2) 인수 : 인수분해하였을 때 곱해져 있는 각각의 식

  예 $x^2+3x+2=(x+1)(x+2)$의 인수는 $1, x+1, x+2, (x+1)(x+2)$이다.

(3) 공통인수 : 다항식의 각 항에 공통으로 곱해져 있는 인수

  예 다항식 $ma+mb$에서 두 항 ma와 mb의 공통인수는 m이다. ➡ $ma+mb=\underline{m}(a+b)$
  └─ 공통인수

개념+ x에 대한 다항식 $P(x)$가 $ax+b$를 인수로 가질 때, $ax+b=0$이 되는 x의 값, 즉 $x=-\dfrac{b}{a}$를 다항식 $P(x)$에 대입한 값은 0이다.

$ax+b$가 $P(x)$의 인수 ➡ $P\left(-\dfrac{b}{a}\right)=0$

예 $x-1$이 다항식 x^2+ax+5의 인수일 때, 이 식에 $x-1=0$인 x의 값, 즉 $x=1$을 대입한 값은 0이다. 즉,

$1+a+5=0$ ∴ $a=-6$

참고
인수분해는 수에서의 소인수분 해와 비슷하다.

소인수분해	인수분해
자연수를 분해	다항식을 분해
$6=1\times6$	$ax+bx$
$=2\times3$	$=x(a+b)$
➡ 약수는	➡ 인수는
$1, 2, 3, 6$	$1, x, a+b,$
	$x(a+b)$

2 인수분해 공식

(1) $a^2+2ab+b^2=(a+b)^2$ ⎫
(2) $a^2-2ab+b^2=(a-b)^2$ ⎬ ⬅ 완전제곱식을 이용한 인수분해

(3) $a^2-b^2=(a+b)(a-b)$ ⬅ 합과 차의 곱을 이용한 인수분해

(4) $x^2+(a+b)x+ab=(x+a)(x+b)$ ⎫
(5) $acx^2+(ad+bc)x+bd=(ax+b)(cx+d)$ ⎬ ⬅ 이차식의 인수분해

참고
$(a+b)^2, (2x+1)^2, 3(x-y)^2$ 과 같이 다항식의 제곱으로 된 식 또는 이 식에 상수를 곱한 식을 완전제곱식이라 한다.

3 완전제곱식이 될 조건

(1) 완전제곱식 만들기 : $\underset{\text{제곱}}{a^2}\pm2\,\underset{\text{제곱}}{a\,b}+b^2$의 꼴이 되도록 한다.

(2) x에 대한 이차식 x^2+ax+b가 완전제곱식이 될 조건

① $x^2+ax+b \xrightarrow{b\text{의 조건}} x^2+ax+\left(\dfrac{a}{2}\right)^2=\left(x+\dfrac{a}{2}\right)^2$

  ➡ (상수항)$=\left\{\dfrac{1}{2}\times(\text{일차항의 계수})\right\}^2$, 즉 $b=\left(\dfrac{a}{2}\right)^2$

② $x^2+ax+b \xrightarrow{a\text{의 조건}} x^2\pm2\sqrt{b}x+b=(x\pm\sqrt{b})^2$

  ➡ (일차항의 계수)$=\pm2\sqrt{(\text{상수항})}$, 즉 $a=\pm2\sqrt{b}$

개념+ x에 대한 이차식 ax^2+bx+c가 완전제곱식이 되려면 $b^2=4ac\left(\text{또는 }\left(\dfrac{b}{2}\right)^2=ac\right)$이어야 한다.

4 복잡한 식의 인수분해

(1) 공통인수가 있는 경우

➡ 공통인수가 있으면 공통인수로 묶고, 인수분해 공식을 이용한다.

(예) $x^3y-xy^3=xy(x^2-y^2)=xy(x+y)(x-y)$

(2) 공통인 다항식이 있는 경우 (치환을 이용)

➡ 공통인 다항식을 한 문자로 치환한 후 인수분해 공식을 이용한다.

(예) $(2x+y)^2+3(2x+y)=A^2+3A=A(A+3)=(2x+y)(2x+y+3)$

(3) 항이 4개인 경우

➡ 먼저 적당한 항끼리 묶는다.

① (2개)+(2개)로 묶기 : 공통인수가 나오도록 항을 2개씩 묶은 후 인수분해한다.

(예) $xy-x+yz-z=x(y-1)+z(y-1)=(y-1)(x+z)$

② (3개)+(1개)로 묶기 : 완전제곱식이 되는 항 3개를 묶은 후 합 · 차 공식 $A^2-B^2=(A+B)(A-B)$를 이용한다.

(예) $x^2+2x+1-y^2=(x+1)^2-y^2=(x+1+y)(x+1-y)=(x+y+1)(x-y+1)$

(4) 항이 5개 이상인 경우

➡ 먼저 적당한 항끼리 묶거나 한 문자에 대하여 내림차순으로 정리한다.

(예) $x^2+2+xy+3x+y=xy+y+x^2+3x+2$ ⬅ y에 대하여 내림차순으로 정리
$=y(x+1)+(x+1)(x+2)$
$=(x+1)(y+x+2)$
$=(x+1)(x+y+2)$

참고

내림차순으로 정리하여 인수분해하는 방법
① 차수가 가장 낮은 문자를 선택하여 그 문자에 대하여 내림차순으로 정리한다.
이때 문자가 여러 개이고 차수가 같으면 어느 한 문자에 대하여 내림차순으로 정리한다.
② 다항식으로 된 상수항을 인수분해한다.
③ 정리된 식을 내림차순으로 선택한 문자에 대하여 다시 인수분해한다.

5 인수분해 공식의 활용

(1) 수의 계산

복잡한 수의 계산을 할 때, 인수분해 공식을 이용하여 계산하면 편리하다.

(예) ① $25\times51+25\times49=25(51+49)=25\times100=2500$
② $51^2-49^2=(51+49)(51-49)=100\times2=200$

(2) 식의 값

주어진 문자 또는 식의 값을 대입하였을 때 계산이 간단하도록 구하려고 하는 식을 변형하거나 인수분해하여 값을 구한다.

(예) $x=101$일 때, x^2-2x+1의 값은 다음과 같이 구한다.
$x^2-2x+1=(x-1)^2=(101-1)^2=100^2=10000$

주제별 실력다지기

01 $ab-2a-2b+4$를 인수분해하면?

① $(a-1)(b-4)$ ② $(a-1)(b+4)$ ③ $(a-2)(b-2)$

④ $(a-2)(b+2)$ ⑤ $(a+2)(b+2)$

> 공통인수가 나오도록 항을 2개씩 묶은 후 인수분해한다.

02 xy^2-xz^2-y+z를 인수분해하면 $A(xy+xz-1)$일 때, 다항식 A는?

① $y-z$ ② $y+z$ ③ $x-z$

④ $x+y-z$ ⑤ $x-y-z$

03 $4x^2-2x-9y^2+3y$를 인수분해하였더니 $(2x+ay)(bx+cy+d)$일 때, $ab-cd$의 값은? (단, a, b, c, d는 상수)

① -9 ② -3 ③ 0

④ 3 ⑤ 9

04 $9-x^2-y^2+2xy$를 인수분해하면?

① $(x-y-3)^2$ ② $(3+x-y)(3-x+y)$

③ $(3+x-y)(3-x-y)$ ④ $(3+x+y)(3-x+y)$

⑤ $(3-x-y)(3-x+y)$

> 완전제곱식이 되는 항 3개를 묶은 후 합·차 공식
> $A^2-B^2=(A+B)(A-B)$를 이용하여 인수분해한다.

05 $1-4x^2-4xy-y^2$을 인수분해하면 $(a+bx+y)(c-2x+dy)$일 때, 상수 a, b, c, d에 대하여 $a+b+c+d$의 값은? (단, $a>0$, $c>0$)

① 1 ② 3 ③ 5

④ 7 ⑤ 9

06 $4xy+25z^2-x^2-4y^2$을 인수분해하면 $(az+x-2y)(5z+bx+cy)$일 때, $a+b+c$의 값을 구하시오. (단, a, b, c는 상수)

2 인수와 공통인수

07 다음 중 $a(x+y)(x-y)(x^2+y^2)$의 인수가 <u>아닌</u> 것은?

① $a(x+y)$
② x^2-y^2
③ x^4+y^4
④ $a(x^2+y^2)$
⑤ $a(x+y)(x-y)(x^2+y^2)$

08 다음 중 $a^2+ab-2a-2b$의 인수를 모두 고르면? (정답 2개)

① $a-2$
② $a+2$
③ $a-b$
④ $a+b$
⑤ a^2+b

09 다음 **보기** 중 다항식 $a^4-a^3-a^2+1$의 인수를 모두 고르시오.

보기
ㄱ. a ㄴ. $a+1$ ㄷ. $a-1$
ㄹ. a^2-1 ㅁ. a^3+a-1 ㅂ. a^3-a-1

항을 2개씩 묶어 인수분해하여 공통인수를 찾아낸다.

10 다음 **보기** 중 다항식 $4x^2-y^2-2y-1$의 인수인 것을 모두 고른 것은?

보기
ㄱ. $2x-y+2$ ㄴ. $2x-y-1$
ㄷ. $2x+y+1$ ㄹ. $2x-2y-1$

① ㄱ, ㄴ
② ㄱ, ㄷ
③ ㄴ, ㄷ
④ ㄴ, ㄹ
⑤ ㄱ, ㄷ, ㄹ

11 다음 중 $4z^2-x^2-9y^2+6xy$의 인수를 모두 고르면? (정답 2개)

① $2z+x+3y$ ② $2z+x-3y$ ③ $2z-x+3y$

④ $2z-x-3y$ ⑤ $-2z+x+3y$

12 다음 **보기** 중 a^4-a^2의 인수인 것을 모두 고르시오.

┌─────────────────────────── 보기 ┐
ㄱ. a ㄴ. a^2+1 ㄷ. $(a+1)(a-1)$
ㄹ. $a^2(a+1)$ ㅁ. a^4 ㅂ. a^4-1
└──────────────────────────────┘

13 두 다항식 $x(a+b)-y(a+b)$와 $a(x-y)+b(y-x)$의 공통인수는?

① $a+b$ ② $a-b$ ③ $x+y$

④ $x-y$ ⑤ $1-x$

14 다음 중 두 다항식 $x-3x^2$과 $-9x^2y+3xy$의 공통인수는?

① $3x^2y(1-3x)$ ② $x(1-3x)$ ③ $x(x-3)$

④ $3x+1$ ⑤ $3xy$

주어진 두 다항식을 각각 인수분해한다.

15 다음 두 다항식의 공통인수는?

┌──────────────────────────────────┐
│ $ab-ac-b+c$ $ab-ac-bc+c^2$ │
└──────────────────────────────────┘

① $a+b$ ② $b+c$ ③ ac

④ $c-a$ ⑤ $b-c$

16 다음 식이 모두 완전제곱식으로 인수분해될 때, □ 안에 들어갈 수가 가장 큰 것은? (단, □ 안의 수는 양수이다.)

① $x^2 - x + \square$ ② $\square x^2 + 8x + 1$ ③ $\square x^2 + 6x + 9$

④ $9x^2 - 12xy + \square y^2$ ⑤ $x^2 + \square xy + \dfrac{1}{9}y^2$

x에 대한 이차식이 완전제곱식이 될 조건
① $x^2 + ax + b$가 완전제곱식
  $\Rightarrow b = \left(\dfrac{a}{2}\right)^2$
  (또는 $a = \pm 2\sqrt{b}$)
② $ax^2 + bx + c$가 완전제곱식
  $\Rightarrow b^2 = 4ac$
  $\left($또는 $\left(\dfrac{b}{2}\right)^2 = ac\right)$

17 다음 두 식이 모두 완전제곱식으로 인수분해될 때, 두 상수 a, b에 대하여 $a - b$의 값을 구하시오. (단, $b < 0$)

$$ax^2 + 24x + 16 \qquad 4x^2 + bxy + y^2$$

18 $(2x + 3)(2x - 5) + k$가 완전제곱식이 되기 위한 상수 k의 값을 구하시오.

19 $16x^2 - (k - 3)x + 9$가 완전제곱식이 되기 위한 모든 상수 k의 값의 합은?

① -6 ② -5 ③ 0

④ 5 ⑤ 6

20 $4x^2 + kx + \dfrac{1}{25}$이 완전제곱식으로 인수분해될 때, 상수 k의 값을 모두 고르면? (정답 2개)

① $-\dfrac{4}{5}$ ② $-\dfrac{2}{5}$ ③ $\dfrac{4}{25}$

④ $\dfrac{2}{5}$ ⑤ $\dfrac{4}{5}$

21 다음 중 완전제곱식으로 인수분해할 수 없는 것은?

① a^2-6a+9　　　　　　② $9a^2-30ab+25b^2$

③ $4x^2-12x+9$　　　　　④ $\dfrac{1}{2}x^2-2xy+y^2$

⑤ $\dfrac{1}{4}x^2+\dfrac{1}{3}x+\dfrac{1}{9}$

22 $ax^2-12x+b=(2x+c)^2$일 때, 세 상수 a, b, c에 대하여 $\dfrac{ab}{c}$의 값을 구하시오.

23 $-5x^2-axy-45y^2=-5(x+by)^2$일 때, 두 상수 a, b에 대하여 $a+b$의 값이 될 수 있는 것을 모두 고르면? (정답 2개)

① -33　　　　　② -27　　　　　③ -9
④ 27　　　　　　⑤ 33

24 $-2<y<5$일 때, $\sqrt{y^2-10y+25}-\sqrt{y^2+4y+4}$를 간단히 하면?

① $2y-3$　　　　　② $-2y+1$　　　　　③ $-2y+3$
④ -7　　　　　　⑤ 7

근호 안의 식을 완전제곱식으로 바꾼 후, 부호에 주의하여 근호를 없앤다.

25 $0<2a<1$일 때, $\sqrt{a^2-a+\dfrac{1}{4}}-\sqrt{a^2+a+\dfrac{1}{4}}$을 간단히 하면?

① $2a$　　　　　② a　　　　　③ 0
④ $-a$　　　　　⑤ $-2a$

26 다음 중 x^4-81의 인수가 <u>아닌</u> 것은?

① $x+9$ 　　② $x-3$ 　　③ x^2-9

④ $x+3$ 　　⑤ x^2+9

27 $\dfrac{1}{9}a^2-\dfrac{25}{36}b^2$이 $(x+y)(x-y)$의 꼴인 두 일차식의 곱으로 인수분해될 때, 이 두 일차식의 합은?

① $\dfrac{2}{9}a-\dfrac{5}{3}b$ 　　② $\dfrac{2}{3}a-\dfrac{5}{3}b$ 　　③ $\dfrac{2}{9}a$

④ $\dfrac{2}{3}a$ 　　⑤ $\dfrac{4}{3}a$

28 $16x^3y-36xy^3=A(2x+by)(cx-3y)$일 때, 단항식 A와 상수 b, c에 대하여 $\dfrac{Ab}{c}$의 값은? (단, $b>0$, $c>0$)

① $6xy$ 　　② $6x^2y$ 　　③ $6xy^2$

④ $\dfrac{4}{3}xy$ 　　⑤ $\dfrac{4}{3}x^2y$

먼저 공통인수로 묶어본다.

29 $[A,\ B]=A^2-B^2$이라 할 때, $[2x-y,\ -x+y]$를 인수분해하면?

① $(x+y)(3x-2y)$ 　　② $(2x+y)(3x-2y)$

③ $x(3x+2y)$ 　　④ $x(3x-2y)$

⑤ $(x-y)(3x+2y)$

주어진 조건에 따라 식을 정리한 후 인수분해한다.

5 X자형 분리법

30 다음을 인수분해하시오.

(1) x^2+5x+6 　　(2) x^2+x-12

(3) $3x^2+7x+2$ 　　(4) $2x^2+9x-5$

31 다음 중 인수분해한 것으로 옳지 <u>않은</u> 것은?

① $x^2+7x+10=(x+2)(x+5)$

② $x^2+x-20=(x+5)(x-4)$

③ $6x^2+7x-5=(2x+1)(3x-5)$

④ $x^2+5xy-24y^2=(x+8y)(x-3y)$

⑤ $12x^2-13xy+3y^2=(3x-y)(4x-3y)$

32 $5x^2-8xy-4y^2$을 인수분해하면 $(ax+by)(cx-dy)$이다. 이때 정수 a, b, c, d에 대하여 $a+b+c+d$의 값은? (단, $c>0$, $d>0$)

① -10 ② -8 ③ 4

④ 8 ⑤ 10

33 다음 중 인수분해하였을 때, 나머지 넷과 1을 제외한 공통인수를 갖지 <u>않는</u> 하나는?

① x^2+x-6 ② $x^2-9x+14$ ③ $x^2-7x-18$

④ $2x^2-x-6$ ⑤ $3x^2-7x+2$

각각의 식을 인수분해하여 공통인수를 찾아본다.

34 다음 중 인수분해하였을 때, $x^2-3xy-28y^2$과 1을 제외한 공통인수를 갖지 <u>않는</u> 것은?

① $x^2-xy-20y^2$ ② $x^2-6xy-7y^2$ ③ $x^2-10xy+24y^2$

④ $2x^2-15xy+7y^2$ ⑤ $3x^2+11xy-4y^2$

35 두 다항식 $x^2-7x+12$, $2x^2-7x-4$의 공통인수가 $x+p$이고, 두 다항식 $3x^2+10x-8$, $5x^2+19x-4$의 공통인수가 $x+q$일 때, $p-q$의 값은?

(단, p, q는 상수)

① -8 ② -6 ③ -2

④ 0 ⑤ 8

36 다음 세 다항식의 공통인수는?

$$x^2-9y^2 \qquad x^2-12xy+27y^2 \qquad 2x^2-5xy-3y^2$$

① $x-9y$　　　　　② $x-3y$　　　　　③ $x-y$

④ $2x+y$　　　　　⑤ $x+3y$

---

6 인수와 공통인수의 활용

37 $ax^2+7x-30$이 $x+6$을 인수로 가질 때, 이 이차식을 인수분해하시오.

$ax^2+7x-30$
$=(x+6)($다항식$)$
임을 이용하여 a의 값을 구해본다.

38 $x^2-2(a-1)x+3a$가 $x-5$를 인수로 가질 때, 상수 a의 값은?

① -5　　　　　② $-\dfrac{5}{3}$　　　　　③ $\dfrac{5}{3}$

④ 3　　　　　⑤ 5

39 다항식 $-6x^2+kx-2$는 두 일차식의 곱으로만 인수분해된다. 한 인수가 $2x-1$일 때, 다른 인수와 상수 k의 값을 차례로 구하면?

① $-3x+2,\ 7$　　　② $-3x+2,\ -7$　　　③ $3x+2,\ 7$

④ $3x+2,\ -7$　　　⑤ $3x+2,\ 5$

40 $2x^2+Axy-10y^2$이 $x-2y$를 인수로 가질 때, 상수 A의 값은?

① -7 ② -1 ③ 1

④ 3 ⑤ 7

41 $3x^2+ax+8$이 $x-2$와 $3x-b$로 각각 나누어떨어질 때, $a-b$의 값은?

(단, a, b는 상수)

① -14 ② -12 ③ -6

④ 12 ⑤ 14

$3x^2+ax+8$
$=(x-2)(3x-b)$
로 놓고 우변을 전개하여 계수와 상수항을 비교한다.

42 다음 세 다항식이 x에 대한 일차식을 공통인수로 가질 때, 상수 a의 값은?

x^2-25 $x^2+ax-10$ $2x^2+7x-15$

① -5 ② -3 ③ 2

④ 3 ⑤ 5

x^2-25와 $2x^2+7x-15$의 공통인수를 구해본다.

43 $2x^2-5x+k$가 $x-2$로 나누어떨어질 때, 상수 k의 값은?

① -4 ② -2 ③ 2

④ 4 ⑤ 6

44 $x-b$가 두 다항식 $2x^2-x-15$, $x^2+ax-21$의 공통인수일 때, $a-b$의 값은? (단, a, b는 자연수)

① -7 ② -1 ③ 0

④ 1 ⑤ 7

45 다음 두 이차식이 $x-1$을 공통인수로 가질 때, 상수 a, b에 대하여 $a+b$의 값은?

$$ax^2-5x+3 \qquad 5x^2-12x+b$$

① -9 ② -5 ③ 5

④ 9 ⑤ 10

46 이차식 $x^2+ax+12$가 x의 계수가 1이고 상수항이 자연수인 두 일차식으로만 인수분해될 때, 자연수 a의 값 중에서 최댓값을 M, 최솟값을 m이라 하자. 이때 $M-m$의 값을 구하시오.

곱해서 12가 되는 두 자연수를 찾는다.

47 다항식 x^2-x-n이 각 항의 계수가 정수인 두 일차식의 곱으로만 인수분해될 때, 모든 자연수 n의 값의 합을 구하시오. (단, $1<n<20$)

더해서 -1, 곱해서 $-n$ $(-20<-n<-1)$이 되는 두 정수를 찾는다.

7 치환하여 인수분해하기

48 a^4+a^2-2를 인수분해하면?

$a^2=X$로 치환한다.

① $(a^2-1)^2$ ② $(a^2+2)(a^2+1)$

③ $(a^2-2)(a^2+1)$ ④ $(a^2+2)(a^2-1)$

⑤ $(a+1)(a-1)(a^2+2)$

49 $(x-3y)^2-5(x-3y)-6$을 인수분해하면?

① $(x-3y+2)(x-3y+3)$ ② $(x-3y-2)(x-3y-3)$

③ $(x-3y+1)(x-3y+6)$ ④ $(x-3y+1)(x-3y-6)$

⑤ $(x-3y-1)(x-3y+6)$

50 $2(x-2y)^2+5(x-2y)(x+y)-3(x+y)^2$은 각 항의 계수가 정수인 두 일차식의 곱으로만 인수분해된다. 다음 **보기**에서 그 두 일차식을 고르시오.

$x-2y=A$, $x+y=B$로 치환한다.

보기
ㄱ. $x+3y$ ㄴ. $x-5y$ ㄷ. $2x-y$ ㄹ. $4x+y$

51 다음 두 다항식의 공통인수는?

$$2(x+3)^2+11(x+3)-6$$
$$3(x+1)^2+2(x+1)(x-2)-(x-2)^2$$

① $x+6$ ② $x+9$ ③ $2x-1$

④ $2x+3$ ⑤ $2x+5$

52 다음 식이 각 항의 계수가 정수인 두 일차식의 곱으로만 인수분해될 때, 그 두 일차식의 합을 구하시오. (단, x의 계수는 자연수이다.)

$3x-y=A$로 치환한다.

$$(3x-y+2)(3x-y-4)+5$$

53 다음 식을 인수분해하시오.

$$(x+3+y)(x+y-1)-21$$

54 $(2x+5y)^2-(x-3y)^2=(ax+by)(x+cy)$일 때, $a+b+c$의 값을 구하시오. (단, a, b, c는 자연수)

55 $(2x+y)^2-(x-2y)^2$을 인수분해하면 $(ax-y)(x+by)$일 때, $a-b$의 값은? (단, a, b는 상수)

① -3 ② 0 ③ 3
④ 6 ⑤ 9

56 $(x+1)(x+2)(x+3)(x+4)-8$을 인수분해하였을 때, 이차식인 두 인수의 합을 구하시오. (단, 이차식의 이차항의 계수는 1이다.)

> 일차항의 계수가 같아지도록 2개씩 짝짓는다.

57 $x(x-1)(x+1)(x+2)+k$가 완전제곱식이 되기 위한 상수 k의 값은?

① 0 ② 1 ③ 4
④ 6 ⑤ 9

> 이차항의 계수가 1인 이차식이 완전제곱식이 될 조건
> (상수항)
> $=\left\{\dfrac{1}{2}\times(\text{일차항의 계수})\right\}^2$

58 다음 중 $(x-2)(x-1)(x+1)(x+2)-40$의 인수가 <u>아닌</u> 것은?

① $x+2$ ② $x+3$ ③ x^2+4
④ x^2-9 ⑤ $(x-3)(x^2+4)$

59 $(x-8)(x-4)(x+2)(x+4)+8x^2$을 인수분해하시오.

> 상수항이 같아지도록 2개씩 짝짓는다.

8 5항식의 인수분해 (한 문자에 대하여 내림차순으로 정리)

60 다음은 다항식을 인수분해하는 과정이다. ☐ 안에 알맞은 식을 써넣으시오.

$a^2+ab-a+b-2$
$=ab+b+(a^2-a-2)$
$=b(\boxed{})+(\boxed{})(a+1)$
$=(a+1)(\boxed{})$

61 $x^2+xy-7x-2y+10$을 인수분해하면?

① $(x+2)(x-y+5)$ ② $(x+2)(x-y-5)$

③ $(x-2)(x-y-5)$ ④ $(x-2)(x+y-5)$

⑤ $(x-2)(x-y+5)$

차수가 가장 낮은 문자를 선택하여 그 문자에 대하여 내림차순으로 정리한다.

62 $a^2-b^2+2a+8b-15$는 a의 계수가 1인 두 일차식의 곱으로만 인수분해된다. 이때 두 일차식의 합은?

① $2a-2$ ② $2b-2$ ③ $2a+2$

④ $2b+2$ ⑤ $2a-2b+2$

문자가 여러 개이고 차수가 같으면 어느 한 문자에 대하여 내림차순으로 정리한다.

63 다음 중 $x^2-y^2-4x+2y+3$의 인수를 모두 고르면? (정답 2개)

① $x+y-3$ ② $x-y+3$ ③ $x-y-3$

④ $x-y-1$ ⑤ $x-y+1$

64 $x^2-y^2-8x-6y+7$을 인수분해하면 $(x+y-1)(px+qy+r)$일 때, $p+q-r$의 값은? (단, p, q, r는 상수)

① -9 ② -7 ③ 5

④ 7 ⑤ 9

65 $x^2+y^2-2xy-3x+3y+2=A(x-y-2)$일 때, 일차식 A는?

① $x+y-2$ ② $x+y+1$ ③ $x+y-1$

④ $x-y+1$ ⑤ $x-y-1$

66 다음 식을 인수분해하시오.

$$x^2+y^2-5x+5y-2xy+6$$

한 문자에 대하여 내림차순으로 정리한 후, 다항식으로 된 상수항을 먼저 인수분해한다.

67 다음 **보기** 중 다항식 $x^2-2y^2+xy-x+y$의 인수를 모두 고르시오.

┌── 보기 ──┐

ㄱ. $x-y$ ㄴ. $x+y$ ㄷ. $x-2y+1$

ㄹ. $x+2y-1$ ㅁ. $x+2y+1$

68 $x^2-xy-2y^2+3y-1$이 x항의 계수가 1인 두 일차식의 곱으로 인수분해될 때, 그 두 일차식의 합은?

① $2x-y$ ② $2x-y-2$ ③ $2x-3y$

④ $2x-3y+2$ ⑤ $2x+3y-2$

69 다음 식을 인수분해하시오.

$$xy(x-y)+yz(y-z)+zx(z-x)$$

주어진 식을 전개하여 x에 대하여 내림차순으로 정리한 후 인수분해한다.

9 계수 또는 상수항을 잘못 본 경우의 인수분해

70 이차식 x^2+ax+b를 현정이는 x의 계수를 잘못 보고 $(x+5)(x-12)$로 인수분해하였고, 은정이는 상수항을 잘못 보고 $(x+5)(x+6)$으로 인수분해하였을 때, 다음 물음에 답하시오. (단, a, b는 상수)

(1) 현정이가 바르게 본 상수항을 구하시오.
(2) 은정이가 바르게 본 x의 계수를 구하시오.
(3) 이차식 x^2+ax+b를 구하시오.
(4) (3)에서 구한 이차식을 바르게 인수분해하시오.

이차식 ax^2+bx+c를 인수분해하였을 때
① a를 잘못 본 경우
　➡ b, c는 바르게 보았다.
② b를 잘못 본 경우
　➡ a, c는 바르게 보았다.
③ c를 잘못 본 경우
　➡ a, b는 바르게 보았다.

71 이차식 x^2+ax+b를 선영이는 x의 계수를 잘못 보고 $(x+5)(x-8)$로 인수분해하였고, 지영이는 상수항을 잘못 보고 $(x-9)^2$으로 인수분해하였을 때, 이차식 x^2+ax+b를 바르게 인수분해하시오. (단, a, b는 상수)

72 어떤 이차식을 인수분해하였는데 유빈이는 x^2의 계수를 잘못 보고 $(4x+3)(x-1)$로 인수분해하였고, 승아는 상수항을 잘못 보고 $(x-2)(2x+3)$으로 인수분해하였을 때, 처음 이차식을 바르게 인수분해한 것은?

① $(x-1)(2x-7)$　　② $(x+1)(2x+5)$　　③ $(x+1)(2x-3)$
④ $(x+2)(2x+5)$　　⑤ $(x+2)(2x-7)$

73 현정이는 $(x+2)(3x-1)$을 전개하는데 -1을 잘못 보아 $3x^2+2x+a$로 전개하였고, 은정이는 $(x-3)(x+7)$을 전개하는데 -3을 잘못 보아 $x^2+bx-14$로 전개하였다. 이때 두 상수 a, b에 대하여 $a+b$의 값을 구하시오.

74 어떤 이차식을 인수분해하는데 낙천이는 일차항의 계수의 부호를 반대로 보고 $(x-a)(x+4)$로 인수분해하였고, 기백이는 상수항을 원래 상수항보다 10만큼 크게 보고 $(x-3)(x+b)$로 인수분해하였다. 이때 처음 이차식을 바르게 인수분해하시오. (단, a, b는 상수)

75 $89^2-2\times89\times11-3\times11^2$을 계산하면?

① 5400   ② 5600   ③ 7700

④ 11100   ⑤ 13200

76 $\dfrac{109^2+2\times109-3}{108}$을 계산하면?

① 110   ② 112   ③ 114

④ 116   ⑤ 118

77 $\left(\dfrac{-2013+2012\times2013}{2012^2-1}\right)^5$을 계산하시오.

78 $-1^2+2^2-3^2+4^2-\cdots-9^2+10^2$을 계산하면?

① 45   ② 50   ③ 55

④ 65   ⑤ 100

79 다음을 인수분해 공식을 이용하여 10 이상 20 미만의 두 자연수 m, n의 곱으로 나타낼 때, $m+n$의 값은?

$$-2^2-4^2-6^2+8^2+10^2+12^2$$

① 34   ② 32   ③ 30

④ 28   ⑤ 26

$89=a$, $11=b$로 치환하여 주어진 식을 정리한다.

최상위
Q&A 006
인수분해를 이용하여 수를 분해할 수 있다.
곱셈 공식을 사용하여
$(100+1)^2=100^2+2\times100+1$
$=10201$
로 계산하였다면 인수분해 공식을 이용하여 10201을 101×101과 같이 두 수의 곱으로 나타낼 수 있다. 하지만 주어진 수만 보고 인수분해 공식을 떠올리는 것은 쉽지 않다. 이때 일정한 수를 문자로 치환하여 공식을 보다 쉽게 떠올릴 수 있다.
$10201=10000+200+1$에서 100을 x라 하면
$x^2+2x+1=(x+1)^2$이므로
$10201=(100+1)^2=101\times101$로 나타낼 수 있다. 이처럼 다항식의 인수분해를 통해 큰 수를 두 수의 곱으로 분해할 수 있고 이를 통해 큰 수의 소인수분해를 완성할 수 있다.

인수분해 공식을 이용할 수 있도록 두 항씩 짝을 지어본다.

80 다음을 계산하시오.

$$40\left(1-\frac{1}{2^2}\right)\left(1-\frac{1}{3^2}\right)\cdots\left(1-\frac{1}{19^2}\right)\left(1-\frac{1}{20^2}\right)$$

괄호 안의 수를 인수분해하여 약분되는 수를 찾아본다.

81 자연수 $3^{12}-1$은 20과 30 사이의 두 자연수로 나누어떨어진다. 이 두 자연수를 각각 a, b라 할 때, $a+b$의 값은?

① 52   ② 54   ③ 56
④ 58   ⑤ 59

82 $\sqrt{21+\dfrac{4}{25}}$ 를 계산하면 $\dfrac{b}{a}$일 때, $b-a$의 값은? (단, a, b는 서로소인 자연수)

① 14   ② 16   ③ 18
④ 20   ⑤ 22

83 $\sqrt{10\times11\times12\times13+1}$을 계산하시오.

$10=t$로 치환한 후 인수분해한다.

84 $x=\dfrac{1}{\sqrt{2}+1}$, $y=\dfrac{1}{\sqrt{2}-1}$일 때, x^3y-xy^3의 값은?

① $-4\sqrt{2}$ ② $-2\sqrt{2}$ ③ $\sqrt{2}$

④ $2\sqrt{2}$ ⑤ $4\sqrt{2}$

주어진 식을 먼저 인수분해한 후 수를 대입하여 식의 값을 구한다.

85 $x=1-\sqrt{3}$, $y=1+\sqrt{3}$일 때, $x^2+y^2-2xy+5x-5y$의 값은?

① $6-5\sqrt{3}$ ② $6+5\sqrt{3}$ ③ $12-10\sqrt{3}$

④ $12+10\sqrt{3}$ ⑤ $18-10\sqrt{3}$

86 $x=1-\sqrt{3}$일 때, $(x+2)^2-6(x+2)+9$의 값은?

① 1 ② 2 ③ 3

④ $7+4\sqrt{3}$ ⑤ $12-6\sqrt{3}$

87 $\sqrt{3}$의 소수 부분을 x라 할 때, $(x+2)^2-2(x+2)+1$의 값은?

① 1 ② 2 ③ 3

④ 4 ⑤ 5

$1<\sqrt{3}<2$임을 이용하여 x의 값을 구한다.

88 $a=15.4$, $b=2.85$일 때, $a^2+16b^2-8ab+5$의 값은?

① 9 ② 13 ③ 17

④ 21 ⑤ 25

89 $x+y=2\sqrt{2}$, $x-y=2$일 때, $x^2-y^2-3x-3y$의 값은?

① $4\sqrt{2}$ ② $2\sqrt{2}$ ③ $-\sqrt{2}$

④ $-2\sqrt{2}$ ⑤ $-4\sqrt{2}$

90 $a+b=2\sqrt{3}$, $ab=2$일 때, a^3b+ab^3의 값은?

① 18   ② 16   ③ 14

④ $8\sqrt{3}$ ⑤ $4\sqrt{3}$

91 $a+b=-\dfrac{3}{2}$일 때, 다음 식의 값을 구하시오.

$$a^2+b^2+2(a-1)(b-1)-1$$

92 $x-y-2=\sqrt{3}$일 때, $x^2+y^2-2xy-4x+4y+4$의 값은?

① 3   ② 9   ③ 15

④ 18   ⑤ 27

먼저 주어진 식을 인수분해한 후, $x-y-2=\sqrt{3}$을 대입한다.

93 $x^2+4x-6=0$일 때, $(x-1)(x-3)(x+5)(x+7)+10$의 값을 구하시오.

x의 계수가 같아지도록 두 개씩 짝을 지어본다.

94 $x^2-5x+1=0$일 때, $x^2-\dfrac{1}{x^2}$의 값은? (단, $0<x<1$)

① $-5\sqrt{21}$ ② $-\sqrt{21}$ ③ $\sqrt{21}$

④ $5\sqrt{21}$ ⑤ $8\sqrt{21}$

95 $x-y=-4$이고 $x^2y-xy^2-x+y=12$일 때, x^2+y^2의 값은?

① 8   ② 10   ③ 12

④ 14   ⑤ 16

96 두 자연수 a, b에 대하여 $a^2-b^2=11$일 때, $2a-b$의 값은?

① 5   ② 7   ③ 8

④ 9   ⑤ 11

a, b가 자연수라는 조건을 이용하여 a, b의 값을 각각 구한다.

97 $f(x)=1-\dfrac{1}{x^2}$일 때, $f(2)\times f(3)\times\cdots\times f(2013)$의 값을 구하시오.

$f(x)=1-\dfrac{1}{x^2}$

$=\left(1-\dfrac{1}{x}\right)\left(1+\dfrac{1}{x}\right)$

98 다음 식을 계산하시오.

$$\frac{b^2-(c-a)^2}{a^2-(b+c)^2}+\frac{c^2-(a-b)^2}{b^2-(c+a)^2}+\frac{a^2-(b-c)^2}{c^2-(a+b)^2}$$

분자와 분모를 각각 인수분해하여 통분한다.

99 다음 그림의 모든 직사각형의 넓이의 합과 넓이가 같은 직사각형을 만들 때, 그 직사각형의 둘레의 길이는? (단, 새로운 직사각형의 넓이는 일차항의 계수가 자연수인 두 일차식의 곱으로만 인수분해된다.)

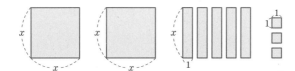

① $3x+4$ ② $3x+8$ ③ $4x+6$
④ $6x+4$ ⑤ $6x+8$

100 오른쪽 그림과 같이 넓이가 $2x^2-7x+5$인 직사각형에서 가로와 세로의 길이가 각각 $x-1$인 정사각형을 잘라내고 남은 도형의 넓이를 x의 계수가 1인 두 일차식의 곱으로 나타내시오.

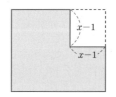

남은 도형의 넓이를 식으로 나타낸 후 인수분해한다.

101 오른쪽 그림의 두 도형 (개), (내)의 넓이가 같을 때, 도형 (내)의 세로의 길이는?

① $2x-3$ ② $2x-2$
③ $2x-1$ ④ $2x$
⑤ $2x+1$

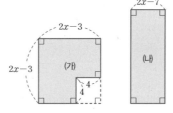

102 오른쪽 그림과 같이 벽과 철조망을 이용하여 직사각형 모양의 토끼장을 만들려고 한다. 토끼장의 넓이는 $3x^2-5x+2$이고, 세로의 길이가 $x-a$일 때, a의 값과 필요한 철조망의 길이 l을 차례로 구하면? (단, a는 정수)

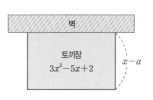

① 1, $4x-3$ ② 1, $5x-4$ ③ 1, $8x-6$
④ 2, $5x-4$ ⑤ 2, $8x-6$

토끼장의 넓이를 인수분해하여 토끼장의 가로의 길이를 구해본다.

103 오른쪽 그림과 같이 넓이가 $4x^2-y^2-2y-1$인 직사각형 모양의 목장이 있다. 이 목장의 세로의 길이가 $2x-y-1$일 때, 목장의 둘레의 길이는?

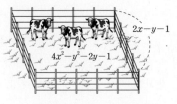

① $8x$ ② $8y$ ③ $2x+y$
④ $x+2y$ ⑤ $3x-8y$

104 오른쪽 그림과 같이 한 변의 길이가 $2x-7$인 정사각형 모양의 땅에 폭이 일정한 길을 만들고, 길이 아닌 부분에는 꽃밭을 가꾸려고 한다. 꽃밭은 한 변의 길이가 $x+2$인 정사각형 모양일 때, 꽃밭을 제외한 길의 넓이를 x에 대한 두 일차식의 곱으로 나타내시오.

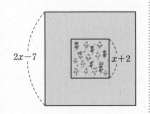

(길의 넓이)
=(큰 정사각형의 넓이)
　　　－(꽃밭의 넓이)

105 오른쪽 그림과 같이 반지름의 길이가 r인 원 모양의 연못이 있고, 그 둘레에 폭이 a인 길이 나 있다. 이 길의 한가운데를 지나는 원 모양의 선을 그어 자전거 도로와 인도로 구분하려고 한다. 이 선의 길이를 l이라 할 때, 다음 물음에 답하시오.

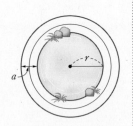

l은 반지름의 길이가 $r+\frac{1}{2}a$인 원의 둘레의 길이이다.

⑴ 연못 둘레에 만든 길의 넓이를 S라 할 때, S를 a, r에 대한 식으로 나타내고 인수분해하시오.

⑵ 선의 길이 l을 a와 r에 대한 식으로 나타내시오.

⑶ 길의 넓이 S를 a와 l을 사용하여 나타내시오.

106 오른쪽 그림에서 작은 원의 반지름의 길이는 r cm이고, 큰 원의 반지름의 길이는 작은 원의 반지름의 길이의 2배 보다 1 cm 더 길다고 한다. 어두운 부분의 넓이를 r에 대한 두 일차식의 곱으로 나타내시오.

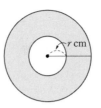

107 오른쪽 그림과 같이 부피가 x^3-x^2-x+1이고, 높이가 $x+1$인 직육면체의 모든 모서리의 길이가 x의 계수가 1인 일차식일 때, 이 직육면체의 겉넓이는?

(단, 직육면체의 밑면은 정사각형이다.)

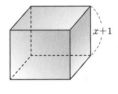

① $6x^2+2x+4$ ② $6x^2+2x-4$ ③ $6x^2+4x+2$
④ $6x^2+4x-2$ ⑤ $6x^2-4x-2$

108 부피가 $(2x^3-3x^2-2x)$ cm³인 쇠구슬을 녹여 부피가 $(x-2)$ cm³인 작은 쇠구슬을 최대한 많이 만들려고 한다. 만들 수 있는 작은 쇠구슬의 개수를 x에 대한 식으로 나타내면?

① x^2+1 ② x^2+x ③ x^2+2x
④ $2x^2+x$ ⑤ $2x^2+2x$

109 오른쪽 그림과 같이 $\angle C=90°$인 직각삼각형 ABC에서 $\overline{AC}$를 회전축으로 하여 1회전 시켜서 만든 회전체의 부피를 V_1, $\overline{BC}$를 회전축으로 하여 1회전 시켜서 만든 회전체의 부피를 V_2라 할 때, $\dfrac{V_2-V_1}{\pi y}$을 x, y에 대한 두 일차식의 곱으로 나타내시오.

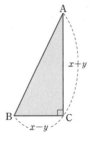

회전축에 따라 회전하였을 때 생기는 원뿔이 다르다는 것에 주의하여 V_1, V_2를 각각 구한다.

01

다음 중 옳지 <u>않은</u> 것은?

① $(-a-6)^2 = a^2+12a+36$

② $\left(2x-\dfrac{1}{x}\right)^2 = 4x^2-4+\dfrac{1}{x^2}$

③ $(x-4y)(-x-4y) = x^2-16y^2$

④ $(a-7b)(a+3b) = a^2-4ab-21b^2$

⑤ $(3x-y)(4x+2y) = 12x^2+2xy-2y^2$

02

$(ax-5y)(x+by-1)$을 전개하였더니 xy의 계수가 1이고, x의 계수가 -3이었다. 이때 $a+b$의 값은? (단, a, b는 상수)

① -1 ② 0   ③ 1

④ 3   ⑤ 5

03

다음 중 오른쪽 그림의 직사각형에서 어두운 부분의 넓이를 나타낸 것은?

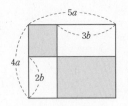

① $20a^2-24ab-6b^2$

② $20a^2-24ab+12b^2$

③ $20a^2-22ab+6b^2$

④ $20a^2-22ab+12b^2$

⑤ $20a^2-12ab+6b^2$

04

한 변의 길이가 x인 정사각형의 가로의 길이를 5만큼 늘이고, 세로의 길이를 4만큼 늘여서 만든 직사각형의 넓이가 ax^2+bx+c일 때, 상수 a, b, c에 대하여 $a-b+c$의 값은?

① 8   ② 9   ③ 10

④ 12   ⑤ 20

05

다음 전개식에서 다항식 A를 구하면?

$$(1-x+y)(1+x-y) = 1-A$$

① x^2+y^2 ② x^2-y^2

③ $x^2+2xy+y^2$ ④ x^2-2xy

⑤ $x^2-2xy+y^2$

06

연속한 두 홀수의 제곱의 차는 k의 배수이다. 이때 자연수 k의 최댓값을 구하시오.

07 두 유리수 a, b에 대하여 $\ll a, b \gg = a + b\sqrt{3}$이라 할 때, $\ll 4, -x \gg \times \ll -1, 2 \gg$가 유리수가 되도록 하는 x의 값은?

① -8 ② -1 ③ 1
④ 2 ⑤ 8

08 $(x-1)(x+1)(x^2+1)(x^4+1)(x^8+1)$을 간단히 하면?

① $x^{16}+1$ ② $x^{16}-1$ ③ $x^{32}+1$
④ $x^{32}-1$ ⑤ $x^{64}-1$

09 $x+y=\sqrt{7}$, $xy=1$일 때, 다음 **보기** 중 옳지 **않은** 것을 모두 고른 것은? (단, $x>y$)

보기
ㄱ. $x^2+y^2=5$ ㄴ. $(x-y)^2=3$
ㄷ. $x-y=\pm\sqrt{3}$ ㄹ. $\dfrac{y}{x}+\dfrac{x}{y}=2\sqrt{7}$

① ㄱ, ㄴ ② ㄱ, ㄷ ③ ㄴ, ㄷ
④ ㄷ, ㄹ ⑤ ㄱ, ㄴ, ㄹ

10 $\dfrac{7}{3+\sqrt{2}}$의 소수 부분을 a라 할 때, $2a^2-8a+5$의 값은?

① -1 ② 1 ③ 3
④ 7 ⑤ 9

11 오른쪽 그림과 같이 세 모서리의 길이가 각각 $x-4y$, $2x+y$, $3x-1$인 직육면체의 겉넓이를 나타내는 식에서 xy의 계수를 구하시오.

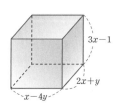

12 $x=1-\sqrt{3}$일 때, $(x+2)^2-6(x+2)+9$의 값을 구하시오.

13 현정이는 $(x+2)(3x-1)$을 전개하는 데 -1을 잘못 보아 $3x^2+2x+a$로 전개하였고, 은정이는 $(x-3)(x+7)$을 전개하는 데 -3을 잘못 보아 $x^2+bx-14$로 전개하였다. 이때 두 상수 a, b의 합 $a+b$의 값을 구하시오.

14 $1-\cfrac{1}{1-\cfrac{1}{1-\sqrt{2}}}$ 을 간단히 하면 $a+b\sqrt{2}$가 된다. 이때 $a+b$의 값을 구하시오. (단, a, b는 유리수)

15 넓이가 $3+\sqrt{5}$, $3-\sqrt{5}$인 두 정사각형의 한 변의 길이를 각각 m, n이라 할 때, $\dfrac{m-n}{m+n}$의 값을 구하시오.

16 다음 중 $(x-4y)(x-4y+3)-4$의 인수를 모두 고르면? (정답 2개)

① $x-4y$ ② $x-4y-1$

③ $x-4y+1$ ④ $x-4y+3$

⑤ $x-4y+4$

17 다음 중 완전제곱식으로 인수분해할 수 <u>없는</u> 것을 모두 고르면? (정답 2개)

① $4a^2-36a+81$ ② $9b^2-66b+121$

③ $25x^2-49$ ④ $x^2-xy+\dfrac{1}{4}y^2$

⑤ $\dfrac{1}{9}x^2+x+9$

18 $(3x+2)^2-(2x-1)^2=(ax+1)(bx+3)$일 때, 두 상수 a, b에 대하여 $a+b$의 값은?

① 3 ② 4 ③ 5

④ 6 ⑤ 7

19 두 다항식 $x^2-3x-28$, x^2+2x-8의 공통인수를 A라 할 때, $Ax+2x^2$을 인수분해하면?

① $x(3x-7)$ ② $x(3x-2)$
③ $x(3x+4)$ ④ $(3x+1)(x-7)$
⑤ $(3x-2)(x+4)$

20 다음 두 다항식의 1을 제외한 공통인수를 구하시오.

$$(x-5y)(3x+y)+21y^2, \quad x^2-xy-2y^2$$

21 $3(x-2)^2-2(x-2)-8=(x-4)(ax+b)$일 때, $a+b$의 값은? (단, a, b는 상수)

① -5 ② -1 ③ 1
④ 3 ⑤ 5

22 $(a-b)(2a-3b)-2a+2b$를 인수분해하면?

① $-3b(a-b)$ ② $(a-b)(2a-3b)$
③ $2(a-b)(2a-3b)$ ④ $(a-b)(2a-3b+2)$
⑤ $(a-b)(2a-3b-2)$

23 $-2x^2-5x(y-2x)+3(2x-y)^2$을 인수분해하면 $(ax-by)(cx-dy)$일 때, $a+b+c+d$의 값은? (단, $a>c$이고, a, b, c, d는 자연수)

① 5 ② 7 ③ 13
④ 15 ⑤ 17

24 $x(x+2)(x-3)(x-5)+24$를 인수분해하면 $A(x-4)(B-6)$일 때, 두 다항식 A, B에 대하여 $A+B$는? (단, A는 일차식)

① x^2-2x+1 ② x^2-2x-1
③ x^2-3x ④ x^2-3x+1
⑤ x^2-6x+9

25 두 수 a, b에 대하여 $\ll a, b \gg = (x-a)(x-b)$ 라 할 때, $\ll 3, 1 \gg -2 \ll 2, -3 \gg +1$을 인수분해하면?

① $(x-2)(x+8)$ ② $-(x-2)(x+8)$

③ $-(x-3)^2$ ④ $(x-5)(x+3)$

⑤ $-(x-5)(x+3)$

26 $2x^2+kx-3=(2x+a)(x+b)$로 인수분해될 때, 다음 중 상수 k의 값이 될 수 없는 것은?

(단, a, b는 정수)

① -5 ② -1 ③ 0

④ 1 ⑤ 5

27 $ac-bc-bd+ad=-12$, $c+d=-3$일 때, $a-b$의 값은?

① 2 ② 4 ③ 6

④ 8 ⑤ 10

28 오른쪽 그림과 같이 넓이가 $6x^2-x-15$인 직사각형의 가로와 세로의 길이가 각각 일차식일 때, 이 직사각형의 둘레의 길이는?

(단, 일차식의 모든 항의 계수는 정수이다.)

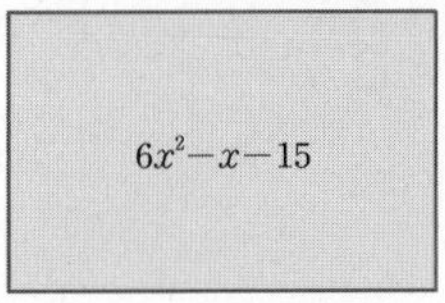

$6x^2-x-15$

① $5x-2$ ② $5x+2$ ③ $10x-2$

④ $10x-4$ ⑤ $10x+4$

29 어떤 이차식을 인수분해하였는데 민서는 x의 계수를 잘못 보고 $(x-4)(x-12)$로 인수분해하였고, 민제는 상수항을 잘못 보고 $(x-5)(x-9)$로 인수분해하였을 때, 처음 이차식을 바르게 인수분해하면?

① $(x-4)(x-9)$ ② $(x-5)(x-12)$

③ $(x+5)(x-8)$ ④ $(x-6)(x+4)$

⑤ $(x-6)(x-8)$

30 이차식 $x^2+ax-12$를 인수분해하였는데 나연이는 a를 b로 잘못 보고 $(x-2)(x+6)$으로 인수분해하였고, 희영이는 상수항 -12를 c로 잘못 보고 $(x+4)(x-5)$로 인수분해하였을 때, $a+b+c$의 값은? (단, a, b, c는 상수)

① -25 ② -17 ③ -15

④ 18 ⑤ 23

III 이차방정식

1 이차방정식

1 이차방정식의 뜻과 그 해

(1) x에 대한 이차방정식

미지수가 x인 방정식에서 방정식의 모든 항을 좌변으로 이항하여 정리하였을 때, '(x에 대한 이차식)$=0$'의 꼴로 나타내어지는 방정식, 즉

$$ax^2+bx+c=0 \ (단, \ a, \ b, \ c는 \ 상수, \ a \neq 0) \ \Leftarrow 이차방정식의 일반형$$

의 형태가 되는 것을 x에 대한 이차방정식이라 한다.

예 $x^2-3=0$, $x^2-x=0$, $x^2+2x-1=0$은 이차방정식이다.
$x^2-2x-3=1+x^2$은 이차방정식이 아니다.

주의
x^2항이 있다고 해서 무조건 이차방정식인 것은 아니므로 이차방정식인지 아닌지는 모든 항을 좌변으로 이항하여 정리한 후 판단한다.

(2) 이차방정식의 해 (근)

x에 대한 이차방정식을 참이 되도록 하는 미지수 x의 값을 이차방정식의 해 또는 근이라 한다.

예 $x=1$을 이차방정식 $x^2-3x+2=0$에 대입하면 $1^2-3 \times 1+2=0$으로 참이 되므로 $x=1$은 이차방정식 $x^2-3x+2=0$의 해이다.

(3) 이차방정식을 푼다.

이차방정식의 해를 모두 구하는 것을 '이차방정식을 푼다.'고 한다.

개념+ 방정식의 일반형

x에 대한 일차방정식	x에 대한 이차방정식
일반형 ➡ $ax+b=0$	일반형 ➡ $ax^2+bx+c=0$
x에 대한 일차방정식이 될 조건 ➡ $a \neq 0$	x에 대한 이차방정식이 될 조건 ➡ $a \neq 0$

2 인수분해를 이용한 이차방정식의 풀이

(1) $AB=0$의 성질

두 수 또는 두 식 A, B에 대하여 다음이 성립한다.

$AB=0$이면 $A=0$ 또는 $B=0$

(2) 인수분해를 이용한 이차방정식의 풀이

인수분해를 이용하여 이차방정식의 해를 구할 때에는 다음의 순서로 한다.

① 이차방정식을 정리한다. ➡ $ax^2+bx+c=0 \ (a \neq 0)$
② 좌변을 인수분해한다. ➡ $a(x-\alpha)(x-\beta)=0$
③ 해를 구한다. ➡ $x=\alpha$ 또는 $x=\beta$

예 이차방정식 $x^2+2x-3=0$을 풀면
$(x+3)(x-1)=0$
∴ $x=-3$ 또는 $x=1$

+ (1) $AB=0$이면
  ① $A=0$ 그리고 $B \neq 0$
  ② $A \neq 0$ 그리고 $B=0$
  ③ $A=0$ 그리고 $B=0$
  중의 하나가 성립한다.
  (2) $AB \neq 0$이면 $A \neq 0$ 그리고 $B \neq 0$이다.

+ $(ax-b)(cx-d)=0$의 해는
$x=\dfrac{b}{a}$ 또는 $x=\dfrac{d}{c}$이다.

3 이차방정식의 중근

(1) 이차방정식의 중근

이차방정식의 두 근이 중복되어 서로 같을 때, 이 근을 중근이라 한다.

(2) 이차방정식이 중근을 가질 조건

이차방정식의 모든 항을 좌변으로 이항하고 인수분해하였을 때,

'(완전제곱식)=0'의 꼴로 변형되면 그 이차방정식은 중근을 갖는다.

➡ 이차항의 계수가 1일 때, $\left(\dfrac{\text{일차항의 계수}}{2}\right)^2 = (\text{상수항})$

例 이차방정식 $x^2+4x+k=0$이 중근을 가지려면 ➡ $k=\left(\dfrac{4}{2}\right)^2=4$

+ (일차식)²=0의 꼴

인수분해된 형태	중근
$(x+a)^2=0$	$x=-a$
$(ax-b)^2=0$	$x=\dfrac{b}{a}$

4 제곱근을 이용한 이차방정식의 풀이

(1) 이차방정식 $x^2=q\ (q\geq0)$의 해 ➡ $x=\pm\sqrt{q}$

(2) 이차방정식 $(x+p)^2=q\ (q\geq0)$의 해 ➡ $x=-p\pm\sqrt{q}$

例 $x^2=5$의 해는 $x=\pm\sqrt{5}$

$(x-1)^2=3$의 해는 $x-1=\pm\sqrt{3}$에서 $x=1\pm\sqrt{3}$

개념+ 이차방정식 $ax^2=q$의 해는 다음과 같다.

$ax^2=q$에서 $x^2=\dfrac{q}{a}$이므로

① $\dfrac{q}{a}>0$, 즉 $aq>0$이면 서로 다른 2개의 근을 갖는다. ➡ $x=\pm\sqrt{\dfrac{q}{a}}$

② $\dfrac{q}{a}=0$, 즉 $q=0$이면 중근을 갖는다. ➡ $x=0$

③ $\dfrac{q}{a}<0$, 즉 $aq<0$이면 근이 없다.

5 완전제곱식을 이용한 이차방정식의 풀이

완전제곱식을 이용하여 이차방정식의 해를 구할 때에는 이차방정식을

'(완전제곱식)=(수)'의 꼴로 고친 후 제곱근을 이용한 이차방정식의 풀이 방법으로

푼다.

$$ax^2+bx+c=0(a\neq0) \Rightarrow (x+p)^2=q \Rightarrow x=-p\pm\sqrt{q}$$

예를 들어, 이차방정식 $2x^2+4x+1=0$의 해는 다음과 같이 구한다.

① 이차항의 계수를 1로 만든다. ➡ $x^2+2x+\dfrac{1}{2}=0$

② 상수항을 우변으로 이항한다. ➡ $x^2+2x=-\dfrac{1}{2}$

③ 양변에 $\left(\dfrac{x\text{의 계수}}{2}\right)^2$을 더한다. ➡ $x^2+2x+1=-\dfrac{1}{2}+1$

④ 좌변을 완전제곱식으로 고친다. ➡ $(x+1)^2=\dfrac{1}{2}$

⑤ 제곱근을 이용하여 해를 구한다. ➡ $x+1=\pm\sqrt{\dfrac{1}{2}}$ ∴ $x=-1\pm\dfrac{\sqrt{2}}{2}$

+ 이차방정식 $ax^2+bx+c=0$ 에서 좌변이 인수분해가 되지 않을 경우 완전제곱식을 이용하여 해를 구할 수 있다.

6 이차방정식의 근의 공식

(1) 이차방정식 $ax^2+bx+c=0(a\neq0)$의 해는

$$x=\frac{-b\pm\sqrt{b^2-4ac}}{2a}\ (\text{단},\ b^2-4ac\geq0)\ \leftarrow \text{근의 공식}$$

(2) 일차항의 계수가 짝수일 때, 즉 이차방정식 $ax^2+2b'x+c=0$의 해는

$$x=\frac{-b'\pm\sqrt{b'^2-ac}}{a}\ (\text{단},\ b'^2-ac\geq0)\ \leftarrow \text{짝수 공식}$$

예 이차방정식 $x^2-4x+1=0$의 근은
$$x=\frac{-(-2)\pm\sqrt{(-2)^2-1\times1}}{1}=2\pm\sqrt{3}$$

> ✚ 모든 이차방정식은 근의 공식을 이용하여 풀 수 있지만 인수분해가 되는 것은 인수분해를 이용하는 것이 더 편리하다. 즉, 이차방정식 $ax^2+bx+c=0(a\neq0)$에서 좌변이 인수분해되지 않을 경우에 근의 공식을 이용한다.

7 복잡한 이차방정식의 풀이

(1) **계수가 소수 또는 분수일 때**

양변에 적당한 수를 곱하여 계수를 정수로 고쳐서 푼다.

① 계수가 소수일 때 ➡ 양변에 10의 거듭제곱을 곱한다.

② 계수가 분수일 때 ➡ 양변에 분모의 최소공배수를 곱한다.

(2) **괄호가 있을 때**

괄호를 풀어서 $ax^2+bx+c=0$의 꼴로 정리한 후 푼다.

(3) **공통 부분이 있을 때**

공통 부분을 t로 치환한 후 $at^2+bt+c=0$의 꼴로 정리하여 푼다.

예 $(x^2+2x)^2-3(x^2+2x)+2=0$
➡ $x^2+2x=t$로 치환
➡ $t^2-3t+2=0$

> ✚ 모든 이차방정식은 근의 공식을 이용하여 풀 수 있지만 인수분해가 되는 것은 인수분해를 이용하는 것이 더 편리하다. 즉, 이차방정식 $ax^2+bx+c=0(a\neq0)$에서 좌변이 인수분해되지 않을 경우에 근의 공식을 이용한다.

8 이차방정식의 근의 개수

이차방정식 $ax^2+bx+c=0(a\neq0)$의 근의 개수는 근의 공식 $x=\frac{-b\pm\sqrt{b^2-4ac}}{2a}$에서 b^2-4ac의 값의 부호에 의해 결정된다.

(1) $b^2-4ac>0$이면 서로 다른 두 개의 근을 갖는다.
$$\Rightarrow x=\frac{-b+\sqrt{b^2-4ac}}{2a}\ \text{또는}\ x=\frac{-b-\sqrt{b^2-4ac}}{2a}$$

(2) $b^2-4ac=0$이면 한 개의 근을 갖는다. ➡ $x=-\frac{b}{2a}$ (중근)

(3) $b^2-4ac<0$이면 근이 없다.

> ✚ ① 이차방정식 $ax^2+bx+c=0$이 근을 가질 조건과 서로 다른 두 근을 가질 조건
>
> | 근을 가질 때 | 서로 다른 두 근을 가질 때 |
> |---|---|
> | 중근을 포함한다. ➡ $b^2-4ac\geq0$ | 중근을 포함하지 않는다. ➡ $b^2-4ac>0$ |
>
> ② 일차항의 계수가 짝수일 때, 즉 이차방정식 $ax^2+2b'x+c=0$의 근의 개수를 판단할 때에는 b'^2-ac의 값의 부호를 이용하면 편리하다.

주제별 실력다지기

1 이차방정식의 뜻과 그 해

01 다음 중 이차방정식인 것을 모두 고르면? (정답 2개)

① $(x+1)(2x-1)=2x^2+5$ ② $x^2-1=x^2-4x$

③ $(x-2)^2-x=3(x+1)+9$ ④ $2x^2=0$

⑤ $\left(\dfrac{1}{2}x+1\right)(x-1)=\dfrac{1}{2}x^2-2x$

$ax^2+bx+c=0$
(단, a, b, c는 상수)
이 이차방정식이 될 조건은
$a\neq 0$, 즉 (이차항의 계수)$\neq 0$

02 x에 대한 방정식 $ax^2+3x-8=7x^2-bx+c$가 이차방정식이 되기 위한 조건으로 알맞은 것은? (단, a, b, c는 상수)

① $a=7$ ② $a\neq 7$ ③ $a=7$, $b=-3$

④ $a\neq 7$, $b\neq -3$ ⑤ $a\neq 7$, $b\neq -3$, $c\neq -8$

03 다음 중 이차방정식 $-2(2x-5)(x+9)=0$의 해를 나타내는 것은?

① $x-\dfrac{5}{2}=0$ 그리고 $x+9=0$ ② $x-\dfrac{5}{2}=0$ 또는 $x+9\neq 0$

③ $2x-5\neq 0$ 또는 $x+9=0$ ④ $2x-5=0$ 또는 $x+9=0$

⑤ $2x-5\neq 0$ 그리고 $x+9\neq 0$

04 이차방정식 $2x^2+3x+a=0$의 한 근이 $x=1$일 때, 상수 a의 값은?

① -5 ② -4 ③ -3

④ 0 ⑤ 2

05 이차방정식 $x^2+ax+b=0$의 두 근이 $x=-5$, $x=3$일 때, 두 상수 a, b에 대하여 $a+b$의 값을 구하시오.

06 이차방정식 $(2x+1)(3x+1)=(x-1)^2$의 두 근 중 큰 근을 a, 작은 근을 b라 할 때, $a-b$의 값은?

① $-\dfrac{7}{5}$　　　　② $-\dfrac{2}{5}$　　　　③ 0

④ $\dfrac{2}{5}$　　　　⑤ $\dfrac{7}{5}$

두 수 또는 두 식 A, B에 대하여
$AB=0$이면
$A=0$ 또는 $B=0$

07 이차방정식 $(x+1)^2=(x+3)(2x-1)$의 두 근을 p, q라 할 때, $5p-2q$의 값은? (단, $p>q$)

① 12　　　　② 13　　　　③ 14

④ 17　　　　⑤ 20

08 이차방정식 $2x^2-3x-20=0$의 한 근은 p이고, 이차방정식 $3x^2+14x-5=0$의 한 근은 q일 때, 이차방정식 $x^2+px+q=0$의 해를 구하시오.

(단, p, q는 정수)

09 두 이차방정식 $3x^2-11x+6=0$, $2x^2-3x-9=0$의 공통인 근은?

① $x=3$　　　　② $x=\dfrac{2}{3}$　　　　③ $x=-\dfrac{3}{2}$

④ $x=-3$　　　　⑤ $x=-6$

10 이차방정식 $4x^2-3=0$의 두 근 중 큰 근을 a, 이차방정식 $3x^2-36=0$의 두 근 중 작은 근을 b라 할 때, $2a+b$의 값은?

① $-\dfrac{3\sqrt{3}}{2}$　　　　② $-\sqrt{3}$　　　　③ $-\dfrac{2\sqrt{3}}{3}$

④ 0　　　　⑤ $\sqrt{3}$

$x^2=q\,(q\geq0)$의 해
$\Rightarrow x=\pm\sqrt{q}$
$(x+p)^2=q\,(q\geq0)$의 해
$\Rightarrow x=-p\pm\sqrt{q}$

3 이차방정식의 풀이 (완전제곱식 이용, 근의 공식 이용)

11 이차방정식 $(x-p)^2=a-1$이 해를 가질 조건은? (단, a, p는 상수)

① $a<1$ 　　　　② $a>1$ 　　　　③ $a=1$

④ $a\leq1$ 　　　　⑤ $a\geq1$

이차방정식 $(x-p)^2=q$가 해를 가질 조건
➡ $q\geq0$

12 다음은 완전제곱식을 이용하여 이차방정식을 푸는 과정이다. □ 안에 알맞은 수를 써넣으시오.

(1) $x^2-6x+2=0$에서 $x^2-6x=-2$

$x^2-6x+\boxed{}=-2+\boxed{}$

$(x-\boxed{})^2=\boxed{}$, $x-\boxed{}=\boxed{}$

$\therefore x=\boxed{}$

(2) $2x^2+8x-3=0$에서 $2x^2+8x=3$

$x^2+4x=\boxed{}$

$x^2+4x+\boxed{}=\dfrac{3}{2}+\boxed{}$

$(x+\boxed{})^2=\boxed{}$, $x+\boxed{}=\boxed{}$

$\therefore x=\boxed{}$

인수분해를 이용하여 해를 구할 수 없는 경우에 이차방정식을
(완전제곱식)=(수)
의 꼴로 고친 후 제곱근을 이용한 이차방정식의 풀이 방법으로 푼다.

13 이차방정식 $x^2-6x+3=0$을 $(x-a)^2=b$의 꼴로 나타낼 때, $a+b$의 값은? (단, a, b는 상수)

① -3 　　　　② 0 　　　　③ 3

④ 6 　　　　⑤ 9

[최상위]
Q&A 007
근의 공식에서 왜 $b^2-4ac\geq0$라는 조건이 붙을까?
이차방정식 $ax^2+bx+c=0$의 해는
$x=\dfrac{-b\pm\sqrt{b^2-4ac}}{2a}$
　　　　(단, $b^2-4ac\geq0$)
이다.
이때 근호 안의 값이 음수이면 $\sqrt{b^2-4ac}$는 실수가 아니기 때문에 중등 과정을 벗어난다. 따라서 항상 $b^2-4ac\geq0$이라는 조건이 붙어 있어야 한다. 즉 $b^2-4ac<0$이면 이 방정식의 해는 실수 범위에서 존재하지 않는다.

14 이차방정식 $2x^2+3x-1=0$을 완전제곱식을 이용하여 풀면 $x=\dfrac{a\pm\sqrt{b}}{4}$일 때, $a+b$의 값을 구하시오. (단, a, b는 유리수)

15 다음은 이차방정식의 근의 공식을 유도하는 과정이다. ①~⑤에 들어갈 식으로 옳지 <u>않은</u> 것은?

좌변을 완전제곱식이 되도록 변형한다.

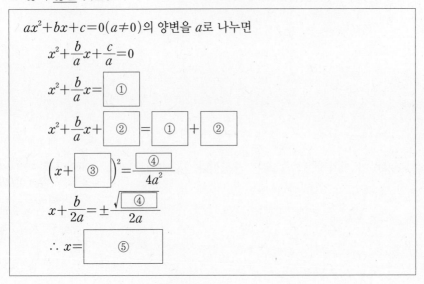

$ax^2+bx+c=0(a\neq0)$의 양변을 a로 나누면

$$x^2+\frac{b}{a}x+\frac{c}{a}=0$$

$$x^2+\frac{b}{a}x=\boxed{①}$$

$$x^2+\frac{b}{a}x+\boxed{②}=\boxed{①}+\boxed{②}$$

$$\left(x+\boxed{③}\right)^2=\frac{\boxed{④}}{4a^2}$$

$$x+\frac{b}{2a}=\pm\frac{\sqrt{\boxed{④}}}{2a}$$

$$\therefore x=\boxed{⑤}$$

① $-\dfrac{c}{a}$ ② $\left(\dfrac{b}{2a}\right)^2$ ③ $\dfrac{b}{2a}$

④ b^2-4ac ⑤ $\dfrac{b\pm\sqrt{b^2-4ac}}{2a}$

16 이차방정식 $2x^2-3x+p=0$의 근이 $x=\dfrac{q\pm\sqrt{65}}{4}$일 때, 두 유리수 p, q에 대하여 $p+q$의 값을 구하시오.

근의 공식을 이용한다.

17 이차방정식 $x^2+mx-3=0$의 근이 $x=\dfrac{-1\pm\sqrt{n}}{2}$일 때, $n-m$의 값은?

(단, m, n은 유리수)

① -12 ② -10 ③ 10
④ 12 ⑤ 14

18 이차방정식 $2x^2+ax-5=0$을 근의 공식을 이용하여 풀면 $x=\dfrac{-1\pm\sqrt{b}}{4}$일 때, $a-b$의 값을 구하시오. (단, a, b는 유리수)

19 이차방정식 $x^2+3x-2=0$의 두 근 중 작은 근을 p, 이차방정식 $x^2-x-4=0$의 두 근 중 큰 근을 q라 할 때, $p+q$의 값을 구하시오.

인수분해가 안 되면 근의 공식을 이용하여 해를 구한다.

20 다음은 이차방정식의 근의 공식을 이용하여 짝수 공식을 유도하는 과정이다. ㈎, ㈏, ㈐에 알맞은 수 또는 식을 써넣으시오.

$$ax^2+2b'x+c=0\,(a\neq0)에서$$
$$x=\dfrac{-2b'\pm\sqrt{(2b')^2-4ac}}{2a}$$
$$=\dfrac{-2b'\pm\sqrt{\boxed{㈎}\times(b'^2-ac)}}{2a}$$
$$=\dfrac{-2b'\pm2\sqrt{\boxed{㈏}}}{2a}$$
$$=\boxed{㈐}$$

21 이차방정식 $2x^2-4x+a=0$의 근이 $x=\dfrac{b\pm\sqrt{2}}{2}$일 때, 두 유리수 a, b에 대하여 $a+b$의 값을 구하시오.

22 다음 **보기**의 이차방정식 중 유리수의 범위에서 해를 갖지 <u>않는</u> 것을 모두 고른 것은?

> ┌─────────────────── 보기 ───────────────────┐
> ㄱ. $2x^2-4x-3=0$ ㄴ. $x^2+4x+4=0$
> ㄷ. $x^2+2x-5=0$ ㄹ. $x^2+x-6=0$

① ㄱ, ㄴ   ② ㄱ, ㄷ   ③ ㄱ, ㄹ
④ ㄴ, ㄷ   ⑤ ㄷ, ㄹ

23 이차방정식 $x^2-6x+4=0$의 해는 $x=3\pm\sqrt{a}$이다. $x=a$가 이차방정식 $x^2-7x+k=0$의 한 근일 때, 상수 k의 값을 구하시오.

일차항의 계수가 짝수일 때, 이차방정식의 근은 짝수 공식을 이용하여 구한다.

24 이차방정식 $x^2-4x-3=0$의 두 근을 m, n이라 할 때, m^2-n^2의 값을 구하시오. (단, $m>n$)

25 $A\star B=A^2-AB$라 할 때, 이차방정식 $(2x-5)\star(x+1)=6-x$의 두 근의 차를 구하시오.

4 복잡한 이차방정식의 풀이

26 다음 이차방정식을 푸시오.

(1) $x^2 - 0.9x + 0.2 = 0$

(2) $\dfrac{2}{15}x^2 - \dfrac{1}{3}x = \dfrac{1}{5}$

(3) $(x-3)^2 = 4(x-3) - 4$

양변에 적당한 수를 곱하여 계수를 정수로 고쳐서 푼다.

27 이차방정식 $-\dfrac{1}{2}x^2 - \dfrac{1}{3}x + \dfrac{1}{4} = 0$의 두 근 중 작은 근을 α라 할 때, $6\alpha + 2$의 값은?

① $\dfrac{-2 - \sqrt{22}}{2}$ ② $-\sqrt{22}$ ③ $2 - \sqrt{22}$

④ $\dfrac{2 - \sqrt{22}}{2}$ ⑤ $\sqrt{22}$

최상위
Q&A 008
다음의 어떤 방법으로 풀던 이차방정식의 해는 같다.
이차방정식 $(x-1)^2 - 4 = 0$을 다음의 3가지 방법으로 풀어 보자.

1. 인수분해의 이용
$(x-1)^2 - 4 = 0$, $x^2 - 2x - 3 = 0$
$(x+1)(x-3) = 0$
∴ $x = -1$ 또는 $x = 3$

2. 제곱근을 이용
$(x-1)^2 - 4 = 0$, $(x-1)^2 = 4$
$x - 1 = \pm 2$
∴ $x = -1$ 또는 $x = 3$

3. 근의 공식을 이용
$(x-1)^2 - 4 = 0$, $x^2 - 2x - 3 = 0$
∴ $x = \dfrac{-(-1) \pm \sqrt{(-1)^2 - 1 \times (-3)}}{1}$
$= 1 \pm 2$
∴ $x = -1$ 또는 $x = 3$

위와 같이 1, 2, 3의 어떤 방법으로 풀던 이차방정식의 해는 같으므로 문제에 따라서 가장 간단한 방법을 선택하여 푼다.

28 이차방정식 $\dfrac{1}{3}x^2 - \dfrac{1}{2}x - \dfrac{1}{6} = 0$의 두 근 중 큰 근을 α라 할 때, $\dfrac{1}{\alpha}$의 값은?

① $-6 + \sqrt{17}$ ② $-3 + \sqrt{17}$ ③ $-\sqrt{17}$

④ $\dfrac{-3 + \sqrt{17}}{2}$ ⑤ $\dfrac{-6 + \sqrt{17}}{4}$

29 이차방정식 $1.5x^2 - \dfrac{2}{3}x - \dfrac{1}{6} = 0$의 두 근을 α, β라 할 때, $\alpha - \beta$의 값을 구하시오. (단, $\alpha > \beta$)

30 이차방정식 $-x^2 = \dfrac{(x+2)(x-1)}{3}$의 해가 $x = \dfrac{a \pm \sqrt{b}}{8}$일 때, $a + b$의 값은?

(단, a, b는 유리수)

① 8 ② 10 ③ 24

④ 32 ⑤ 34

31 이차방정식 $-x(x-7)=9-x$의 해가 $x=a\pm\sqrt{b}$이고, 이차방정식 $\dfrac{x^2+5}{3}-x=\dfrac{4}{3}(x-1)$의 해가 $x=\dfrac{b\pm\sqrt{c}}{2}$일 때, $a+b+c$의 값을 구하시오.

(단, a, b, c는 유리수)

괄호를 풀어 $ax^2+bx+c=0$의 꼴로 정리한 후 푼다.

32 이차방정식 $0.3(x^2-1)=\dfrac{2}{5}(x+3)$의 두 근을 α, β라 할 때, $\alpha-3\beta$의 값은?

(단, $\alpha>\beta$)

① 4
② $2\sqrt{7}$
③ 6
④ 8
⑤ $6\sqrt{7}$

33 다음 중 이차방정식 $2(x-1)^2-9(x-1)=-10$의 해를 모두 고르면?

(정답 2개)

① 1
② 2
③ 3
④ $\dfrac{5}{2}$
⑤ $\dfrac{7}{2}$

공통 부분을 한 문자로 치환한 후 푼다.

34 두 이차방정식 $(2x+1)^2-7(2x+1)+10=0$, $3(x+3)^2-14(x+3)-5=0$의 공통인 근은?

① $x=-\dfrac{10}{3}$
② $x=-2$
③ $x=-\dfrac{5}{3}$
④ $x=\dfrac{1}{2}$
⑤ $x=2$

35 이차방정식 $\dfrac{6}{x^2}-\dfrac{5}{x}+1=0$의 두 근을 α, β라 할 때, $2\alpha+\beta$의 값을 구하시오. (단, $\alpha>\beta$)

$\dfrac{1}{x}=t$로 치환한다.

36 $(x-2y)(x-2y-2)-24=0$일 때, $2x-4y$의 값은? (단, $x>2y$)

① -12　　　　② -8　　　　③ -4

④ 6　　　　⑤ 12

공통 부분을 t로 치환한 후 $at^2+bt+c=0$의 꼴로 정리하여 푼다.

37 $x<\dfrac{3}{2}y$이고, $(2x-3y)(2x-3y-2)-15=0$일 때, $2x-3y$의 값은?

① -2　　　　② -3　　　　③ -5

④ -8　　　　⑤ -10

38 $a^2-2ab+b^2-4a+4b-45=0$일 때, $a-b$의 값은? (단, $a>b$)

① -9　　　　② -5　　　　③ 0

④ 5　　　　⑤ 9

5 　새롭게 정의된 연산에 의한 이차방정식의 풀이

39 두 수 a, b에 대하여 $a\triangle b=ab-a$라 할 때, x에 대한 이차방정식 $(x-5)\triangle(x+3)=8$의 해는?

① $x=-3$ 또는 $x=-6$　　　② $x=-3$ 또는 $x=6$

③ $x=3$ 또는 $x=-6$　　　④ $x=-2$ 또는 $x=9$

⑤ $x=2$ 또는 $x=-9$

주어진 약속에 따라 식을 변형한다.

40 두 수 a, b에 대하여 $a\circ b=(a-2)(b+1)-2ab$라 할 때, x에 대한 이차방정식 $(2x-1)\circ(x-2)=1$의 해를 구하시오.

41 두 수 a, b에 대하여 $a \odot b = a - b$, $a \triangle b = ab - a + b$라 할 때, 다음 이차방정식을 푸시오.

$$\{(2x-3) \odot (x+2)\} \triangle (2x-1) = 0$$

42 $N(x) = x(x-1)$라 할 때, $N(x+3) = 5$를 만족하는 모든 x의 값의 합은?

① -5 ② -3 ③ 1

④ 3 ⑤ 5

43 $f(x) = x^2 - 3x + 5$일 때, $f(a-1) = 4$를 만족하는 a의 값은? (단, $a > 3$)

① $\dfrac{5-\sqrt{5}}{2}$ ② $\dfrac{-1+\sqrt{5}}{2}$ ③ $\dfrac{1+\sqrt{5}}{2}$

④ $\dfrac{3+\sqrt{5}}{2}$ ⑤ $\dfrac{5+\sqrt{5}}{2}$

44 $f(x) = 3x^2 - x + 5$에 대하여 $F(a, b) = f(a) - 2f(b)$라 할 때, $F(x-1, x) = 3 - 18x$를 만족하는 x의 값을 모두 구하시오.

먼저 약속에 따라 식을 세운다.

45 x에 대한 이차식 $f(x)$에 대하여 $f(0) = -5$, $f(x+1) - f(x) = 4x - 7$일 때, $f(x) = 0$을 만족하는 x의 값을 모두 구하시오.

$f(x) = ax^2 + bx + c \, (a \neq 0)$로 놓는다.

6 근이 주어진 경우 문제

46 이차방정식 $x^2-3x+7=0$의 두 근이 m, n일 때, $(m^2-3m+9)(n^2-3n-1)$의 값을 구하시오.

문자로 주어진 한 근을 이차방정식에 대입하여 원하는 식의 값을 구한다.

47 이차방정식 $x^2-5x+1=0$의 두 근이 α, β일 때, $(\alpha^2-5\alpha+2)(\beta^2-5\beta-3)$의 값은?

① 4   ② 2   ③ -2

④ -4 ⑤ -6

48 이차방정식 $x^2+4x-3=0$의 한 근이 α일 때, $3\alpha^2+12\alpha-5$의 값은?

① 4   ② 3   ③ 2

④ 1   ⑤ 0

49 이차방정식 $2x^2-5x-13=0$의 한 근이 α일 때, $4\alpha^2-10\alpha$의 값은?

① 24   ② 26   ③ 28

④ 30   ⑤ 32

50 a는 이차방정식 $3x^2-2x-1=0$의 한 근이고, b는 이차방정식 $x^2+2x-15=0$의 한 근일 때, $3a^2+2b^2-2a+4b$의 값은?

① -31 ② -16 ③ 14

④ 16   ⑤ 31

51 이차방정식 $x^2+6x+1=0$의 한 근을 α라 할 때, $\alpha^2+\dfrac{1}{\alpha^2}$의 값은? (단, $\alpha\neq 0$)

① 6   ② 32   ③ 34

④ 36   ⑤ 40

52 x에 대한 이차방정식 $x^2-kx+1=0$의 한 근을 α라 할 때, $\alpha+\dfrac{1}{\alpha}=k^2-12$ 가 성립하도록 하는 상수 k의 값을 모두 구하시오. (단, $\alpha\neq 0$)

53 x에 대한 이차방정식 $x^2-ax+a+5=0$의 한 근이 3일 때, 상수 a의 값과 다른 한 근의 합을 구하시오.

이차방정식에 $x=3$을 대입하여 a의 값을 구한다.

54 x에 대한 이차방정식 $(a+1)x^2+(a^2-2)x+3=0$의 한 근이 3일 때, 다른 한 근은? (단, a는 상수)

① -2 ② -1 ③ 1

④ 2   ⑤ 3

55 이차방정식 $(x-1)(x+2)=2(x+5)$의 두 근 중 작은 근이 이차방정식 $x^2+ax+6=0$의 한 근일 때, 상수 a의 값을 구하시오.

56 이차방정식 $x^2-2kx+3k-1=0$의 두 근이 2, m일 때, $k+m$의 값은?

(단, k는 상수)

① -2 ② 1 ③ 3
④ 5 ⑤ 7

57 이차방정식 $2x^2+3x-k=0$의 한 근이 $x=-2$일 때, 이차방정식 $4x^2+6x-1+k=0$의 해를 구하시오. (단, k는 상수)

58 이차방정식 $2x^2+4x-a=0$의 한 근이 $x=-3$일 때, 이차방정식 $x^2-(a-4)x-a=0$의 해를 구하시오. (단, a는 상수)

7 두 이차방정식의 공통인 근

59 두 이차방정식 $5x^2+ax-27=0$, $bx^2+2x-21=0$의 공통인 근이 -3일 때, $a-b$의 값은? (단, a, b는 상수)

① -9 ② -3 ③ 0
④ 3 ⑤ 9

공통인 근을 두 이차방정식에 각각 대입하여 a, b의 값을 구한다.

60 두 이차방정식 $x^2-10x+24=0$, $2x^2-x-28=0$을 동시에 만족하는 x의 값이 이차방정식 $x^2+kx+12=0$의 한 근일 때, 상수 k의 값을 구하시오.

61 두 이차방정식 $x^2+3x-a=0$, $2x^2-bx-5=0$의 공통인 근이 $x=5$일 때, 두 이차방정식의 나머지 근을 차례로 구하시오. (단, a, b는 상수)

62 두 이차방정식 $4x^2-ax-3=0$, $2x^2-7x+b=0$의 공통인 근이 $x=-\dfrac{1}{2}$일 때, 두 이차방정식의 나머지 근을 각각 $x=c$, $x=d$라 하자. 이때 $c+d$의 값을 구하시오. (단, a, b는 상수)

63 두 이차방정식 $4x^2-12x+9=0$, $2x^2+ax-3=0$의 공통인 근이 $x=b$일 때, $a+2b$의 값은? (단, a는 상수)

① $\dfrac{1}{2}$ ② 1 ③ $\dfrac{3}{2}$

④ 2 ⑤ $\dfrac{5}{2}$

8 이차방정식의 근의 개수 (판별식)

64 다음 **보기** 중 근이 1개인 이차방정식을 모두 고르시오.

┌──────── 보기 ────────┐
ㄱ. $x^2-x+\dfrac{1}{4}=0$ ㄴ. $(x+2)^2=9$ ㄷ. $-4x^2=0$

ㄹ. $x^2+x=4-2x$ ㅁ. $4x^2+x+\dfrac{1}{16}=0$ ㅂ. $(-3x-8)^2=-1$
└────────────────────┘

근이 1개이다.
⟺ 중근을 갖는다.

65 이차방정식 $3x^2-12x+5-k=0$이 중근을 가질 때, 상수 k의 값은?

① -2 ② -5 ③ -7

④ -9 ⑤ -11

이차방정식 $ax^2+bx+c=0$이 중근을 갖는다.
➡ $b^2-4ac=0$
($b=2b'$일 때, $b'^2-ac=0$)

66 이차방정식 $-2x^2+4kx+k^2-9=0$의 근이 1개일 때, 상수 k의 값은?

① ±1 ② $\pm\sqrt{3}$ ③ ±2

④ $\pm\sqrt{5}$ ⑤ ±3

67 이차방정식 $2x^2-12(x-1)+a=0$이 $(x+b)^2=0$으로 나타내어질 때, $a+b$의 값은? (단, a, b는 상수)

① 18   ② 12   ③ 9

④ 6   ⑤ 3

> 이차방정식이 (완전제곱식)=0으로 변형된다는 것은 이차방정식이 중근을 갖는다는 것을 의미한다.

68 이차방정식 $3x^2+ax+b=0$이 $x=4$를 중근으로 가질 때, $a+b$의 값을 구하시오. (단, a, b는 상수)

69 이차방정식 $4x^2+mx+1=0$이 중근을 가질 때, 이차방정식 $(m-3)x^2+5x+1=0$의 두 근의 차는? (단, $m>0$)

① $\dfrac{\sqrt{21}}{2}$ ② $\sqrt{21}$ ③ $2\sqrt{21}$

④ $\dfrac{5}{2}$ ⑤ 5

70 이차방정식 $ax^2-12x+a+5=0$이 중근을 가질 때, 상수 a의 값과 그때의 중근을 각각 구하시오.

71 이차방정식 $x^2+6x+k=0$의 근이 1개이고, 두 이차방정식, $x^2-6x-16=0$, $2x^2-x-k-1=0$의 공통인 근은 $x=a$일 때, $k+a$의 값을 구하시오.

(단, k는 상수)

$x^2+6x+k=0$이 중근을 가짐을 이용하여 k의 값을 먼저 구한다.

72 a, b, c를 세 변의 길이로 하는 삼각형에 대하여 이차방정식 $(a-b)x^2+2(a-c)x+(a-b)=0$이 중근을 가질 때, 이 삼각형은 어떤 삼각형인지 말하시오. (단, $b+c\neq2a$)

73 이차방정식 $x^2-2x+k=0$에 대하여 근의 개수가 다음과 같을 때, 상수 k의 값 또는 그 범위를 구하시오.

(1) 서로 다른 두 근
(2) 중근
(3) 근을 갖지 않는다.

이차방정식 $ax^2+bx+c=0$의 근의 개수
① 서로 다른 두 근
  ➡ $b^2-4ac>0$
  ($b=2b'$일 때, $b'^2-ac>0$)
② 중근
  ➡ $b^2-4ac=0$
  ($b=2b'$일 때, $b'^2-ac=0$)
③ 근을 갖지 않는다.
  ➡ $b^2-4ac<0$
  ($b=2b'$일 때, $b'^2-ac<0$)

74 두 이차방정식 $x^2-5x-2=0$, $4x^2-12x+9=0$의 근의 개수가 각각 p개, q개일 때, $p-q$의 값은?

① 2   ② 1   ③ 0
④ -1 ⑤ -2

75 이차방정식 $x^2+2x+3k-1=0$이 근을 갖도록 하는 상수 k의 값의 범위는?

① $k>\dfrac{2}{3}$ ② $k\geq\dfrac{2}{3}$ ③ $k<\dfrac{2}{3}$

④ $k\leq\dfrac{2}{3}$ ⑤ $k<-\dfrac{2}{3}$

76 이차방정식 $4x^2+4mx+m^2+3m-6=0$이 근을 갖지 않을 때, 다음 중 상수 m의 값이 될 수 <u>없는</u> 것은?

① 2 ② 3 ③ 4

④ 5 ⑤ 6

77 이차방정식 $kx^2-(2k-1)x+k+1=0$이 근을 갖지 않을 때, 상수 k의 값의 범위는?

① $k=\dfrac{1}{8}$ ② $k\leq\dfrac{1}{8}$ ③ $k<\dfrac{1}{8}$

④ $k>\dfrac{1}{8}$ ⑤ $k\geq\dfrac{1}{8}$

78 이차방정식 $x^2-6x+2k=0$이 서로 다른 두 근을 가질 때, 상수 k의 값의 범위는?

① $k>-\dfrac{9}{2}$ ② $k<-\dfrac{9}{2}$ ③ $k>\dfrac{9}{2}$

④ $k<\dfrac{9}{2}$ ⑤ $k\leq\dfrac{9}{2}$

이차방정식 $ax^2+bx+c=0$이 근을 가지면
➡ $b^2-4ac\geq0$
($b=2b'$일 때, $b'^2-ac\geq0$)

79 이차방정식 $\left(x-\dfrac{1}{2}\right)^2=1-4m$이 서로 다른 두 근을 갖고, 이차방정식 $(m^2+1)x^2+2(m-3)x+2=0$이 중근을 가질 때, 상수 m의 값을 구하시오.

(완전제곱식)$=k$ (k는 상수)의 꼴일 때 이차방정식의 근의 개수
① 서로 다른 두 근 ➡ $k>0$
② 중근 ➡ $k=0$
③ 근을 갖지 않는다 ➡ $k<0$

80 x에 대한 이차방정식 $x^2-ax+b=0$이 근을 가질 때, 이차방정식 $x^2+(a-2)x+b-a=0$의 근의 개수를 구하시오. (단, a, b는 상수)

9 두 이차방정식의 근의 활용

81 x에 대한 두 이차방정식 $x^2+ax+b=0$, $x^2-6x+9=0$에 대하여 두 이차방정식의 공통인 근은 없고, 근을 모두 나열하면 -1, 3, 5일 때, $a+b$의 값은? (단, a, b는 상수)

① -9 ② -5 ③ -1
④ 1 ⑤ 9

82 x에 대한 두 이차방정식 $x^2-ax-6=0$, $2x^2+bx+c=0$에 대하여 두 이차방정식의 공통인 근이 $x=-2$이고, 근을 모두 나열하면 -2, $\dfrac{1}{2}$, 3일 때, $a+b+c$의 값은? (단, a, b, c는 상수)

① -4 ② 0 ③ 2
④ $\dfrac{5}{2}$ ⑤ $\dfrac{9}{2}$

2 이차방정식의 활용

1 이차방정식 만들기

(1) 두 근이 α, β이고, x^2의 계수가 $a(a \neq 0)$인 이차방정식은

$$a(x-\alpha)(x-\beta)=0 \xrightarrow{\text{전개}} a\{x^2-\underbrace{(\alpha+\beta)}_{\text{두 근의 합}}x+\underbrace{\alpha\beta}_{\text{두 근의 곱}}\}=0$$

(2) 중근이 m이고, x^2의 계수가 $a(a \neq 0)$인 이차방정식은

$$a(x-m)^2=0$$

(3) 계수와 상수항이 모두 유리수인 이차방정식의 한 근이 $p+q\sqrt{m}$이면 다른 한 근은 $p-q\sqrt{m}$이다. (단, p, q는 유리수, $\sqrt{m}$은 무리수)

> ✚ 이차방정식 $ax^2+bx+c=0$에서 a, b, c가 유리수이면
> $$x=\underbrace{\frac{-b}{2a}}_{\text{유리수}}+\frac{1}{2a}\sqrt{b^2-4ac}$$
> 또는 $x=\underbrace{\frac{-b}{2a}}_{\text{유리수}}-\frac{1}{2a}\sqrt{b^2-4ac}$
> 따라서 한 근이 $p+q\sqrt{m}$ (p, q는 유리수, $\sqrt{m}$은 무리수)이면 다른 한 근은 $p-q\sqrt{m}$이다.

2 이차방정식의 활용 문제를 푸는 순서

(1) 문제 이해하기

문제의 뜻을 파악하고, 구하는 것을 미지수로 놓는다.

(2) 식 세우기

문제에서 주어진 수량 관계에 알맞게 이차방정식을 세운다.

(3) 방정식 풀기

(2)에서 세운 이차방정식을 푼다.

(4) 답 고르기

구한 근 중에서 문제의 뜻에 맞는 것을 택한다.

주제별 실력다지기

1 이차방정식 만들기

01 이차방정식 $x^2-7x-5=0$의 두 근을 α, β라 할 때, 다음 식의 값을 구하시오.

(1) $\alpha+\beta$

(2) $\alpha\beta$

(3) $\dfrac{1}{\alpha}+\dfrac{1}{\beta}$

(4) $\alpha^2+\beta^2$

> 두 근이 α, β이고, x^2의 계수가 $a(a\neq0)$인 이차방정식은
> $a(x-\alpha)(x-\beta)$
> $=a\{(x^2-(\alpha+\beta)x+\alpha\beta\}=0$

02 이차방정식 $x^2+x-3=0$의 두 근을 α, β라 할 때, 다음 중 옳지 <u>않은</u> 것은?

① $\alpha+\beta=-1$

② $\alpha\beta=-3$

③ $\alpha^2+\beta^2=7$

④ $\dfrac{1}{\alpha}+\dfrac{1}{\beta}=-\dfrac{1}{3}$

⑤ $(\alpha+1)(\beta+1)=-3$

03 이차방정식 $x^2-x-5=0$의 두 근을 α, β라 할 때, $\alpha^2-\alpha\beta+\beta^2$의 값은?

① -4

② 1

③ 6

④ 11

⑤ 16

04 이차방정식 $x^2-5x+2=0$의 두 근을 α, β라 할 때, $\alpha^2+\beta^2-\dfrac{2}{\alpha}-\dfrac{2}{\beta}$의 값을 구하시오.

05 이차방정식 $4x^2-8x+1=0$의 두 근을 α, β라 할 때, $\dfrac{\beta}{\alpha}+\dfrac{\alpha}{\beta}$의 값은?

① 4   ② 8   ③ 9

④ 10   ⑤ 14

06 이차방정식 $x^2-4x-3=0$의 두 근을 α, β라 할 때, $\dfrac{\beta}{\alpha+1}+\dfrac{\alpha}{\beta+1}$의 값은?

① 7   ② $\dfrac{17}{2}$ ③ $\dfrac{19}{2}$

④ $\dfrac{21}{2}$ ⑤ 13

07 이차방정식 $x^2+5=3(x+1)^2$의 두 근의 합을 p, 두 근의 곱을 q라 할 때, $p-q$의 값은?

① -4 ② -2 ③ 2

④ 4   ⑤ 8

08 이차방정식 $(2x+1)(x-8)=x-15$의 두 근의 합을 a, 두 근의 곱을 b라 할 때, $a-2b$의 값은?

① -23 ② -15 ③ -6

④ 1   ⑤ 9

09 x에 대한 이차방정식 $2x^2+ax-b=0$의 두 근이 -4, $\frac{3}{2}$일 때, $b-a$의 값은? (단, a, b는 상수)

① -17 ② $-\frac{17}{2}$ ③ -7

④ $\frac{7}{2}$ ⑤ 7

10 x에 대한 이차방정식 $ax^2+bx+c=0$의 두 근의 합은 2이고, 두 근의 곱은 -1일 때, x에 대한 이차방정식 $cx^2+bx+a=0$의 해를 구하시오.

(단, a, b, c는 상수)

11 이차방정식 $x^2-7x+1=0$의 두 근을 α, β라 할 때, $\sqrt{\alpha^2+\alpha}+\sqrt{\beta^2+\beta}$의 값을 구하시오.

$\sqrt{\alpha^2+\alpha}+\sqrt{\beta^2+\beta}$를 제곱한다.

12 이차방정식 $x^2+5x-1=0$의 두 근을 α, β라 할 때, $\alpha+\beta$, $\alpha\beta$를 두 근으로 하고, x^2의 계수가 1인 이차방정식을 구하시오.

두 근이 α, β이고 이차항의 계수가 $a(a\neq0)$인 이차방정식은
$a\{x^2-(\alpha+\beta)x+\alpha\beta\}=0$

13 x에 대한 이차방정식 $3x^2+px+q=0$의 두 근이 $\dfrac{2}{3}$, 1일 때, 두 상수 p, q에 대하여 $p+q$, pq를 두 근으로 하고, x^2의 계수가 1인 이차방정식을 구하시오.

14 x^2의 계수가 1이고, 한 근이 $3+\sqrt{2}$인 이차방정식은?
(단, 이차방정식의 x의 계수와 상수항은 모두 유리수이다.)

① $x^2-3x+7=0$ ② $x^2+3x-7=0$ ③ $x^2-6x-7=0$
④ $x^2-6x+7=0$ ⑤ $x^2+6x-7=0$

> 계수와 상수항이 모두 유리수인 이차방정식의 한 근이 $p+q\sqrt{m}$이면 다른 한 근은 $p-q\sqrt{m}$이다.
> (단, p, q는 유리수, $\sqrt{m}$은 무리수)

15 x에 대한 이차방정식 $x^2+ax+b=0$의 한 근이 $2+\sqrt{7}$일 때, $a+b$의 값은?
(단, a, b는 유리수)

① -7 ② -3 ③ -1
④ 1 ⑤ 7

16 x^2의 계수가 3이고, x의 계수와 상수항이 모두 유리수인 이차방정식의 한 근이 $2-\sqrt{2}$일 때, 이 이차방정식의 다른 한 근을 구하고, 모든 계수와 상수항의 합을 구하시오.

17 $4-\sqrt{5}$의 소수 부분을 한 근으로 갖는 이차방정식이 $x^2+ax+b=0$일 때, 두 유리수 a, b에 대하여 $a-b$의 값은?

① -10 ② -5 ③ -1
④ 1 ⑤ 5

18 이차방정식 $x^2-6x-2a=0$의 두 근의 비가 $1:2$일 때, 상수 a의 값은?

① -4 ② -2 ③ -1

④ 1 ⑤ 4

두 근을 각각 α, $2\alpha(a\neq0)$로 놓는다.

19 이차방정식 $x^2-kx+32=0$의 한 근이 다른 한 근의 2배일 때, 상수 k의 값은? (단, 두 근은 모두 양수이다.)

① 14 ② 13 ③ 12

④ -12 ⑤ -14

20 이차방정식 $x^2-(k-1)x+24=0$의 두 근의 비가 $2:3$일 때, 상수 k의 값은? (단, 두 근은 모두 양수이다.)

① -14 ② -13 ③ -12

④ 11 ⑤ 13

21 이차방정식 $x^2-5x+3k-2=0$의 두 근의 차가 7일 때, 상수 k의 값과 그 두 근을 구하시오.

22 이차방정식 $x^2+mx+15=0$의 한 근이 다른 한 근보다 2만큼 클 때, 상수 m의 값은? (단, 두 근은 모두 음수이다.)

① -12 ② -9 ③ -8

④ 8 ⑤ 12

23 이차방정식 $x^2-2(m+2)x-n+1=0$의 양수인 두 근의 비가 $3:1$이고 두 근의 차가 4일 때, 두 상수 m, n에 대하여 $m+n$의 값은?

① -3 ② -5 ③ -9

④ -13 ⑤ -19

24 이차방정식 $x^2-5x+m=2x+3$의 한 근이 다른 한 근의 2배보다 1만큼 클 때, 상수 m의 값은?

① 4 ② 7 ③ 10

④ 13 ⑤ 15

두 근을 각각 α, $2\alpha+1$이라 하고 두 근의 합과 두 근의 곱을 구한다.

---

3 계수 또는 상수항을 잘못 본 경우의 이차방정식

25 이차항의 계수가 1인 x에 대한 이차방정식에서 희영이는 일차항의 계수를 잘못 보고 풀어 $x=2$ 또는 $x=-6$의 해를 얻었고, 나연이는 상수항을 잘못 보고 풀어 $x=-4$ 또는 $x=5$의 해를 얻었다. 다음 물음에 답하시오.

(1) 처음 이차방정식을 구하시오.
(2) 처음 이차방정식의 해를 구하시오.

26 이차항의 계수가 1인 x에 대한 이차방정식에서 수경이는 일차항의 계수를 잘못 보고 풀어 $x=-2$ 또는 $x=16$을 얻었고, 민선이는 상수항을 잘못 보고 풀어 중근 $x=2$를 얻었다. 이때 처음 이차방정식과 그 근을 차례로 구하면?

① $x^2-4x-12=0$, $x=-2$ 또는 $x=6$
② $x^2-4x-32=0$, $x=-4$ 또는 $x=8$
③ $x^2+4x-32=0$, $x=-8$ 또는 $x=4$
④ $x^2+12x-28=0$, $x=-14$ 또는 $x=2$
⑤ $x^2-12x-28=0$, $x=-2$ 또는 $x=14$

27 이차항의 계수가 2인 x에 대한 이차방정식에서 선영이는 일차항의 계수를 잘못 보고 풀어 $x=\dfrac{1}{2}$ 또는 $x=5$의 해를 얻었고, 지영이는 상수항을 잘못 보고 풀어 $x=\dfrac{3}{2}$ 또는 $x=2$의 해를 얻었다. 이때 처음 이차방정식의 해를 구하시오.

28 이차항의 계수가 1인 x에 대한 이차방정식에서 은정이는 일차항의 계수의 부호를 잘못 보고 풀어 $x=-5$ 또는 $x=6$의 해를 얻었다. 이때 처음 이차방정식의 근을 모두 고르면? (정답 2개)

① $x=-6$ ② $x=-3$ ③ $x=2$
④ $x=5$ ⑤ $x=8$

29 이차항의 계수가 1인 x에 대한 이차방정식에서 현정이는 일차항의 계수와 상수항을 모두 1씩 크게 보아 $x=-1$ 또는 $x=4$의 해를 얻었다. 이때 처음 이차방정식을 풀면?

① $x=-1$ 또는 $x=5$ ② $x=1$ 또는 $x=-5$
③ $x=1$ 또는 $x=-4$ ④ $x=-2$ 또는 $x=-3$
⑤ $x=2$ 또는 $x=-3$

4 수에 관한 활용

30 연속하는 세 자연수가 있다. 가장 큰 수의 제곱이 나머지 두 수의 제곱의 합보다 45만큼 작을 때, 가장 작은 수는?

① 6   ② 7   ③ 8
④ 9   ⑤ 10

연속하는 세 자연수는 $x-1$, x, $x+1$ $(x>1)$로 놓고 푼다.

31 이차방정식 $x^2+mx+n=0$은 연속하는 두 홀수를 근으로 갖는다. 두 근의 제곱의 차가 16일 때, 두 상수 m, n에 대하여 $m+n$의 값은?

① -7 ② -1 ③ 1
④ 7 ⑤ 23

연속하는 두 홀수(또는 짝수)는 a, $a+2$로 놓고 푼다.

32 연속하는 두 짝수 중 작은 수의 제곱의 2배는 큰 수의 제곱보다 8만큼 크다고 할 때, 두 짝수의 합은?

① 10　　　　　　② 14　　　　　　③ 18
④ 22　　　　　　⑤ 24

33 연속하는 세 홀수가 있다. 각각의 제곱의 합이 83일 때, 세 홀수의 합은?

① 9　　　　　　② 15　　　　　　③ 21
④ 27　　　　　　⑤ 33

연속하는 세 홀수는 $x-2$, x, $x+2$ (x는 3 이상의 홀수)로 놓고 푼다.

34 1부터 n까지의 자연수의 합은 $\dfrac{n(n+1)}{2}$이다. 1부터의 자연수의 합이 153이 되려면 어떤 수까지 더해야 하는지 구하시오. (단, n은 자연수)

35 n각형의 대각선의 총 개수는 $\dfrac{n(n-3)}{2}$개일 때, 대각선이 총 104개인 다각형은? (단, $n>3$)

① 12각형　　　　② 14각형　　　　③ 16각형
④ 18각형　　　　⑤ 20각형

36 어떤 자연수에 그 수보다 2만큼 작은 수를 곱해야 하는데 잘못하여 3만큼 작은 수를 곱하였더니 180이 되었다. 원래 두 수의 곱을 구하시오.

37 x에 대한 이차방정식 $x^2 - |x| = 2$의 해를 구하시오.

$|x| = t\,(t > 0)$로 치환한다.

38 자연수 x에 대하여 $<x>$는 x 이하의 소수의 개수라 할 때, 다음 중 $<x>^2 + 3<x> - 28 = 0$을 만족하는 자연수 x가 될 수 <u>없는</u> 것은?

① 6   ② 7   ③ 8
④ 9   ⑤ 10

39 실수 x에 대하여 x보다 크지않은 최대의 정수를 $[\,x\,]$로 나타낼 때, $2[\,x\,]^2 + [\,x\,] - 15 = 0$을 만족하는 x의 값의 범위를 구하시오.

$[\,x\,] = n\,(n$은 정수$)$이면
$\Rightarrow n \le x < n+1$

5 실생활에서의 활용

40 볼펜 165개를 남김없이 몇 명의 학생들에게 똑같이 나누어 주려고 한다. 한 학생에게 주는 볼펜의 수는 학생 수보다 4개가 적다고 할 때, 학생은 모두 몇 명인가?

① 11명   ② 12명   ③ 13명
④ 14명   ⑤ 15명

41 나이가 두 살 차이나는 남매가 있다. 오빠의 나이의 제곱은 동생의 나이의 16배보다 32살이 더 많을 때, 오빠의 나이와 동생의 나이의 합은?

① 26살   ② 28살   ③ 30살
④ 32살   ⑤ 34살

42 어떤 아이스크림의 가격을 $x\,\%$ 인상하면 판매량은 $2x\,\%$ 감소한다고 한다. 이 아이스크림의 가격이 1000원일 때의 판매량이 500개였다면 총 판매액이 440000원이 되기 위해서는 아이스크림의 가격을 몇 $\%$ 인상해야 하는지 구하시오.

43 영화관에서 영화표의 가격을 $x\,\%$만큼 인상하면 영화를 보러 오는 관객의 수는 $0.5x\,\%$만큼 줄어든다고 한다. 영화표의 총 판매액이 $4.5\,\%$만큼 증가하려면 영화표의 가격을 몇 $\%$ 인상해야 하는지 구하시오.

(단, 영화표의 가격을 $50\,\%$ 이상 인상하지는 않는다.)

a가 $x\,\%$만큼 증가하면
$\Rightarrow a\left(1+\dfrac{x}{100}\right)$
b가 $y\,\%$만큼 감소하면
$\Rightarrow b\left(1-\dfrac{y}{100}\right)$

6 위로 쏘아 올린 물체에 관한 활용

44 높이가 200 m인 탑의 꼭대기에서 초속 30 m로 폭죽을 위로 쏘아 올렸다. 폭죽을 쏘아 올린 지 t초 후 지면으로부터의 폭죽의 높이를 h m라 할 때, $h=-5t^2+30t+200$인 관계가 성립한다고 한다. 이때 지면으로부터 폭죽의 높이가 245 m가 되는 때에는 폭죽을 쏘아 올린 지 몇 초 후인가?

① 3초 ② 5초 ③ 2초 또는 3초
④ 2초 또는 5초 ⑤ 3초 또는 5초

45 지면으로부터 50 m 높이의 건물 옥상에서 초속 25 m로 쏘아 올린 공의 t초 후의 높이는 $(-2t^2+25t+50)$ m이다. 이때 지면으로부터 공까지의 높이가 처음으로 100 m가 되는 때에는 공을 쏘아 올린 지 몇 초 후인가?

① 2초 ② 2.5초 ③ 5초
④ 7.5초 ⑤ 10초

46 지면에서 초속 32 m로 위로 쏘아 올린 공의 t초 후의 높이를 h m라 할 때, $h=-5t^2+40t$인 관계가 성립한다고 한다. 다음 물음에 답하시오.

(1) 지면으로부터 공의 높이가 75 m가 되는 것은 공을 쏘아 올린 지 몇 초 후 인지 구하시오.

(2) 공이 다시 지면에 떨어지는 것은 공을 쏘아 올린 지 몇 초 후인지 구하시오.

47 분수대에서 물을 쏘아 올릴 때, 물을 쏘아 올린 지 t초 후의 지면으로부터의 물의 높이는 $(25t-5t^2)$ m이다. 이때 물이 다시 지면에 떨어지는 것은 물을 쏘아 올린 지 몇 초 후인지 구하시오.

7 도형에 관한 활용

48 오른쪽 그림과 같이 가로, 세로의 길이가 각 각 35 m, 20 m인 직사각형 모양의 땅에 폭 이 x m로 일정한 길을 만들었다. 이 길의 넓 이가 156 m^{2}일 때, 길의 폭은 몇 m인지 구하 시오.

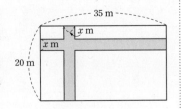

49 오른쪽 그림과 같이 가로와 세로의 길이가 20 m, 15 m인 직사각형 모양의 땅에 폭이 각각 일정한 길을 내었더니 남은 땅의 넓이가 168 m^{2}가 되었 다. 이때 x의 값을 구하시오.

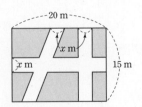

50 오른쪽 그림과 같이 가로와 세로의 길이가 각각 15 m, 12 m인 직사각형 모양의 땅에 폭이 x m인 길을 내었더니 직사각형 모양인 A부분과 B부분의 넓이가 각각 50 m², 80 m²가 되었다. 이때 x의 값을 구하시오.

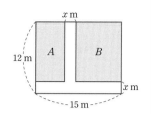

51 가로의 길이가 세로의 길이보다 4 cm만큼 긴 직사각형이 있다. 이 직사각형의 가로와 세로의 길이를 각각 3 cm만큼 줄여서 만든 직사각형의 넓이가 처음 직사각형의 넓이의 $\frac{1}{2}$보다 9 cm²만큼 작다고 할 때, 나중에 만든 직사각형의 넓이를 구하시오.

52 길이가 30 cm인 끈으로 넓이가 54 cm²인 직사각형을 만들려고 한다. 이 직사각형의 가로와 세로의 길이의 차는? (단, 끈이 남거나 겹치는 부분은 없다.)

① 2 cm   ② 3 cm   ③ 4 cm
④ 5 cm   ⑤ 6 cm

53 오른쪽 그림과 같이 정사각형 (개)와 (개)보다 작은 정사각형 (내)가 나란히 붙어있다. 두 정사각형 (개), (내)의 넓이의 합이 58 cm²일 때, 정사각형 (개)의 한 변의 길이는?

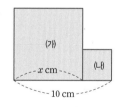

① 6 cm   ② $\frac{13}{2}$ cm

③ 7 cm   ④ $\frac{15}{2}$ cm

⑤ 8 cm

54 오른쪽 그림과 같이 어떤 원의 반지름의 길이를 3 cm만큼 늘였더니 늘어난 부분의 넓이가 처음 원의 넓이의 3배가 되었을 때, 처음 원의 반지름의 길이는?

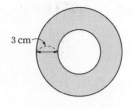

① 1 cm   ② $\sqrt{2}$ cm

③ 2 cm   ④ $\sqrt{3}$ cm

⑤ 3 cm

55 오른쪽 그림과 같이 가로의 길이가 세로의 길이보다 1 cm만큼 더 긴 직사각형의 네 모퉁이에서 한 변의 길이가 3 cm인 정사각형을 잘라 내었다. 잘라 내고 남은 부분으로 윗면이 없는 직육면체를 만들었더니 부피가 216 cm³가 되었을 때, 처음 직사각형의 가로의 길이는?

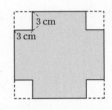

① 13 cm   ② 14 cm   ③ 15 cm

④ 16 cm   ⑤ 17 cm

56 오른쪽 그림에서 △ABC는 ∠A=90°, $\overline{AB}=\overline{AC}$인 직각이등변삼각형이고, □DECF는 평행사변형이다. □DECF의 넓이가 27 cm²일 때, $\overline{BD}$의 길이를 구하시오. (단, $\overline{AD} > \overline{DB}$)

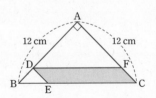

57 두 정육면체 A, B가 있다. 이 두 정육면체의 모든 모서리의 길이의 합이 72이고 겉넓이의 합이 144일 때, A, B 각각의 한 모서리의 길이를 두 근으로 하는 이차방정식을 구하시오. (단, 이차항의 계수는 1이다.)

정육면체의 한 모서리의 길이를 a라 하면 모든 모서리의 길이의 합은 $12a$이고, 겉넓이는 $6a^2$이다.

단원 종합 문제

01 방정식 $6x(ax-3)=5-2x^2$이 x에 대한 이차방정식이 되기 위한 조건은?

① $a \neq 0$ ② $a \neq 3$ ③ $a \neq -3$

④ $a \neq \dfrac{1}{3}$ ⑤ $a \neq -\dfrac{1}{3}$

02 이차방정식 $x^2-3x+m=0$의 근이 $x=\dfrac{n \pm \sqrt{21}}{2}$ 일 때, 두 유리수 m, n의 곱 mn의 값은?

① -9 ② -6 ③ 3

④ 6 ⑤ 9

03 다음 이차방정식을 푸시오.

$$(\sqrt{3}-1)x^2-(\sqrt{3}+1)x+2=0$$

04 이차방정식 $x^2-4x+1=0$의 두 근을 α, β라 할 때, $(\alpha^2-4\alpha+2)(\beta^2-4\beta-3)$의 값은?

① 4 ② 2 ③ -2

④ -4 ⑤ -6

05 이차방정식 $(2x-1)^2-3(2x-1)=18$의 두 근을 α, β라 할 때, $\alpha-\beta$의 값을 구하시오.

(단, $\alpha > \beta$)

06 $(a+3b)(a+3b-4)+4=0$일 때, $a+3b$의 값은?

① -4 ② -2 ③ 0

④ 2 ⑤ 4

07 두 수 a, b에 대하여 $a*b=2a-ab$라 할 때, 다음 중 x에 대한 이차방정식
$\left(\dfrac{1}{2}x-2\right)*(x+3)=3$의 근을 모두 고르면?

(정답 2개)

① $x=-3$　　② $x=1$　　③ $x=\dfrac{3}{2}$

④ $x=2$　　⑤ $x=4$

08 두 이차방정식 $x^2-2x-1=0$, $x^2-x-k=0$의 공통인 근이 양수일 때, 상수 k의 값은?

① $1-\sqrt{2}$　　② $2-\sqrt{2}$　　③ $1+\sqrt{2}$
④ $2+\sqrt{2}$　　⑤ $4+3\sqrt{2}$

09 다음 세 이차방정식의 공통인 근이 존재할 때, 상수 k의 값을 구하시오.

$$x^2-9=0,\ x^2-7x-k=0,\ 2x^2-3x-27=0$$

10 다음 **보기**의 이차방정식 중 근의 개수가 같은 것끼리 짝을 짓고, 그 근의 개수를 구하시오.

┌─────────── 보기 ───────────┐

ㄱ. $6x^2-7x+1=0$

ㄴ. $-9x^2+12x-4=0$

ㄷ. $\dfrac{1}{4}x^2-\dfrac{3}{2}x+\dfrac{9}{4}=0$

ㄹ. $2x^2-x+4=0$

ㅁ. $2x^2-5x+7=0$

ㅂ. $-3(x-1)^2+1=0$

11 x에 대한 이차방정식 $ax^2+bx+c=0$에 대하여 다음 **보기** 중 옳은 것을 모두 고른 것은?

┌─────────── 보기 ───────────┐

ㄱ. $b^2<4ac$이면 근이 존재하지 않는다.

ㄴ. $b^2\geq4ac$이면 서로 다른 두 근을 갖는다.

ㄷ. $ac<0$이면 서로 다른 두 근을 갖는다.

① ㄱ　　② ㄴ　　③ ㄱ, ㄷ
④ ㄴ, ㄷ　　⑤ ㄱ, ㄴ, ㄷ

12 이차방정식 $2x^2-8x+m=0$이 중근을 가질 때, 이차방정식 $(m-5)x^2-4x-1=0$을 풀면?

① $x=\dfrac{4\pm2\sqrt{7}}{3}$　　② $x=\dfrac{2\pm\sqrt{7}}{3}$

③ $x=\dfrac{-2\pm\sqrt{7}}{3}$　　④ $x=\dfrac{1}{3}$ 또는 $x=1$

⑤ $x=-1$ 또는 $x=-\dfrac{1}{3}$

13 이차방정식 $4x^2-2mx+m=0$이 중근을 갖기 위한 상수 m의 값을 모두 고르면? (정답 2개)

① -4 ② -2 ③ 0

④ 2 ⑤ 4

16 이차방정식 $2x^2-(k+1)x+26=0$의 한 근이 $5+2\sqrt{3}$일 때, 유리수 k의 값은?

① 22 ② 19 ③ 5

④ -19 ⑤ -22

14 다음 두 이차방정식이 중근을 가질 때, ab의 값을 구하시오. (단, a, b는 상수)

$$(x+2)^2=1-a,\ (x-b)(x-4+b)=0$$

17 한 근이 $-2+\sqrt{6}$이고, x^2의 계수가 2인 이차방정식은? (단, 이차방정식의 x의 계수와 상수항은 모두 유리수이다.)

① $2x^2+4x+2=0$ ② $2x^2-4x+2=0$

③ $2x^2+8x-4=0$ ④ $2x^2+8x+4=0$

⑤ $2x^2-8x-4=0$

15 이차방정식 $5x^2-8x+2a-3=0$이 서로 다른 두 근을 가질 때, 자연수 a의 값 중 가장 큰 수는?

① 1 ② 2 ③ 3

④ 4 ⑤ 5

18 이차방정식 $2x^2-7x+m=0$의 두 근의 비가 $4:3$일 때, 상수 m의 값은?

① -12 ② -6 ③ 3

④ 4 ⑤ 6

단원 종합 문제

19 x^2의 계수가 1인 이차방정식에서 나연이는 일차항의 계수를 잘못 보고 풀어 $x=-2$ 또는 $x=3$의 해를 얻었고, 현정이는 상수항을 잘못 보고 풀어 $x=-2$ 또는 $x=-3$의 해를 얻었다. 이때 처음 이차방정식의 해를 구하시오.

20 오른쪽 그림과 같은 직사각형 모양의 땅에 폭이 각각 일정한 길을 만들었더니 길을 제외한 땅의 넓이가 234 m^2가 되었다. 이때 x의 값은?

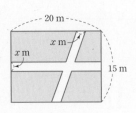

① 1   ② 2   ③ 3
④ 4   ⑤ 5

21 다음 그림과 같이 $\overline{AB}=20 \text{ cm}$, $\overline{AD}=34 \text{ cm}$인 직사각형 ABCD가 있다. 점 P는 점 B를 출발하여 매초 2 cm의 속력으로 $\overline{BC}$를 따라 점 C까지 움직이고, 점 Q는 점 C를 출발하여 매초 1 cm의 속력으로 $\overline{CD}$를 따라 점 D까지 움직인다고 한다. 두 점 P, Q가 동시에 출발한다고 할 때, $\triangle PCQ$의 넓이가 30 cm^2가 되는 것은 출발한 지 몇 초 후인지 구하시오.

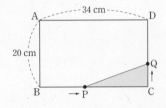

22 일차함수 $y=-ax+a+2$의 그래프가 오른쪽 그림과 같고 x절편이 a일 때, 이 그래프의 y절편은?
(단, a는 상수)

① $\dfrac{1}{2}$ ② $\dfrac{2}{3}$ ③ 1
④ $\dfrac{3}{2}$ ⑤ 2

23 지면에서 초속 70 m로 위로 쏘아 올린 물체의 t초 후의 높이를 h m라 할 때, $h=70t-5t^2$인 관계가 성립한다고 한다. 이때 지면으로부터 물체의 높이가 240 m가 되는 것은 물체를 쏘아 올린 지 몇 초 후인가?

① 5초 또는 12초   ② 6초 또는 8초
③ 6초 또는 11초   ④ 7초 또는 10초
⑤ 8초 또는 9초

24 이차방정식 $x^2-8x+n=0$의 해가 정수가 되도록 하는 자연수 n의 값을 모두 구하시오.

IV 이차함수

1. 이차함수의 그래프

1 이차함수의 그래프

1 이차함수의 뜻

함수 $y=f(x)$에서 y가 x에 대한 이차식
$$y=ax^2+bx+c \ (a, \ b, \ c \text{는 상수}, \ a\neq0)$$
로 나타내어질 때, 이 함수를 이차함수라 한다.

예 $y=2x^2+1$, $y=-x^2+3x$는 이차함수이다.

➕ $y=ax^2+bx+c$가 이차함수가 되려면 반드시 $a\neq0$이어야 한다. 그러나 $b=0$ 또는 $c=0$인 경우는 관계없다.

주의
$y=\dfrac{1}{x^2}$에서 $\dfrac{1}{x^2}$은 이차식이 아니므로 $y=\dfrac{1}{x^2}$은 이차함수가 아니다.

2 이차함수 $y=x^2$의 그래프

(1) 원점 O를 지나며 아래로 볼록한 포물선이다.
　➡ 꼭짓점의 좌표 : $(0, \ 0)$

(2) y축에 대하여 대칭이다.
　➡ 축의 방정식 : $x=0 \ (y축)$

(3) $x<0$일 때, x의 값이 증가하면 y의 값은 감소하고,
　　$x>0$일 때, x의 값이 증가하면 y의 값도 증가한다.

(4) $y=-x^2$의 그래프와 x축에 대하여 대칭이다.

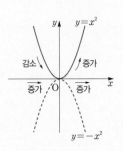

➕ 이차함수의 그래프는 다음 그림과 같이 선대칭도형인 포물선이다. 그 대칭축을 포물선의 축, 포물선과 축이 만나는 점을 꼭짓점이라 한다.

3 이차함수 $y=ax^2(a\neq0)$의 그래프

(1) 원점 O를 꼭짓점으로 하는 포물선이다. ➡ 꼭짓점의 좌표 : $(0, \ 0)$

(2) y축에 대하여 대칭이다. ➡ 축의 방정식 : $x=0 \ (y축)$

(3) a의 부호에 따라 포물선의 모양이 결정된다.
　➡ $a>0$이면 아래로 볼록 ($\smile$)하고, $a<0$이면 위로 볼록 ($\frown$)하다.

(4) a의 절댓값이 클수록 그래프의 폭이 좁아진다.

(5) $y=-ax^2$의 그래프와 x축에 대하여 대칭이다.

(6) y의 값의 범위는 $a>0$이면 $y\geq0$이고, $a<0$이면 $y\leq0$이다.

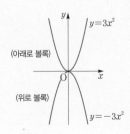

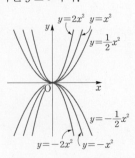

4 이차함수 $y=ax^2+q\,(a\neq0)$의 그래프

(1) 이차함수 $y=ax^2+q$의 그래프는 $y=ax^2$의 그래프를 y축의 방향으로 q만큼 평행이동한 그래프이다.

(2) **꼭짓점의 좌표** : $(0,\ q)$

(3) y축에 대하여 대칭이다. ➡ 축의 방정식 : $x=0\ (y$축$)$

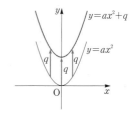

✚ ① 그래프를 평행이동하여도 그래프의 모양은 변하지 않고 위치만 달라진다.
② $y=ax^2+q$에서 q가 양수이면 $y=ax^2$의 그래프를 y축의 위쪽으로, q가 음수이면 y축의 아래쪽으로 평행이동한다.

5 이차함수 $y=a(x-p)^2\,(a\neq0)$의 그래프

(1) 이차함수 $y=a(x-p)^2$의 그래프는 $y=ax^2$의 그래프를 x축의 방향으로 p만큼 평행이동한 그래프이다.

(2) **꼭짓점의 좌표** : $(p,\ 0)$

(3) $x=p$에 대하여 대칭이다. ➡ 축의 방정식 : $x=p$

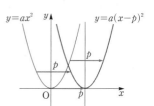

✚ ① $y=a(x-p)^2$에서 p가 양수이면 $y=ax^2$의 그래프를 x축의 오른쪽으로, p가 음수이면 x축의 왼쪽으로 평행이동한다.
② 이차함수의 그래프를 x축의 방향으로 평행이동하면 축의 방정식이 변하므로 그에 따라 증가, 감소하는 범위도 달라진다.

6 이차함수 $y=a(x-p)^2+q\,(a\neq0)$의 그래프

(1) 이차함수 $y=a(x-p)^2+q$의 그래프는 $y=ax^2$의 그래프를 x축의 방향으로 p만큼, y축의 방향으로 q만큼 평행이동한 그래프이다.

(2) **꼭짓점의 좌표** : $(p,\ q)$

(3) $x=p$에 대하여 대칭이다.
➡ 축의 방정식 : $x=p$

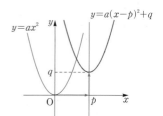

✚ 이차함수 $y=a(x-p)^2+q$의 그래프를 x축의 방향으로 m만큼, y축의 방향으로 n만큼 평행이동한 이차함수의 식은 x대신 $x-m$, y대신 $y-n$을 대입하여 구할 수 있다.
➡ $y-n=a(x-m-p)^2+q$, 즉
$y=a(x-m-p)^2+q+n$

개념✚ 이차함수 $y=a(x-p)^2+q$의 그래프의 대칭이동
(1) x축에 대하여 대칭이동한 그래프의 식 ➡ y 대신 $-y$를 대입한다.
$$y=a(x-p)^2+q \xrightarrow[\text{대칭이동}]{x\text{축에 대하여}} -y=a(x-p)^2+q,\ \text{즉}\ y=-a(x-p)^2-q$$
(2) y축에 대하여 대칭이동한 그래프의 식 ➡ x 대신 $-x$를 대입한다.
$$y=a(x-p)^2+q \xrightarrow[\text{대칭이동}]{y\text{축에 대하여}} y=a(-x-p)^2+q,\ \text{즉}\ y=a(x+p)^2+q$$

7 이차함수 $y=a(x-p)^2+q\,(a\neq0)$의 그래프에서 a, p, q의 부호

(1) 그래프의 모양으로 a의 부호를 결정한다.
　① 그래프가 아래로 볼록 ($\smile$) ➡ $a>0$
　② 그래프가 위로 볼록 ($\frown$) ➡ $a<0$

(2) 꼭짓점 $(p,\ q)$의 위치로 p, q의 부호를 결정한다.
　꼭짓점의 위치가
　① 제 1 사분면 ➡ $p>0$, $q>0$　　② 제 2 사분면 ➡ $p<0$, $q>0$
　③ 제 3 사분면 ➡ $p<0$, $q<0$　　④ 제 4 사분면 ➡ $p>0$, $q<0$

8 이차함수 $y=ax^2+bx+c(a\neq0)$의 그래프

(1) 이차함수 $y=ax^2+bx+c(a\neq0)$의 그래프

이차함수 $y=ax^2+bx+c$의 그래프는 $y=a(x-p)^2+q$의 꼴로 고쳐서 그린다.

$$y=ax^2+bx+c \xrightarrow{\text{표준형}} y=a\left(x+\frac{b}{2a}\right)^2-\frac{b^2-4ac}{4a}$$

① 꼭짓점의 좌표 : $\left(-\dfrac{b}{2a},\ -\dfrac{b^2-4ac}{4a}\right)$

② 축의 방정식 : $x=-\dfrac{b}{2a}$

③ y축과의 교점의 좌표 : $(0,\ c)$ ⬅ y절편이 c

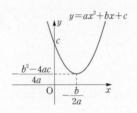

(2) 이차함수 $y=ax^2+bx+c(a\neq0)$의 그래프에서 a, b, c의 부호

① a의 부호 : 그래프의 모양에 따라 결정된다.

　(i) 그래프가 아래로 볼록 ($\smile$) ➡ $a>0$

　(ii) 그래프가 위로 볼록 ($\frown$) ➡ $a<0$

② b의 부호 : 축의 위치에 따라 결정된다.

　(i) 축이 y축의 왼쪽에 위치

　　➡ a, b는 같은 부호 ($ab>0$)

　(ii) 축이 y축의 오른쪽에 위치

　　➡ a, b는 다른 부호 ($ab<0$)

　(iii) 축이 y축과 일치 ➡ $b=0$

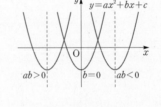

③ c의 부호 : y축과의 교점의 위치에 따라 결정된다.

　(i) y축과의 교점이 x축의 위쪽에 위치 ➡ $c>0$

　(ii) y축과의 교점이 원점에 위치 ➡ $c=0$

　(iii) y축과의 교점이 x축의 아래쪽에 위치 ➡ $c<0$

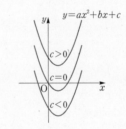

> ✚ **일반형을 표준형으로 고치는 방법**
> $$y=ax^2+bx+c$$
> $$=a\left(x^2+\frac{b}{a}x+\frac{b^2}{4a^2}\right)$$
> $$\qquad\qquad +c-\frac{b^2}{4a}$$
> $$=a\left(x+\frac{b}{2a}\right)^2+\frac{-b^2+4ac}{4a}$$
> $$=a\left(x+\frac{b}{2a}\right)^2-\frac{b^2-4ac}{4a}$$

> ✚ 이차함수 $y=ax^2+bx+c$의 그래프의 축의 방정식은
> $$x=-\frac{b}{2a}$$
> ① 축이 y축의 왼쪽에 있으면
> $$-\frac{b}{2a}<0$$이므로 $ab>0$
> ➡ a, b는 같은 부호이다.
> ② 축이 y축의 오른쪽에 있으면
> $$-\frac{b}{2a}>0$$이므로 $ab<0$
> ➡ a, b는 다른 부호이다.

9 이차함수의 그래프의 식을 구하는 방법

(1) 꼭짓점의 좌표와 그래프 위의 다른 한 점의 좌표가 주어질 때

주어진 꼭짓점의 좌표에 따라 구하는 이차함수의 식을 다음과 같이 놓고 주어진 다른 한 점의 좌표를 대입하여 a의 값을 구한다.

꼭짓점의 좌표	이차함수의 식
$(0, 0)$	$y=ax^2$
$(0, q)$	$y=ax^2+q$
$(p, 0)$	$y=a(x-p)^2$
(p, q)	$y=a(x-p)^2+q$

🔵 꼭짓점의 좌표가 $(2, 1)$이고, 점 $(1, -2)$를 지나는 포물선을 그래프로 하는 이차함수의 식

➡ 꼭짓점의 좌표가 $(2, 1)$이므로 이차함수의 식을 $y=a(x-2)^2+1$로 놓고 $x=1$, $y=-2$를 대입하면

　$-2=a(1-2)^2+1$ ∴ $a=-3$

　따라서 구하는 이차함수의 식은

　$y=-3(x-2)^2+1$

(2) 축의 방정식과 그래프 위의 두 점의 좌표가 주어질 때

축의 방정식이 $x=p$이면 구하는 이차함수의 식을 $y=a(x-p)^2+q$로 놓고 주어진 두 점의 좌표를 대입하여 a, q의 값을 구한다.

- 🔘 축의 방정식이 $x=-1$이고, 두 점 $(-2, 1)$, $(1, 7)$을 지나는 포물선을 그래프로 하는 이차함수의 식
  - ➡️ 축의 방정식이 $x=-1$이므로 이차함수의 식을 $y=a(x+1)^2+q$로 놓고 두 점 $(-2, 1)$, $(1, 7)$의 좌표를 각각 대입하면
    $1=a(-2+1)^2+q$ $\therefore a+q=1$ ······ ㉠
    $7=a(1+1)^2+q$ $\therefore 4a+q=7$ ······ ㉡
    ㉠, ㉡을 연립하여 풀면 $a=2$, $q=-1$
    따라서 구하는 이차함수의 식은
    $y=2(x+1)^2-1$

(3) 그래프 위의 세 점의 좌표가 주어질 때

구하는 이차함수의 식을 $y=ax^2+bx+c$로 놓고 주어진 세 점의 좌표를 대입한 후 연립방정식을 풀어 a, b, c의 값을 구한다.

- 🔘 세 점 $(-1, -4)$, $(0, -1)$, $(1, -2)$를 지나는 포물선을 그래프로 하는 이차함수의 식
  - ➡️ 이차함수의 식을 $y=ax^2+bx+c$로 놓고 세 점 $(-1, -4)$, $(0, -1)$, $(1, -2)$의 좌표를 각각 대입하면
    $-4=a-b+c$ ······ ㉠
    $-1=0+0+c$ $\therefore c=-1$ ······ ㉡
    $-2=a+b+c$ ······ ㉢
    ㉡을 ㉠, ㉢에 각각 대입하면
    $a-b=-3$ ······ ㉣
    $a+b=-1$ ······ ㉤
    ㉣, ㉤을 연립하여 풀면 $a=-2$, $b=1$
    따라서 구하는 이차함수의 식은
    $y=-2x^2+x-1$

(4) x축과의 두 교점의 좌표와 그래프 위의 다른 한 점의 좌표가 주어질 때

x축과의 두 교점의 좌표가 $(\alpha, 0)$, $(\beta, 0)$이면 구하는 이차함수의 식을 $y=a(x-\alpha)(x-\beta)$로 놓고 주어진 다른 한 점의 좌표를 대입하여 a의 값을 구한다.

- 🔘 x절편이 1, -1이고, 점 $(2, 3)$을 지나는 포물선을 그래프로 하는 이차함수의 식
  - ➡️ 구하는 이차함수의 식을 $y=a(x-1)(x+1)$로 놓고 $x=2$, $y=3$을 대입하면
    $3=a(2-1)(2+1)$ $\therefore a=1$
    따라서 구하는 이차함수의 식은
    $y=(x-1)(x+1)$, 즉 $y=x^2-1$

➕ 이차함수의 그래프와 x축과의 교점의 x좌표
⇔ x절편
⇔ $y=0$일 때의 x의 값
⇔ 이차방정식의 해

주제별 실력다지기

1 이차함수의 뜻과 함숫값

01 다음 중 이차함수인 것은?

① $y=-(x^2+4)+x^2$ ② $y=\dfrac{x^2}{2}-(3-x^2)$ ③ $y=\dfrac{2}{x}+3$

④ $y=-x(x+1)+x^2$ ⑤ $2x^2+x=0$

02 다음 중 y가 x에 대한 이차함수인 것은?

① 한 모서리의 길이가 x cm인 정육면체의 부피 y cm^3

② 한 변의 길이가 x cm인 정n각형의 둘레의 길이 y cm

③ 가로의 길이가 x cm이고, 둘레의 길이가 a cm인 직사각형의 넓이 y cm^2

④ 윗변의 길이가 x cm, 아랫변의 길이가 $2x$ cm, 높이가 3 cm인 사다리꼴의 넓이 y cm^2

⑤ 반지름의 길이가 x cm인 원의 둘레의 길이 y cm

03 다음 **보기** 중 y가 x에 대한 이차함수인 것을 모두 고르시오.

---보기---
ㄱ. 한 변의 길이가 $(x+3)$ cm인 정사각형의 둘레의 길이 y cm
ㄴ. 지름의 길이가 $6x$ cm인 원의 넓이 y cm^2
ㄷ. 자동차가 시속 110 km로 x시간 동안 달린 거리 y km
ㄹ. 두 대각선의 길이가 $4x$ cm, $(3x-2)$ cm인 마름모의 넓이 y cm^2

04 이차함수 $y=x^2-5x+6$의 그래프가 두 점 $(1, a)$, $(2a, b)$를 지날 때, ab의 값은?

① 0 ② 2 ③ 4
④ 6 ⑤ 8

> 그래프가 지나는 점 $(1, a)$를 대입하여 a의 값을 먼저 구한다.

05 이차함수 $y=-3x^2$의 그래프가 점 $(a, -6a)$를 지날 때, a의 값은?
(단, $a\neq0$)

① -3 ② -2 ③ -1
④ 2 ⑤ 4

06 이차함수 $y=-x^2+3x$의 그래프가 두 점 $(-1, a)$, $(b, -4)$를 지날 때, $a+b$의 값은? (단, $b<0$)

① -8 ② -6 ③ -5
④ -3 ⑤ -1

07 이차함수 $f(x)=5x^2+kx-1$에 대하여 $f(-1)=6$일 때, $f(2)$의 값은?
(단, k는 상수)

① 15 ② 7 ③ 5
④ -17 ⑤ -25

08 이차함수 $f(x)=5x^2-\dfrac{3}{2}x+1$에서 $f(a)=10$일 때, 양수 a의 값을 구하시오.

09 이차함수 $f(x)=2(x-1)^2+k$에서 $f(-1)=5$, $f(-2)=a$일 때, $a+k$의 값은? (단, k는 상수)

① -15 ② -14 ③ 7
④ 12 ⑤ 15

10 두 함수 $f(x)$, $g(x)$에 대하여 $f(x)=x^2-3x+5$이고 $g(x)=f(x+1)$일 때, $g(k)=5$를 만족하는 k의 값을 구하시오. (단, $k>0$)

$f(x+1)$
$=(x+1)^2-3(x+1)+5$
임을 이용하여 함수 $g(x)$를 구한다.

11 다음 중 이차함수 $y=ax^2$의 그래프에 대한 설명으로 옳은 것을 모두 고르면? (정답 2개)

① $a<0$이면 아래로 볼록한 포물선이다.

② $a>0$이면 y의 값의 범위는 $y\geq0$이다.

③ $a<0$이면 $x<0$에서 x의 값이 증가할 때 y의 값은 감소한다.

④ a의 절댓값이 작을수록 그래프의 폭이 좁아진다.

⑤ $a=-\dfrac{1}{4}$이면 점 $(4,\ -4)$를 지난다.

12 다음 **보기**의 함수의 그래프에 대한 설명으로 옳지 <u>않은</u> 것을 모두 고르면?

(정답 2개)

보기
ㄱ. $y=-2x^2$ ㄴ. $y=\dfrac{1}{2}x^2$ ㄷ. $y=-3x^2$ ㄹ. $y=-x^2$ ㅁ. $y=x^2$ ㅂ. $y=3x^2$

① 그래프가 아래로 볼록한 것은 ㄱ, ㄷ, ㄹ이다.

② 각 그래프는 모두 y축에 대하여 대칭이다.

③ ㄱ, ㄴ의 그래프의 폭은 서로 같다.

④ x축에 대하여 서로 대칭인 것은 2쌍이다.

⑤ 폭이 가장 넓은 것은 ㄴ이다.

13 오른쪽 그림은 다음 **보기**의 이차함수의 그래프를 그린 것이다. 각 그래프와 그 식이 바르게 짝지어진 것은?

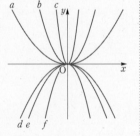

보기
ㄱ. $y=-3x^2$ ㄴ. $y=2x^2$ ㄷ. $y=5x^2$ ㄹ. $y=-\dfrac{2}{3}x^2$ ㅁ. $y=\dfrac{1}{2}x^2$ ㅂ. $y=-x^2$

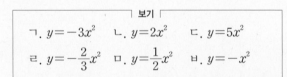

① $a-$ㄴ, $d-$ㄹ   ② $a-$ㅁ, $e-$ㄹ   ③ $b-$ㄴ, $f-$ㄹ

④ $c-$ㄷ, $e-$ㅂ   ⑤ $c-$ㄴ, $f-$ㄱ

$y=ax^2(a\neq0)$의 그래프는 $|a|$가 클수록 그래프의 폭이 좁아진다.

14 이차함수 $y=ax^2$의 그래프가 다음과 같을 때, 상수 a의 값의 범위를 구하시오.

(1)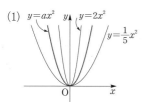

(2)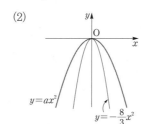

15 다음 **보기**의 이차함수의 그래프를 폭이 좁은 순서대로 나열하시오.

보기
ㄱ. $y=-x^2$　　　　ㄴ. $y=6x^2$　　　　ㄷ. $y=-3x^2$
ㄹ. $y=\dfrac{1}{5}x^2$　　　ㅁ. $y=2x^2$　　　ㅂ. $y=-\dfrac{4}{7}x^2$

16 오른쪽 그림에서 이차함수 $y=ax^2$과 $y=dx^2$, $y=bx^2$과 $y=cx^2$의 그래프는 각각 x축에 대하여 서로 대칭이다. 다음 **보기** 중 옳은 것을 모두 고르시오. (단, a, b, c, d는 상수)

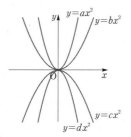

보기
ㄱ. $a+b+c+d=0$
ㄴ. $|b|>|d|$
ㄷ. $abcd>0$
ㄹ. a, b, c, d 중 가장 큰 값은 b이다.

그래프가 x축에 대하여 대칭이므로 $a=-d$, $b=-c$이다.

17 꼭짓점의 좌표가 $(0, 0)$인 이차함수의 그래프가 두 점 $(1, -3)$, $(-5, k)$를 지날 때, k의 값은?

① -78　　　　　② -75　　　　　③ -72

④ 72　　　　　⑤ 78

18 오른쪽 그림과 같이 점 A(0, 8)을 지나고 x축에 평행한 직선이 두 이차함수 $y=2x^2$, $y=ax^2$의 그래프와 만나는 점을 각각 B, C라 하자. $\overline{AB}=\overline{BC}$일 때, 상수 a의 값을 구하시오. (단, $0<a<2$)

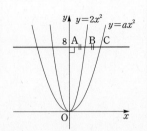

점 A(0, 8)을 지나고 x축에 평행한 직선의 방정식은 $y=8$이다.

19 다음 중 이차함수 $y=2x^2-5$의 그래프에 대한 설명으로 옳지 <u>않은</u> 것은?

① $y=2x^2$의 그래프를 y축의 방향으로 -5만큼 평행이동한 그래프이다.
② 꼭짓점의 좌표는 $(0, -5)$이다.
③ y의 값의 범위는 $y\geq-5$이다.
④ $y=-3x^2$의 그래프보다 폭이 좁다.
⑤ $x>0$일 때, x의 값이 증가하면 y의 값도 증가한다.

20 이차함수 $y=5x^2+2$의 그래프를 y축의 방향으로 m만큼 평행이동하면 $y=nx^2-1$의 그래프와 일치한다. 이때 $m+n$의 값은?

① -8 ② -2 ③ 2
④ 6 ⑤ 8

21 오른쪽 그림은 이차함수 $y=-3x^2$의 그래프를 y축의 방향으로 q만큼 평행이동한 것이다. 이때 q의 값을 구하시오.

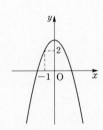

4 $y=a(x-p)^2(a\neq0)$의 그래프

22 이차함수 $y=\dfrac{1}{3}(x+10)^2$의 그래프에 대한 다음 설명 중 옳은 것을 모두 고르면? (정답 2개)

① 꼭짓점의 좌표는 $(10,\ 0)$이다.

② 축의 방정식은 $x=-10$이다.

③ 위로 볼록한 포물선이다.

④ x의 값이 증가할 때, y의 값도 증가하는 x의 값의 범위는 $x>0$이다.

⑤ $y=\dfrac{1}{3}x^2$의 그래프를 x축의 방향으로 -10만큼 평행이동한 것이다.

23 오른쪽 그림은 이차함수 $y=-6x^2$의 그래프를 x축의 방향으로 평행이동한 것이다. 이 그래프의 식이 $y=a(x-p)^2$일 때, $a+p$의 값을 구하시오.

(단, $a,\ p$는 상수)

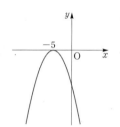

평행이동이므로 그래프의 폭은 변하지 않는다.

24 이차함수 $y=-\dfrac{3}{4}x^2$의 그래프를 x축의 방향으로 5만큼 평행이동하였더니 점 $(1,\ k)$를 지났다. 이때 k의 값을 구하시오.

25 오른쪽 그림은 두 이차함수 $y=-\dfrac{1}{3}(x+1)^2$, $y=(x+1)^2$의 그래프이다. 다음 중 경계선을 포함한 어두운 부분에만 그래프가 그려지는 이차함수의 식을 모두 고르면? (정답 2개)

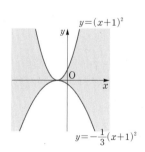

① $y=2(x+1)^2$ ② $y=\dfrac{1}{2}(x+1)^2$

③ $y=\dfrac{1}{3}(x-1)^2$ ④ $y=-x^2-2x-1$

⑤ $y=-\dfrac{1}{4}x^2-\dfrac{1}{2}x-\dfrac{1}{4}$

26 오른쪽 그림은 이차함수 $y=2(x+1)^2$과 $y=2(x-4)^2$의 그래프이다. 두 그래프 위의 점 A, B에 대하여 $\overline{AB}$가 x축과 평행할 때, $\overline{AB}$의 길이를 구하시오.

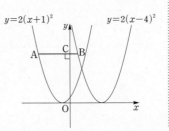

---

5 $y=a(x-p)^2+q(a\neq0)$의 그래프

27 다음 중 이차함수 $y=-3x^2$의 그래프를 평행이동하여 완전히 포개어지지 않는 것은?

① $y=-3x^2+1$ ② $y=-3(x-1)^2$ ③ $y=3(2-x)^2+5$
④ $y=3(2-x)(2+x)$ ⑤ $y=-3(x+2)^2-7$

그래프를 평행이동하여 완전히 포개어지려면 x^2의 계수가 같아야 한다.

28 다음 중 이차함수 $y=a(x-p)^2+q$의 그래프에 대한 설명으로 옳지 않은 것은?

① $a>0$이면 아래로 볼록한 포물선이다.
② 꼭짓점의 좌표는 $(p,\ q)$이다.
③ 직선 $x=p$에 대하여 대칭이다.
④ $y=-ax^2$의 그래프와 항상 x축에 대하여 대칭이다.
⑤ $y=ax^2$의 그래프를 x축의 방향으로 p만큼, y축의 방향으로 q만큼 평행이동한 것이다.

29 다음 **보기** 중 이차함수 $y=a(x-p)^2+q$의 그래프에 대한 설명으로 옳은 것을 모두 고르시오.

┤ 보기 ├
ㄱ. $y=-ax^2$의 그래프와 폭이 같다.
ㄴ. y의 값의 범위는 $y\leq q$이다.
ㄷ. $a>0$, $q<0$이면 x축과 항상 두 점에서 만난다.
ㄹ. $q=0$이면 x축과 오직 한 점에서 만난다.

30 오른쪽 그림과 같은 이차함수의 그래프에 대한 설명으로 옳은 것을 모두 고르면? (정답 2개)

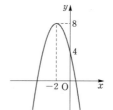

① 축의 방정식은 $y=-2$이다.

② y의 값의 범위는 $y<8$이다.

③ $y=-(x+2)^2+8$의 그래프이다.

④ $y=x^2$의 그래프와 폭이 같다.

⑤ $y=-x^2$의 그래프를 x축의 방향으로 2만큼, y축의 방향으로 8만큼 평행이동한 것이다.

31 다음 이차함수의 그래프 중 축의 방정식이 나머지 넷과 <u>다른</u> 하나는?

① $y=-(x+1)^2$ ② $y=(2x+2)^2$

③ $y=3(x+1)^2-1$ ④ $y=\dfrac{1}{5}(-x-1)^2+6$

⑤ $y=-2(x-1)^2-4$

32 이차함수 $y=3(x+2)^2-5$의 그래프에서 x의 값이 증가할 때 y의 값도 증가하는 x의 값의 범위는?

① $x<2$ ② $x>2$ ③ $x<-2$

④ $x>-2$ ⑤ $x>-5$

> 그래프의 축을 기준으로 판단한다.

33 다음 중 이차함수 $y=-2x^2$의 그래프를 x축의 방향으로 1만큼, y축의 방향으로 7만큼 평행이동한 그래프에 대한 설명으로 옳지 <u>않은</u> 것은?

① 꼭짓점의 좌표는 $(1, 7)$이다.

② y의 값의 범위는 $y\le 7$이다.

③ 제2사분면을 지나지 않는다.

④ $x=0$일 때, $y=5$이다.

⑤ $x>1$일 때, x의 값이 증가하면 y의 값은 감소한다.

34 이차함수 $y=-\dfrac{1}{3}x^2$의 그래프를 x축의 방향으로 5만큼, y축의 방향으로 -6만큼 평행이동한 그래프의 식을 구하고, 꼭짓점의 좌표와 축의 방정식을 각각 구하시오.

35 이차함수 $y=\dfrac{2}{3}x^2$의 그래프를 x축의 방향으로 -4만큼, y축의 방향으로 1만큼 평행이동한 그래프가 지나는 사분면을 모두 구하시오.

36 이차함수 $y=-4x^2$의 그래프를 x축의 방향으로 3만큼, y축의 방향으로 -5만큼 평행이동하면 점 $(2,\ k)$를 지난다. 이때 k의 값을 구하시오.

37 이차함수 $y=a(x-4)^2+3$의 그래프가 두 점 $(2,\ -1)$, $(0,\ b)$를 지날 때, $a-b$의 값은? (단, a는 상수)

① 27   ② 16   ③ 12

④ -14 ⑤ -18

38 이차함수 $y=a(x+1)^2-q$의 그래프가 두 점 $(1,\ -2)$, $(0,\ 4)$를 지난다. 이 이차함수의 그래프의 꼭짓점의 좌표는? (단, a, q는 상수)

① $(-1,\ -6)$ ② $(-1,\ 6)$ ③ $(-1,\ -10)$

④ $(1,\ -6)$ ⑤ $(1,\ -10)$

그래프가 지나는 두 점을 주어진 식에 각각 대입한 후 두 식을 연립한다.

39 이차함수 $y=a(x+p)^2+3$의 그래프의 축의 방정식이 $x=-2$이고, 점 $(-1,\ 5)$를 지날 때, $\dfrac{a}{p}$의 값을 구하시오. (단, a, p는 상수)

40 이차함수 $y=-\dfrac{1}{2}(x-p)^2+5$의 그래프가 두 점 $(0, -3)$, $(-2, k)$를 지날 때, $p+k$의 값을 구하시오. (단, $p<0$)

6 $y=a(x-p)^2+q$에서의 a, p, q의 부호

41 이차함수 $y=a(x-p)^2+q$의 그래프가 오른쪽 그림과 같을 때, 다음 중 상수 a, p, q의 부호로 옳은 것은?

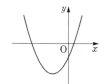

① $a>0, p>0, q>0$
② $a>0, p>0, q<0$
③ $a>0, p<0, q<0$
④ $a<0, p>0, q>0$
⑤ $a<0, p<0, q<0$

그래프의 모양이 아래로 볼록하므로 $a>0$이다.

42 이차함수 $y=a(x+p)^2+q$의 그래프가 제1, 2, 4사분면은 지나고 제3사분면은 지나지 않을 때, 상수 a, p, q의 부호로 옳은 것은?

① $a>0, p>0, q>0$ ② $a>0, p<0, q>0$
③ $a>0, p<0, q<0$ ④ $a<0, p>0, q>0$
⑤ $a<0, p<0, q<0$

43 오른쪽 그림은 이차함수 $y=a(x-p)^2+q$의 그래프이다. 다음 중 항상 옳은 것은? (단, a, p, q는 상수)

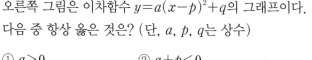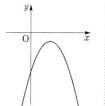

① $a>0$ ② $a+p<0$
③ $pq>0$ ④ $p-q>0$
⑤ $apq<0$

꼭짓점이 제4사분면 위에 있으므로 p, q의 부호를 알 수 있다.

44 이차함수 $y=a(x-p)^2+q$의 그래프가 제2, 3, 4사분면은 지나고 제1사분면은 지나지 않을 때, 다음 **보기** 중에서 옳은 것을 모두 고르시오.

(단, a, p, q는 상수)

보기

ㄱ. $a>0$ ㄴ. $p>0$ ㄷ. $q>0$

ㄹ. $a-q>0$ ㅁ. $ap+q>0$

---

45 이차함수 $y=a(x-p)^2+q$의 그래프가 오른쪽 그림과 같을 때, 함수 $y=p(x+q)^2+a$의 그래프가 지나는 사분면을 모두 고른 것은? (단, a, p, q는 상수)

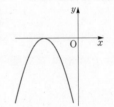

① 제1, 2사분면   ② 제3, 4사분면

③ 제1, 2, 3사분면   ④ 제1, 3, 4사분면

⑤ 모든 사분면

---

46 $a>0$, $p<0$, $q>0$일 때, 이차함수 $y=a(x-p)^2+q$의 그래프가 지나지 <u>않는</u> 사분면을 모두 고른 것은?

① 제1사분면   ② 제3사분면   ③ 제4사분면

④ 제1, 4사분면   ⑤ 제3, 4사분면

---

47 $a<0$, $p<0$, $q>0$일 때, 다음 중 이차함수 $y=a(x-p)^2+q$의 그래프로 알맞은 것은?

① 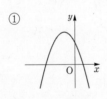   ② 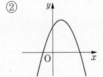   ③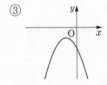

④   ⑤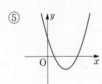

---

48 일차함수 $y=ax+b$의 그래프가 오른쪽 그림과 같을 때, 이차함수 $y=a(x+b)^2+a$의 그래프가 지나는 사분면을 모두 구하시오. (단, a, b는 상수)

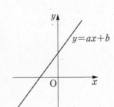

$a>0$, $b>0$임을 이용한다.

7 $y=ax^2+bx+c\,(a\neq0)$의 그래프

49 이차함수 $y=ax^2+bx+c$의 그래프에 대한 다음 설명 중 옳은 것을 모두 고르면? (정답 2개)

① $b\neq0$일 때, a의 값이 변하면 꼭짓점의 좌표도 변한다.

② 이차함수 $y=-ax^2-bx-c$의 그래프와 y축에 대하여 대칭이다.

③ y축과 만나는 점의 좌표는 $(0,\ c)$이다.

④ 축의 방정식은 $x=\dfrac{b}{2a}$이다.

⑤ $y=ax^2$의 그래프를 x축의 방향으로 b만큼, y축의 방향으로 c만큼 평행이동한 그래프이다.

> 주어진 이차함수의 식을 $y=a(x-p)^2+q$의 꼴로 변형한다.

50 다음은 이차함수 $y=2x^2+12x+11$의 그래프의 꼭짓점의 좌표를 구하는 과정이다. 이때 ①~⑤에 들어갈 것으로 옳은 것은?

$$
\begin{aligned}
y &= 2x^2+12x+11 \\
&= 2(x^2+\boxed{\ ①\ })+11 \\
&= 2(x^2+\boxed{\ ①\ }+9-\boxed{\ ②\ })+11 \\
&= 2(x+3)^2+11+(\boxed{\ ③\ }) \\
&= 2(x+3)^2+(\boxed{\ ④\ })
\end{aligned}
$$

따라서 꼭짓점의 좌표는 $\boxed{\quad ⑤\quad}$이다.

① $12x$ ② 18 ③ -18

④ 3 ⑤ $(-3,\ 7)$

51 이차함수 $y=ax^2+6x+8$을 $y=-3(x-p)^2+q$의 꼴로 나타낼 때, $a+p+q$의 값을 구하시오. (단, $a,\ p,\ q$는 상수)

> $y=ax^2+6x+8$을 표준형으로 바꾸어도 a의 값은 변하지 않는다.

52 이차함수 $y=\dfrac{1}{4}x^2+x+2$를 $y=a(x-p)^2+q$의 꼴로 나타낼 때, $4a+p+q$의 값은? (단, $a,\ p,\ q$는 상수)

① -3 ② -2 ③ 0

④ 2 ⑤ 3

53 이차함수 $y=2x^2+ax+5$의 그래프의 꼭짓점의 좌표가 $(-1, b)$일 때, $a-b$의 값은? (단, a는 상수)

① -7　　　　　② -1　　　　　③ 0

④ 1　　　　　⑤ 7

54 이차함수 $y=5x^2+10x-3$의 그래프에서 x의 값이 증가할 때 y의 값은 감소하는 x의 값의 범위는?

① $x<-1$　　　　　② $x>-1$　　　　　③ $x<1$

④ $x>1$　　　　　⑤ $x<2$

55 다음 중 이차함수 $y=-3x^2+6x+1$의 그래프는?

주어진 이차함수의 식을 $y=a(x-p)^2+q$의 꼴로 변형한다.

① 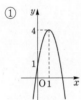　② 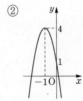　③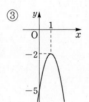

④ 　⑤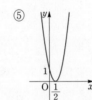

56 다음 이차함수 중 그 그래프가 x축과 한 점에서 만나는 것은?

① $y=-x^2+2x$　　　② $y=4x^2-4x-1$　　　③ $y=-2x^2-4x-1$

④ $y=2x^2-4x+2$　　　⑤ $y=\dfrac{1}{2}x^2-x-\dfrac{1}{2}$

57 다음 이차함수 중 그 그래프가 제3사분면을 제외한 모든 사분면을 지나는 것은?

① $y=x^2-2x+6$　　　② $y=x^2-8$　　　③ $y=3x^2-12x+7$

④ $y=-2x^2-4x+5$　　　⑤ $y=-\dfrac{1}{2}(x-4)^2+9$

58 이차함수 $y=-\dfrac{1}{2}x^2+x+k$의 그래프가 점 $(-2, -7)$을 지날 때, 상수 k의 값과 꼭짓점의 좌표를 차례로 구하시오.

59 오른쪽 그림에서 두 점 P, Q는 각각 이차함수 $y=x^2-6x+11$, $y=-x^2+2x-2$의 그래프 위의 점이고, $\overline{PQ}$는 x축과 수직이다. $\overline{PQ}=5$일 때, 두 점 P, Q의 좌표를 각각 구하시오.

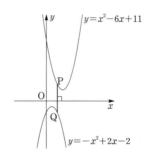

두 점 P, Q의 x좌표를 k로 놓으면
P$(k, k^2-6k+11)$,
Q$(k, -k^2+2k-2)$

8 $y=ax^2+bx+c\,(a\neq0)$에서의 a, b, c의 부호

60 이차함수 $y=ax^2+bx+c$의 그래프가 오른쪽 그림과 같을 때, 다음 중 상수 a, b, c의 부호로 옳은 것은?

① $a>0$, $b>0$, $c>0$
② $a>0$, $b>0$, $c<0$
③ $a>0$, $b<0$, $c<0$
④ $a<0$, $b>0$, $c<0$
⑤ $a<0$, $b<0$, $c<0$

61 오른쪽 그림은 이차함수 $y=ax^2+bx+c$의 그래프이다. 다음 중 옳지 <u>않은</u> 것은? (단, a, b, c는 상수)

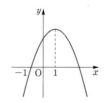

① $a<0$ ② $b>0$ ③ $c>0$
④ $a+b+c>0$ ⑤ $a-b+c<0$

62 이차함수 $y=ax^2+bx+c$의 그래프가 오른쪽 그림과 같을 때, 다음 중 옳지 <u>않은</u> 것은? (단, a, b, c는 상수)

① $a>0$ ② $b>0$ ③ $c<0$

④ $a-b+c<0$ ⑤ $4a-2b+c=0$

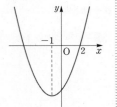

축 : $x=-\dfrac{b}{2a}$

y축의 왼쪽 : $-\dfrac{b}{2a}<0$

    ➡ $ab>0$

y축의 오른쪽 : $-\dfrac{b}{2a}>0$

    ➡ $ab<0$

63 이차함수 $y=ax^2+bx+c$의 그래프가 오른쪽 그림과 같을 때, 다음 **보기** 중 옳지 <u>않은</u> 것을 모두 고르시오.

(단, a, b, c는 상수)

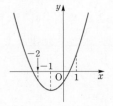

┌─────────── 보기 ───────────┐

ㄱ. $a>0$, $b>0$, $c<0$ ㄴ. $a+b+c<0$

ㄷ. $a-b+c<0$ ㄹ. $4a-2b+c>0$

64 다음 조건을 모두 만족하는 이차함수 $y=ax^2+bx+c$의 그래프로 알맞은 것은? (단, a, b, c는 상수)

$a<0$ $b<0$ $c>0$

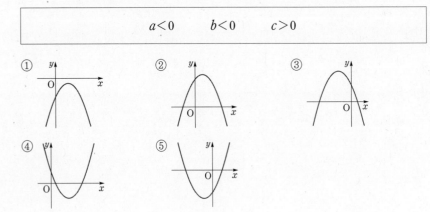

65 이차함수 $y=ax^2+bx+c$의 그래프의 꼭짓점이 제2사분면 위에 있고, $a<0$, $c=0$일 때, 이 이차함수의 그래프가 지나지 <u>않는</u> 사분면을 구하시오.

(단, a, b는 상수)

66 이차함수 $y=ax^2+bx+c$의 그래프가 제1, 2, 4사분면은 지나고 제3사분면은 지나지 않을 때, 이차함수 $y=bx^2+cx+a$의 그래프가 지나는 사분면을 모두 구하시오. (단, a, b, c는 상수, $c\neq0$)

67 이차함수 $y=ax^2+bx+c$의 그래프가 모든 사분면을 지날 때, 다음 중 항상 옳은 것은? (단, a, b, c는 상수)

① $ab<0$ ② $ac<0$ ③ $bc>0$

④ $c<0$ ⑤ $abc>0$

9   이차함수의 식 구하기

68 이차함수 $y=a(x-p)^2+q$의 그래프가 오른쪽 그림과 같을 때, $a+p+q$의 값을 구하시오.
(단, a, p, q는 상수)

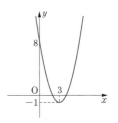

꼭짓점의 좌표가 $(3, -1)$이므로
$$y=a(x-3)^2-1$$

69 이차함수 $y=a(x+p)^2+q$의 그래프가 오른쪽 그림과 같을 때, apq의 값을 구하시오. (단, a, p, q는 상수)

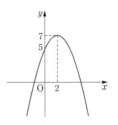

최상위
Q&A 009

왜 이차함수의 일반형을 표준형으로 바꿀까?

이차함수 $y=ax^2+bx+c$를 이차함수의 일반형이라 한다. 일반형으로 주어진 이차함수는 완전제곱의 성질을 이용하여
$$y=ax^2+bx+c$$
$$=a\left(x^2+\frac{b}{a}x\right)+c$$
$$=a\left\{x^2+\frac{b}{a}x+\left(\frac{b}{2a}\right)^2-\left(\frac{b}{2a}\right)^2\right\}+c$$
$$=a\left(x+\frac{b}{2a}\right)^2-\frac{b^2-4ac}{4a}$$
로 변형할 수 있고 이를 이차함수의 표준형이라 한다.
이때 꼭짓점의 좌표는
$\left(-\frac{b}{2a}, -\frac{b^2-4ac}{4a}\right)$이고, 꼭짓점의 x좌표가 $-\frac{b}{2a}$이므로 이차함수의 그래프는 $x=-\frac{b}{2a}$를 기준으로 대칭이다.
이차함수의 표준형으로 변형하면 일반형에서는 보이지 않았던 꼭짓점과 축의 방정식이 한눈에 보인다.

70 오른쪽 그림은 이차함수 $y=2x^2$의 그래프를 평행이동한 것이다. 이 그래프의 식이 $y=a(x-p)^2+q$일 때, $a+p+q$의 값을 구하시오. (단, a, p, q는 상수)

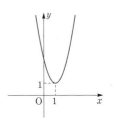

71 이차함수 $y=ax^2+bx+c$의 그래프가 오른쪽 그림과 같을 때, abc의 값을 구하시오. (단, a, b, c는 상수)

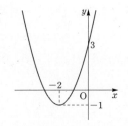

꼭짓점의 좌표 (p, q)와 그래프 위의 다른 한 점을 알 때 구하는 이차함수의 식을 $y=a(x-p)^2+q$로 놓고 다른 한 점의 좌표를 대입하여 a의 값을 구한다.

72 이차함수 $y=\dfrac{1}{3}x^2-2x-1$의 그래프와 꼭짓점이 같고, 점 $(1, 2)$를 지나는 포물선을 그래프로 하는 이차함수의 식을 구하시오.

73 꼭짓점의 좌표가 $(2, 5)$이고, 점 $(-1, -4)$를 지나는 이차함수의 그래프가 점 $(4, k)$를 지날 때, k의 값은?

① 12　　　　　　② 7　　　　　　③ 9
④ 3　　　　　　⑤ 1

74 이차함수 $y=ax^2+bx+c$의 그래프는 꼭짓점의 x좌표가 2이고, 점 $(1, -4)$를 지난다. 이 그래프가 x축에 접할 때, $a+b+c$의 값을 구하시오.

(단, a, b, c는 상수)

75 오른쪽 그림과 같이 꼭짓점이 y축 위에 있고 점 $(3, 1)$을 지나는 이차함수의 그래프를 x축의 방향으로 -3만큼 평행이동한 그래프를 나타내는 이차함수의 식을 구하시오.

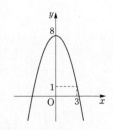

76 오른쪽 그림과 같이 축의 방정식이 $x=3$이고, 두 점 $(0, 0)$, $(1, -5)$를 지나는 그래프를 나타내는 이차함수의 식을 구하시오.

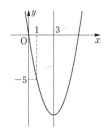

축의 방정식 $x=p$와 그래프 위의 두 점을 알 때 구하는 이차함수의 식을 $y=a(x-p)^2+q$로 놓고 두 점의 좌표를 대입하여 a, q의 값을 구한다.

77 직선 $x=5$를 축으로 하고, 두 점 $(3, 2)$, $(8, -3)$을 지나는 이차함수의 그래프의 꼭짓점의 좌표는?

① $(-5, -2)$ ② $(-5, 6)$ ③ $(5, -2)$
④ $(5, 6)$ ⑤ $(5, 12)$

78 오른쪽 그림은 직선 $x=-3$을 축으로 하는 이차함수 $y=ax^2+bx+c$의 그래프이다. 이때 $a-b+c$의 값을 구하시오. (단, a, b, c는 상수)

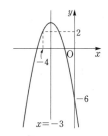

79 직선 $x=-4$를 축으로 하고, 두 점 $(-2, -3)$, $(-10, 13)$을 지나는 이차함수의 그래프가 점 $(4, k)$를 지날 때, k의 값을 구하시오.

80 이차함수 $y=ax^2+bx+c$의 그래프가 세 점 $(3, 0)$, $(2, -7)$, $(0, 9)$를 지날 때, $a+b+c$의 값을 구하시오. (단, a, b, c는 상수)

그래프 위의 서로 다른 세 점을 알 때 구하는 이차함수의 식을 $y=ax^2+bx+c$로 놓고 세 점의 좌표를 대입한 후 연립방정식을 풀어 a, b, c의 값을 구한다.

81 세 점 $(0, -15)$, $(-2, 21)$, $(1, -24)$를 지나는 이차함수의 그래프의 식을 $y=ax^2+bx+c$라 할 때, $a-b+c$의 값은? (단, a, b, c는 상수)

① 12   ② 6   ③ 0

④ -12 ⑤ -24

82 세 점 A$(2, -1)$, B$(-1, -4)$, C$(0, 1)$을 지나는 그래프를 나타내는 이차함수의 식은?

① $y=2x^2-3x-1$ ② $y=2x^2+3x+1$ ③ $y=-2x^2-3x-1$

④ $y=-2x^2-3x+1$ ⑤ $y=-2x^2+3x+1$

83 오른쪽 그림은 이차함수 $y=ax^2+bx+c$의 그래프이다. 이 그래프가 점 $(k, 0)$을 지날 때, k의 값은? (단, $k>0$)

① $\dfrac{1}{3}$ ② $\dfrac{2}{3}$ ③ 1

④ $\dfrac{4}{3}$ ⑤ $\dfrac{5}{3}$

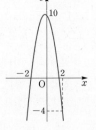

84 x축과 두 점 $(1, 0)$, $(-2, 0)$에서 만나고, 점 $(2, -4)$를 지나는 이차함수의 그래프의 꼭짓점의 좌표를 구하시오.

x축과 만나는 두 점 $(\alpha, 0)$, $(\beta, 0)$과 그래프 위의 다른 한 점을 알 때 구하는 이차함수의 식을 $y=a(x-\alpha)(x-\beta)$로 놓고 다른 한 점의 좌표를 대입하여 a의 값을 구한다.

85 그래프가 오른쪽 그림과 같은 이차함수의 식을 $y=ax^2+bx+c$의 꼴로 나타내시오. (단, a, b, c는 상수)

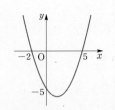

86 이차함수 $y=ax^2+bx+c$의 그래프가 x축과 두 점 $(5, 0)$, $(-1, 0)$에서 만나고, 꼭짓점의 y좌표가 9일 때, $a+b+c$의 값을 구하시오.

(단, a, b, c는 상수)

87 이차함수 $y=-x^2-3x+18$의 그래프와 x축 위의 두 점에서 만나고, y절편이 -36인 그래프를 나타내는 이차함수의 식은?

① $y=-2(x+6)(x-3)$　　　② $y=-2x^2+6x-36$

③ $y=\dfrac{1}{2}x^2-\dfrac{9}{2}x+9$　　　④ $y=2(x+3)(x-6)$

⑤ $y=2x^2+6x-36$

10 이차함수의 평행이동

88 이차함수 $y=3x^2+12x$의 그래프를 x축의 방향으로 2만큼, y축의 방향으로 -7만큼 평행이동하면 이차함수 $y=ax^2+bx+c$의 그래프와 완전히 포개어진다. 이때 $a+b+c$의 값은? (단, a, b, c는 상수)

① -8　　　② -10　　　③ -12

④ -14　　　⑤ -16

> 이차함수 $y=a(x-p)^2+q$의 그래프를 x축의 방향으로 m만큼, y축의 방향으로 n만큼 평행이동한 그래프의 식은
> $y-n=a(x-m-p)^2+q$,
> 즉 $y=a(x-m-p)^2+q+n$
> ⇨ x 대신 $x-m$,
> y 대신 $y-n$을 대입

89 이차함수 $y=2(x-5)^2+1$의 그래프를 x축의 방향으로 m만큼, y축의 방향으로 2만큼 평행이동한 그래프의 꼭짓점의 좌표가 $(3, n)$일 때, $m-n$의 값은?

① -5　　　② -3　　　③ -1

④ 1　　　⑤ 3

90 이차함수 $y=x^2-6x+5$의 그래프를 x축의 방향으로 m만큼, y축의 방향으로 n만큼 평행이동하면 이차함수 $y=x^2+2x+6$의 그래프와 완전히 포개어진다. 이때 $3m+n$의 값을 구하시오.

91 이차함수 $y=-4(x+3)^2-1$의 그래프는 이차함수 $y=a(x-2)^2+5$의 그래프를 x축의 방향으로 p만큼, y축의 방향으로 q만큼 평행이동한 것이다. 이때 $a+p+q$의 값을 구하시오. (단, a는 상수)

92 이차함수 $y=7(x-3)^2+6$의 그래프가 원점을 꼭짓점으로 하는 포물선이 되도록 하려면 x축의 방향으로 p만큼, y축의 방향으로 q만큼 평행이동해야 한다. 이때 $p-q$의 값은?

① -9 ② -6 ③ -3
④ 3   ⑤ 9

원점을 꼭짓점으로 하는 포물선을 나타내는 이차함수의 식은 $y=ax^2 (a\neq0)$의 꼴이다.

93 이차함수 $y=ax^2+bx+c$의 그래프를 x축의 방향으로 -2만큼, y축의 방향으로 2만큼 평행이동하였더니 $y=-x^2+4x-3$의 그래프와 일치하였다. 이때 $a+b+c$의 값을 구하시오. (단, a, b, c는 상수)

94 이차함수 $y=-3(x+1)^2+5$의 그래프를 x축의 방향으로 2만큼, y축의 방향으로 -1만큼 평행이동한 그래프가 점 $(3, k)$를 지날 때, k의 값을 구하시오.

95 이차함수 $y=-2x^2+6x+k$의 그래프를 x축의 방향으로 -3만큼, y축의 방향으로 8만큼 평행이동하였더니 점 $(-1, 13)$을 지났다. 이때 상수 k의 값은?

① -3 ② 1   ③ 13
④ 17   ⑤ 25

96 이차함수 $y=-3x^2+2x+k$의 그래프를 x축의 방향으로 1만큼, y축의 방향으로 -2만큼 평행이동하였더니 x축과 접하였다. 이때 상수 k의 값을 구하시오.

97 이차함수 $y=\dfrac{1}{2}(x-p)^2+2$의 그래프를 x축의 방향으로 1만큼 평행이동하면 점 $(0, 4)$를 지나고, y축의 방향으로 -1만큼 평행이동하면 점 $(2, k)$를 지난다. 이때 $p+k$의 값을 구하시오. (단, $p>0$)

11 이차함수의 대칭이동

98 이차함수 $y=-(x+9)^2-7$의 그래프와 x축에 대하여 대칭인 그래프의 식은?

① $y=(x-9)^2+7$　　② $y=-(x-9)^2+7$　　③ $y=(x+9)^2+7$
④ $y=(x+9)^2-7$　　⑤ $y=-(x+9)^2-7$

> 이차함수 $y=a(x-p)^2+q$의 그래프를 x축에 대하여 대칭이동한 그래프의 식은
> $-y=a(x-p)^2+q$,
> 즉 $y=-a(x-p)^2-q$
> ⇨ y 대신 $-y$를 대입

99 이차함수 $y=2(x+3)^2-5$의 그래프를 y축에 대하여 대칭이동한 그래프가 점 $(4, k)$를 지날 때, k의 값을 구하시오.

> 이차함수 $y=a(x-p)^2+q$의 그래프를 y축에 대하여 대칭이동한 그래프의 식은
> $y=a(-x-p)^2+q$,
> 즉 $y=a(x+p)^2+q$
> ⇨ x 대신 $-x$를 대입

100 이차함수 $y=x^2-2x+5$의 그래프를 y축에 대하여 대칭이동한 그래프가 점 $(-5, k)$를 지날 때, k의 값은?

① -40　　② -30　　③ 10
④ 20　　⑤ 30

101 이차함수 $y=5(x-2)^2+7$의 그래프를 y축에 대하여 대칭이동한 후 다시 x축에 대하여 대칭이동한 이차함수의 그래프의 식과 꼭짓점의 좌표를 차례로 구하시오.

102 이차함수 $y=\frac{1}{2}x^2+3x-5$의 그래프를 x축의 방향으로 -1만큼, y축의 방향으로 $-\frac{7}{2}$만큼 평행이동한 후, 그 그래프를 다시 x축에 대하여 대칭이동한 그래프의 식을 구하시오.

---

12 이차함수의 그래프와 도형의 넓이

103 오른쪽 그림과 같이 이차함수 $y=x^2+2x-24$의 그래프와 x축과의 교점을 각각 A, B라 하고, y축과의 교점을 C라 할 때, $\triangle$ABC의 넓이는?

① 24   ② 48   ③ 60
④ 120   ⑤ 240

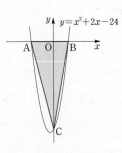

삼각형의 넓이에서
(밑변의 길이)$=$($\overline{AB}$의 길이),
(높이)$=$|점 C의 y좌표|가 된다.

104 오른쪽 그림과 같이 축의 방정식이 $x=2$인 이차함수 $y=-x^2+bx$의 그래프의 꼭짓점을 A라 하고, x축과의 교점을 각각 O, B라 하자. 이때 $\triangle$AOB의 넓이를 구하시오.

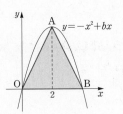

105 오른쪽 그림과 같이 이차함수 $y=-x^2-4x+12$의 그래프가 x축의 음의 부분과 만나는 점을 A, y축과 만나는 점을 B, 꼭짓점을 C라 할 때, $\square$AOBC의 넓이를 구하시오.

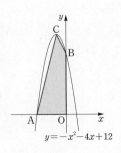

106 오른쪽 그림과 같이 이차함수 $y=\dfrac{1}{2}x^2-3x+4$의 그래프가 x축과 만나는 두 점 중 x좌표의 값이 큰 것을 A, y축과 만나는 점을 B, 꼭짓점을 C라 할 때, $\triangle$ABC의 넓이는?

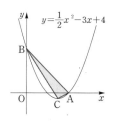

① 2　　　　　② 3　　　　　③ 5

④ 6　　　　　⑤ 9

107 오른쪽 그림과 같이 이차함수 $y=-2x^2+8x+10$의 그래프가 x축과 만나는 두 점을 A, B, y축과 만나는 점을 C라 할 때, 점 C를 지나고 $\triangle$ABC의 넓이를 이등분하는 직선의 방정식을 구하시오.

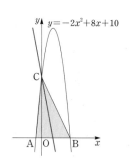

점 C를 지나면서 $\triangle$ABC의 넓이를 이등분하는 직선은 $\overline{AB}$의 중점을 지나야 한다.

108 오른쪽 그림과 같이 두 이차함수 $y=ax^2$, $y=x^2$의 그래프가 직선 $x=1$과 만나는 두 점을 각각 A, B라 하고, 직선 $x=2$와 만나는 두 점을 각각 P, Q라 하자. $\square$ABQP의 넓이가 $\dfrac{5}{2}$일 때, 상수 a의 값을 구하시오.

(단, $a>1$)

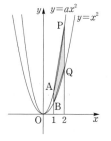

$\square$ABQP는 높이가 1인 사다리꼴이다.

109 오른쪽 그림과 같이 두 이차함수 $y=x^2+2x-3$, $y=x^2-2x-3$의 그래프의 꼭짓점을 각각 A, B, x축의 음의 부분과 만나는 점을 각각 C, D라 할 때, 어두운 부분의 넓이를 구하시오.

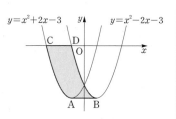

110 오른쪽 그림과 같이 두 이차함수 $y=\dfrac{1}{2}x^2-4x+9$와 $y=\dfrac{1}{2}x^2-4x+3$의 그래프가 y축과 만나는 점을 각각 A, B라 하고, 직선 $x=8$과 만나는 점을 각각 C, D라 할 때, 어두운 부분의 넓이를 구하시오.

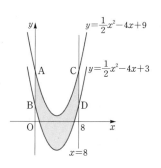

두 그래프 사이의 거리가 일정함을 이용한다.

13 x의 값의 범위가 실수 전체일 때, 이차함수의 y의 값의 범위

111 이차함수 $y=2x^2-1$의 그래프를 x축의 방향으로 -2만큼, y축의 방향으로 -5만큼 평행이동한 것을 그래프로 하는 이차함수에서 x의 값의 범위가 실수 전체일 때, 대응되는 y의 값의 범위를 구하시오.

이차함수 $y=ax^2+bx+c(a\neq0)$를 $y=a(x-p)^2+q$의 꼴로 고친다.

112 이차함수 $y=2x^2+4x+k$에서 x의 값의 범위가 실수 전체일 때, 대응되는 y의 값의 범위가 $y\geq6$이다. 이때 상수 k의 값을 구하시오.

113 이차함수 $y=2x^2-4kx+3k$에서 x의 값의 범위가 실수 전체일 때, 대응되는 y의 값의 범위가 $y\geq-5$이다. 이때 상수 k의 값은? (단, $k<0$)

① -5 ② -3 ③ $-\frac{5}{2}$
④ -1 ⑤ $-\frac{1}{2}$

114 이차함수 $y=ax^2+4ax+3$에서 x의 값의 범위가 실수 전체일 때, 대응되는 y의 값의 범위가 $y\leq9$이다. 이때 상수 a의 값을 구하시오.

115 이차함수 $y=-3x^2-6kx-2$에서 x의 값의 범위가 실수 전체일 때, 대응되는 y의 값의 범위가 $y\leq13$이다. 이때 상수 k의 값은?

① 5 ② ±5 ③ $\sqrt{5}$
④ $-\sqrt{5}$ ⑤ $\pm\sqrt{5}$

14 x의 값의 범위가 제한된 이차함수의 y의 값의 범위

116 이차함수 $y=-x^2+2x+2$의 x의 값의 범위가 $-2 \le x \le 2$일 때, 대응되는 y의 값의 범위를 구하시오.

그래프를 그려서 y의 값의 범위를 구한다.

117 x의 값의 범위가 $1 \le x \le 4$인 이차함수 $y=3x^2-12x+1$에서 대응되는 y의 값의 범위를 $m \le y \le M$이라 할 때, $M+m$의 값을 구하시오.

118 x의 값의 범위가 $2 \le x \le 3$인 이차함수 $y=2x^2-4x-3$에서 대응되는 y의 값의 범위를 구하시오.

119 x의 값의 범위가 $0 \le x \le 2$인 이차함수 $y=-x^2-2x+4$에서 대응되는 y의 값의 범위를 $m \le y \le M$이라 할 때, $M+m$의 값을 구하시오.

120 이차함수 $y = 2x^2 - 4x + k$의 그래프의 꼭짓점이 직선 $y = \frac{1}{2}x - 7$ 위에 있을 때, 상수 k의 값을 구하시오.

꼭짓점의 좌표를 직선의 식에 대입한다.

121 이차함수 $y = 2x^2 - 2x + a$의 그래프의 꼭짓점이 직선 $y = -3x$ 위에 있을 때, 상수 a의 값은?

① -6 ② -4 ③ -3

④ -1 ⑤ 2

122 두 이차함수 $y = -x^2 + 6x - 11$과 $y = x^2 + 2px - q$의 그래프의 꼭짓점이 일치할 때, $p - q$의 값을 구하시오. (단, p, q는 상수)

123 이차함수 $y = -2x^2 + 2kx + 3k - 2$의 그래프의 꼭짓점의 좌표가 $\left(\frac{1}{2}, p \right)$일 때, $k + 2p$의 값은? (단, k는 상수)

① -10 ② -8 ③ -4

④ 2 ⑤ 4

124 이차함수 $y=x^2-6kx+9k^2+5k-2$의 그래프의 꼭짓점이 제4사분면 위에 있을 때, 상수 k의 값의 범위를 구하시오.

125 이차함수 $y=-\dfrac{1}{2}x^2-2x+k+1$의 그래프가 x축과 서로 다른 두 점에서 만날 때, 상수 k의 값의 범위는?

① $k<-3$　　　　② $k>-3$　　　　③ $k<-1$
④ $k>-1$　　　　⑤ $k>3$

126 한 개의 주사위를 2번 던져서 첫 번째 나온 눈의 수를 a, 두 번째 나온 눈의 수를 b라 할 때, 이차함수 $y=x^2+ax+b$의 그래프가 x축과 만나지 않을 확률을 구하시오.

아래로 볼록한 포물선이 x축과 만나지 않는다.
➡ (꼭짓점의 y좌표)>0

16 이차함수의 그래프와 직선

127 오른쪽 그림과 같이 이차함수 $y=x^2-3x+5$의 그래프와 직선 $y=9$가 만나는 두 점을 A, B라 할 때, 선분 AB의 길이는?

① 2　　　　② 3　　　　③ 4
④ 5　　　　⑤ 6

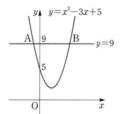

128 이차함수 $y=2x^2+x-3$의 그래프가 직선 $y=x+k$와 x축에서 만날 때, 상수 k의 값이 될 수 있는 것을 모두 고르면? (정답 2개)

① -3　　　　② $-\dfrac{3}{2}$　　　　③ -1

④ 1　　　　⑤ $\dfrac{3}{2}$

129 두 이차함수 $y=ax^2-9x+7$과 $y=x^2-5x+4$의 그래프의 두 교점을 지나는 직선이 $y=-x+1$일 때, 상수 a의 값을 구하시오.

이차함수 $y=x^2-5x+4$의 그래프와 직선 $y=-x+1$의 그래프의 두 교점은 이차함수 $y=ax^2-9x+7$의 그래프 위의 점이다.

130 오른쪽 그림과 같이 이차함수 $y=x^2-x+3$의 그래프 위의 한 점 P에서 y축에 평행한 직선을 그어 직선 $y=x-2$와 만나는 점을 Q라 할 때, 가장 짧은 $\overline{PQ}$의 길이를 구하시오.

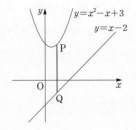

17 이차함수의 활용 (쏘아 올린 물체)

131 지면으로부터 300 m의 높이에서 초속 120 m로 쏘아 올린 물체의 t초 후의 높이를 h m라 하면 t와 h 사이에는 $h=-5t^2+120t+300$인 관계가 성립한다고 한다. 이때 이 물체는 지면으로부터 최고 몇 m까지 올라가는지 구하시오.

주어진 식을 변형하여 대응되는 y의 가장 큰 값을 구한다.

132 지면에서 초속 40 m로 쏘아 올린 물체의 t초 후의 높이를 h m라 하면 t와 h 사이에는 $h=40t-5t^2$인 관계가 성립한다고 한다. 이 물체가 지면으로부터 최고 높이에 도달할 때까지 걸리는 시간과 이때의 높이를 차례로 구하면?

① 4초, 60 m ② 4초, 80 m ③ 5초, 60 m

④ 5초, 80 m ⑤ 10초, 100 m

133 과학 시간에 물로켓 만들기를 하여 학교 운동장에서 초속 30 m로 물로켓을 위로 쏘아 올렸다. 이때 물로켓의 x초 후의 높이를 h m라 하면 $h=-5x^2+30x$인 관계가 성립한다. 이 물로켓이 최고 높이에 도달하는 데 걸리는 시간과 그때의 높이를 차례로 구하시오.

134 지면으로부터 100 m의 높이에서 초속 40 m로 쏘아 올린 물체의 x초 후의 높이를 y m라 하면 $y=-5x^2+40x+100$인 관계가 성립한다고 한다. 이때 물체가 지면에 떨어지는 것은 쏘아 올린 지 몇 초 후인지 구하시오.

135 멀리 던지기 경기에서 선수가 공을 던졌을 때, x초 후의 공의 높이를 y m라 하면 $y=-\dfrac{1}{5}x^2+x+\dfrac{6}{5}$의 관계가 성립한다고 한다. 다음 중 옳지 않은 것은?

① 선수가 공을 던지기 전의 공의 높이는 $\dfrac{6}{5}$ m이다.

② 공을 던진 지 2초 후에 공의 높이는 $\dfrac{12}{5}$ m이다.

③ 공은 2.5초 후에 최고 높이가 된다.

④ 공은 최고 12 m까지 올라간다.

⑤ 공이 땅에 떨어질 때까지 걸린 시간은 6초이다.

단원 종합 문제

01
오른쪽 그림은 다음 보기의 이차함수의 그래프를 그린 것이다. ① ~ ⑤ 의 그래프와 **보기**의 이차함수의 식을 바르게 연결하시오.

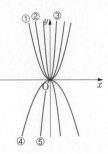

┌─────── 보기 ───────┐
ㄱ. $y=-2x^2$　ㄴ. $y=\dfrac{1}{2}x^2$　ㄷ. $y=-\dfrac{1}{4}x^2$

ㄹ. $y=x^2$　ㅁ. $y=3x^2$
└────────────────────┘

02
오른쪽 그림과 같이 이차함수 $y=2ax^2$의 그래프는 두 이차함수 $y=-\dfrac{1}{3}x^2$과 $y=-4x^2$의 그래프 사이에 있다. 다음 중 상수 a의 값이 될 수 <u>없는</u> 것은?

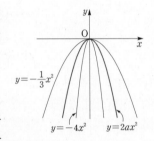

① $-\dfrac{5}{2}$　　② -1　　③ $-\dfrac{1}{2}$

④ $-\dfrac{1}{3}$　　⑤ $-\dfrac{1}{4}$

03
이차함수 $y=-2x^2+7x-5$의 그래프에 대한 다음 설명 중 옳은 것을 모두 고르면? (정답 2개)

① 축의 방정식은 $x=-\dfrac{7}{4}$이다.

② x축과 만나지 않는다.

③ x의 값이 증가할 때 y의 값이 증가하는 x의 값의 범위는 $x<\dfrac{7}{4}$이다.

④ 제2사분면을 지나지 않는다.

⑤ 대응되는 y의 값의 범위를 $y\geq\dfrac{9}{8}$이다.

04
이차함수 $y=ax^2-8ax+a^2+6a+19$의 그래프의 꼭짓점의 좌표가 $(4, -6)$일 때, 상수 a의 값은?

① 1　　　② 3　　　③ 5

④ 7　　　⑤ 9

05
이차함수 $y=x^2-2ax+b$의 그래프는 꼭짓점의 좌표가 $(-3, -8)$이고, 점 $(-2, c)$를 지난다. 이때 $a-b-c$의 값은? (단, a, b는 상수)

① 3　　　　② 5　　　　③ 7

④ 9　　　　⑤ 12

06
오른쪽 그림은 이차함수 $y=a(x+p)^2+q$의 그래프이다. 다음 중 상수 a, p, q의 부호로 옳은 것은?

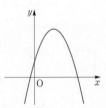

① $a>0$, $p<0$, $q<0$

② $a>0$, $p<0$, $q>0$

③ $a<0$, $p<0$, $q>0$

④ $a<0$, $p>0$, $q>0$

⑤ $a<0$, $p<0$, $q=0$

07 일차함수 $y=ax-b$의 그래프가 오른쪽 그림과 같을 때, 이차함수 $y=bx^2-ax$의 그래프가 지나지 않는 사분면은?

(단, a, b는 상수)

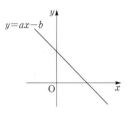

① 제1사분면   ② 제2사분면
③ 제3사분면   ④ 제4사분면
⑤ 없다.

08 꼭짓점의 좌표가 $(-6, 9)$이고, 점 $(0, 1)$을 지나는 이차함수의 그래프가 점 $(3, k)$를 지날 때, k의 값은?

① -27 ② -18 ③ -15
④ -9 ⑤ -3

09 오른쪽 그림은 직선 $x=-2$를 축으로 하는 이차함수 $y=ax^2+bx+c$의 그래프이다. 이때 abc의 값을 구하시오.

(단, a, b, c는 상수)

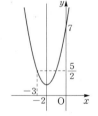

10 오른쪽 그림과 같은 이차함수 $y=-x^2+px+q$의 그래프가 점 $(2, k)$를 지날 때, k의 값은?

(단, p, q는 상수)

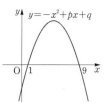

① 5   ② 6   ③ 7
④ 8   ⑤ 9

11 세 점 $(-3, 5)$, $(0, 8)$, $(4, -16)$을 지나는 포물선의 식이 $y=ax^2+bx+c$일 때, 이차함수 $y=bx^2+cx+a$의 그래프의 꼭짓점의 좌표를 구하시오. (단, a, b, c는 상수)

12 이차함수 $y=-x^2+4x+1$의 그래프를 x축의 방향으로 m만큼, y축의 방향으로 n만큼 평행이동하면 이차함수 $y=-x^2+6x-3$의 그래프와 완전히 포개어진다. 이때 $5m-3n$의 값은?

① 2   ② 3   ③ 4
④ 5   ⑤ 6

13 이차함수 $y=\frac{1}{2}x^2+a$의 그래프를 x축의 방향으로 -4만큼, y축의 방향으로 10만큼 평행이동하였더니 이차함수 $y=bx^2+4x+19$의 그래프와 일치하였다. 이때 $2ab$의 값은? (단, a, b는 상수)

① 1   ② 3   ③ 5

④ 17   ⑤ 21

14 이차함수 $y=-(x+3)^2-5$의 그래프를 y축에 대하여 대칭이동한 그래프의 식은?

① $y=(x-3)^2-5$ ② $y=(x+3)^2+5$

③ $y=-(x+3)^2+5$ ④ $y=-(x+3)^2-5$

⑤ $y=-(x-3)^2-5$

15 다음 중 이차함수 $y=\frac{1}{4}x^2-x+3$과 y의 값의 범위가 같은 이차함수는?

① $y=5(x+1)^2+3$ ② $y=-2x^2+12x-16$

③ $y=\frac{1}{2}x^2+3$ ④ $y=3x^2-6x+5$

⑤ $y=\frac{1}{4}x^2-x+2$

16 다음 중 이차함수와 그 y의 값의 범위가 바르게 짝지어진 것은?

① $y=-\frac{3}{2}x^2+6$, $y\geq 6$

② $y=-4x^2+6x$, $y\leq 0$

③ $y=3x^2-12x+9$, $y\leq -3$

④ $y=2(x-3)^2+4$, $y\leq 4$

⑤ $y=-x^2+6x+7$, $y\leq 16$

17 이차함수 $y=\frac{1}{2}x^2-x+k$의 y의 값의 범위가 $y\geq 2$일 때, 이 이차함수의 그래프가 y축과 만나는 점의 좌표는? (단, k는 상수)

① $\left(0,\ -\frac{1}{2}\right)$ ② $(0,\ 1)$ ③ $\left(0,\ \frac{3}{2}\right)$

④ $(0,\ 2)$ ⑤ $\left(0,\ \frac{5}{2}\right)$

18 다음 조건을 모두 만족하는 그래프가 나타내는 이차함수에서 x의 범위가 실수 전체일 때, 대응되는 y의 값의 범위를 구하시오.

> ⑺ $y=3x^2$의 그래프와 폭이 같고, 위로 볼록한 그래프이다.
> ⑷ y축과 만나는 점의 y좌표가 5이다.
> ⑸ 점 $(1,\ 14)$를 지난다.

19 이차함수 $y=3x^2-14x-5$의 그래프가 x축과 만나는 두 점의 x좌표를 p, q라 하고, y축과 만나는 점의 y좌표를 r라 할 때, $\dfrac{3pq}{r}$의 값은?

(단, $p>q$)

① -25 ② -5 ③ -1
④ 1 ⑤ 25

20 이차함수 $y=-2x^2+kx-2-k$의 그래프가 x축과 만나는 두 점의 x좌표가 -3, a이고, y축과 만나는 점의 y좌표가 b일 때, $a+b+k$의 값을 구하시오. (단, k는 상수)

21 이차함수 $y=-x^2+mx+n$의 그래프가 x축과 만나는 두 점의 좌표가 $(4, 0)$, $(k, 0)$이고, y축과 만나는 점의 좌표가 $(0, 24)$일 때, $k+m+n$의 값을 구하시오. (단, m, n은 상수)

22 오른쪽 그림과 같이 단면이 포물선 모양이 되도록 땅을 파서 연못을 만들려고 한다. 연못의 가장 깊은 곳의 물의 깊이는 2 m이고 연못의 양 끝 사이의 거리는 8 m이다. 이때 연못의 양 끝 P, Q 지점에서 1 m 지점의 수심은 얼마인지 구하시오.

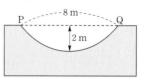

23 오른쪽 그림과 같이 이차함수 $y=-x^2+6x+7$의 그래프가 x축과 만나는 점을 각각 A, B라 하고 꼭짓점을 C라 할 때, △ABC의 넓이를 구하시오.

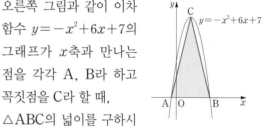

24 오른쪽 그림과 같이 이차함수 $y=2x^2-4x+k$의 그래프와 x축과의 교점을 각각 A, B라 하고 꼭짓점을 C라 하자. $\overline{\text{AB}}=4$일 때, △ABC의 넓이를 구하시오.

(단, k는 상수)

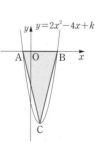

제곱근표(1) 1.00부터 5.49까지의 수

수	0	1	2	3	4	5	6	7	8	9
1.0	1.000	1.005	1.010	1.015	1.020	1.025	1.030	1.034	1.039	1.044
1.1	1.049	1.054	1.058	1.063	1.068	1.072	1.077	1.082	1.086	1.091
1.2	1.095	1.100	1.105	1.109	1.114	1.118	1.122	1.127	1.131	1.136
1.3	1.140	1.145	1.149	1.153	1.158	1.162	1.166	1.170	1.175	1.179
1.4	1.183	1.187	1.192	1.196	1.200	1.204	1.208	1.212	1.217	1.221
1.5	1.225	1.229	1.233	1.237	1.241	1.245	1.249	1.253	1.257	1.261
1.6	1.265	1.269	1.273	1.277	1.281	1.285	1.288	1.292	1.296	1.300
1.7	1.304	1.308	1.311	1.315	1.319	1.323	1.327	1.330	1.334	1.338
1.8	1.342	1.345	1.349	1.353	1.356	1.360	1.364	1.367	1.371	1.375
1.9	1.378	1.382	1.386	1.389	1.393	1.396	1.400	1.404	1.407	1.411
2.0	1.414	1.418	1.421	1.425	1.428	1.432	1.435	1.439	1.442	1.446
2.1	1.449	1.453	1.456	1.459	1.463	1.466	1.470	1.473	1.476	1.480
2.2	1.483	1.487	1.490	1.493	1.497	1.500	1.503	1.507	1.510	1.513
2.3	1.517	1.520	1.523	1.526	1.530	1.533	1.536	1.539	1.543	1.546
2.4	1.549	1.552	1.556	1.559	1.562	1.565	1.568	1.572	1.575	1.578
2.5	1.581	1.584	1.587	1.591	1.594	1.597	1.600	1.603	1.606	1.609
2.6	1.612	1.616	1.619	1.622	1.625	1.628	1.631	1.634	1.637	1.640
2.7	1.643	1.646	1.649	1.652	1.655	1.658	1.661	1.664	1.667	1.670
2.8	1.673	1.676	1.679	1.682	1.685	1.688	1.691	1.694	1.697	1.700
2.9	1.703	1.706	1.709	1.712	1.715	1.718	1.720	1.723	1.726	1.729
3.0	1.732	1.735	1.738	1.741	1.744	1.746	1.749	1.752	1.755	1.758
3.1	1.761	1.764	1.766	1.769	1.772	1.775	1.778	1.780	1.783	1.786
3.2	1.789	1.792	1.794	1.797	1.800	1.803	1.806	1.808	1.811	1.814
3.3	1.817	1.819	1.822	1.825	1.828	1.830	1.833	1.836	1.838	1.841
3.4	1.844	1.847	1.849	1.852	1.855	1.857	1.860	1.863	1.865	1.868
3.5	1.871	1.873	1.876	1.879	1.881	1.884	1.887	1.889	1.892	1.895
3.6	1.897	1.900	1.903	1.905	1.908	1.910	1.913	1.916	1.918	1.921
3.7	1.924	1.926	1.929	1.931	1.934	1.936	1.939	1.942	1.944	1.947
3.8	1.949	1.952	1.954	1.957	1.960	1.962	1.965	1.967	1.970	1.972
3.9	1.975	1.977	1.980	1.982	1.985	1.987	1.990	1.992	1.995	1.997
4.0	2.000	2.002	2.005	2.007	2.010	2.012	2.015	2.017	2.020	2.022
4.1	2.025	2.027	2.030	2.032	2.035	2.037	2.040	2.042	2.045	2.047
4.2	2.049	2.052	2.054	2.057	2.059	2.062	2.064	2.066	2.069	2.071
4.3	2.074	2.076	2.078	2.081	2.083	2.086	2.088	2.090	2.093	2.095
4.4	2.098	2.100	2.102	2.105	2.107	2.110	2.112	2.114	2.117	2.119
4.5	2.121	2.124	2.126	2.128	2.131	2.133	2.135	2.138	2.140	2.142
4.6	2.145	2.147	2.149	2.152	2.154	2.156	2.159	2.161	2.163	2.166
4.7	2.168	2.170	2.173	2.175	2.177	2.179	2.182	2.184	2.186	2.189
4.8	2.191	2.193	2.195	2.198	2.200	2.202	2.205	2.207	2.209	2.211
4.9	2.214	2.216	2.218	2.220	2.223	2.225	2.227	2.229	2.232	2.234
5.0	2.236	2.238	2.241	2.243	2.245	2.247	2.249	2.252	2.254	2.256
5.1	2.258	2.261	2.263	2.265	2.267	2.269	2.272	2.274	2.276	2.278
5.2	2.280	2.283	2.285	2.287	2.289	2.291	2.293	2.296	2.298	2.300
5.3	2.302	2.304	2.307	2.309	2.311	2.313	2.315	2.317	2.319	2.322
5.4	2.324	2.326	2.328	2.330	2.332	2.335	2.337	2.339	2.341	2.343

제곱근표(2) 5.50부터 9.99까지의 수

수	0	1	2	3	4	5	6	7	8	9
5.5	2.345	2.347	2.349	2.352	2.354	2.356	2.358	2.360	2.362	2.364
5.6	2.366	2.369	2.371	2.373	2.375	2.377	2.379	2.381	2.383	2.385
5.7	2.387	2.390	2.392	2.394	2.396	2.398	2.400	2.402	2.404	2.406
5.8	2.408	2.410	2.412	2.415	2.417	2.419	2.421	2.423	2.425	2.427
5.9	2.429	2.431	2.433	2.435	2.437	2.439	2.441	2.443	2.445	2.447
6.0	2.449	2.452	2.454	2.456	2.458	2.460	2.462	2.464	2.466	2.468
6.1	2.470	2.472	2.474	2.476	2.478	2.480	2.482	2.484	2.486	2.488
6.2	2.490	2.492	2.494	2.496	2.498	2.500	2.502	2.504	2.506	2.508
6.3	2.510	2.512	2.514	2.516	2.518	2.520	2.522	2.524	2.526	2.528
6.4	2.530	2.532	2.534	2.536	2.538	2.540	2.542	2.544	2.546	2.548
6.5	2.550	2.551	2.553	2.555	2.557	2.559	2.561	2.563	2.565	2.567
6.6	2.569	2.571	2.573	2.575	2.577	2.579	2.581	2.583	2.585	2.587
6.7	2.588	2.590	2.592	2.594	2.596	2.598	2.600	2.602	2.604	2.606
6.8	2.608	2.610	2.612	2.613	2.615	2.617	2.619	2.621	2.623	2.625
6.9	2.627	2.629	2.631	2.632	2.634	2.636	2.638	2.640	2.642	2.644
7.0	2.646	2.648	2.650	2.651	2.653	2.655	2.657	2.659	2.661	2.663
7.1	2.665	2.666	2.668	2.670	2.672	2.674	2.676	2.678	2.680	2.681
7.2	2.683	2.685	2.687	2.689	2.691	2.693	2.694	2.696	2.698	2.700
7.3	2.702	2.704	2.706	2.707	2.709	2.711	2.713	2.715	2.717	2.718
7.4	2.720	2.722	2.724	2.726	2.728	2.729	2.731	2.733	2.735	2.737
7.5	2.739	2.740	2.742	2.744	2.746	2.748	2.750	2.751	2.753	2.755
7.6	2.757	2.759	2.760	2.762	2.764	2.766	2.768	2.769	2.771	2.773
7.7	2.775	2.777	2.778	2.780	2.782	2.784	2.786	2.787	2.789	2.791
7.8	2.793	2.795	2.796	2.798	2.800	2.802	2.804	2.805	2.807	2.809
7.9	2.811	2.812	2.814	2.816	2.818	2.820	2.821	2.823	2.825	2.827
8.0	2.828	2.830	2.832	2.834	2.835	2.837	2.839	2.841	2.843	2.844
8.1	2.846	2.848	2.850	2.851	2.853	2.855	2.857	2.858	2.860	2.862
8.2	2.864	2.865	2.867	2.869	2.871	2.872	2.874	2.876	2.877	2.879
8.3	2.881	2.883	2.884	2.886	2.888	2.890	2.891	2.893	2.895	2.897
8.4	2.898	2.900	2.902	2.903	2.905	2.907	2.909	2.910	2.912	2.914
8.5	2.915	2.917	2.919	2.921	2.922	2.924	2.926	2.927	2.929	2.931
8.6	2.933	2.934	2.936	2.938	2.939	2.941	2.943	2.944	2.946	2.948
8.7	2.950	2.951	2.953	2.955	2.956	2.958	2.960	2.961	2.963	2.965
8.8	2.966	2.968	2.970	2.972	2.973	2.975	2.977	2.978	2.980	2.982
8.9	2.983	2.985	2.987	2.988	2.990	2.992	2.993	2.995	2.997	2.998
9.0	3.000	3.002	3.003	3.005	3.007	3.008	3.010	3.012	3.013	3.015
9.1	3.017	3.018	3.020	3.022	3.023	3.025	3.027	3.028	3.030	3.032
9.2	3.033	3.035	3.036	3.038	3.040	3.041	3.043	3.045	3.046	3.048
9.3	3.050	3.051	3.053	3.055	3.056	3.058	3.059	3.061	3.063	3.064
9.4	3.066	3.068	3.069	3.071	3.072	3.074	3.076	3.077	3.079	3.081
9.5	3.082	3.084	3.085	3.087	3.089	3.090	3.092	3.094	3.095	3.097
9.6	3.098	3.100	3.102	3.103	3.105	3.106	3.108	3.110	3.111	3.113
9.7	3.114	3.116	3.118	3.119	3.121	3.122	3.124	3.126	3.127	3.129
9.8	3.130	3.132	3.134	3.135	3.137	3.138	3.140	3.142	3.143	3.145
9.9	3.146	3.148	3.150	3.151	3.153	3.154	3.156	3.158	3.159	3.161

제곱근표(3) 10.0부터 54.9까지의 수

수	0	1	2	3	4	5	6	7	8	9
10	3.162	3.178	3.194	3.209	3.225	3.240	3.256	3.271	3.286	3.302
11	3.317	3.332	3.347	3.362	3.376	3.391	3.406	3.421	3.435	3.450
12	3.464	3.479	3.493	3.507	3.521	3.536	3.550	3.564	3.578	3.592
13	3.606	3.619	3.633	3.647	3.661	3.674	3.688	3.701	3.715	3.728
14	3.742	3.755	3.768	3.782	3.795	3.808	3.821	3.834	3.847	3.860
15	3.873	3.886	3.899	3.912	3.924	3.937	3.950	3.962	3.975	3.987
16	4.000	4.012	4.025	4.037	4.050	4.062	4.074	4.087	4.099	4.111
17	4.123	4.135	4.147	4.159	4.171	4.183	4.195	4.207	4.219	4.231
18	4.243	4.254	4.266	4.278	4.290	4.301	4.313	4.324	4.336	4.347
19	4.359	4.370	4.382	4.393	4.405	4.416	4.427	4.438	4.450	4.461
20	4.472	4.483	4.494	4.506	4.517	4.528	4.539	4.550	4.561	4.572
21	4.583	4.593	4.604	4.615	4.626	4.637	4.648	4.658	4.669	4.680
22	4.690	4.701	4.712	4.722	4.733	4.743	4.754	4.764	4.775	4.785
23	4.796	4.806	4.817	4.827	4.837	4.848	4.858	4.868	4.879	4.889
24	4.899	4.909	4.919	4.930	4.940	4.950	4.960	4.970	4.980	4.990
25	5.000	5.010	5.020	5.030	5.040	5.050	5.060	5.070	5.079	5.089
26	5.099	5.109	5.119	5.128	5.138	5.148	5.158	5.167	5.177	5.187
27	5.196	5.206	5.215	5.225	5.235	5.244	5.254	5.263	5.273	5.282
28	5.292	5.301	5.310	5.320	5.329	5.339	5.348	5.357	5.367	5.376
29	5.385	5.394	5.404	5.413	5.422	5.431	5.441	5.450	5.459	5.468
30	5.477	5.486	5.495	5.505	5.514	5.523	5.532	5.541	5.550	5.559
31	5.568	5.577	5.586	5.595	5.604	5.612	5.621	5.630	5.639	5.648
32	5.657	5.666	5.675	5.683	5.692	5.701	5.710	5.718	5.727	5.736
33	5.745	5.753	5.762	5.771	5.779	5.788	5.797	5.805	5.814	5.822
34	5.831	5.840	5.848	5.857	5.865	5.874	5.882	5.891	5.899	5.908
35	5.916	5.925	5.933	5.941	5.950	5.958	5.967	5.975	5.983	5.992
36	6.000	6.008	6.017	6.025	6.033	6.042	6.050	6.058	6.066	6.075
37	6.083	6.091	6.099	6.107	6.116	6.124	6.132	6.140	6.148	6.156
38	6.164	6.173	6.181	6.189	6.197	6.205	6.213	6.221	6.229	6.237
39	6.245	6.253	6.261	6.269	6.277	6.285	6.293	6.301	6.309	6.317
40	6.325	6.332	6.340	6.348	6.356	6.364	6.372	6.380	6.387	6.395
41	6.403	6.411	6.419	6.427	6.434	6.442	6.450	6.458	6.465	6.473
42	6.481	6.488	6.496	6.504	6.512	6.519	6.527	6.535	6.542	6.550
43	6.557	6.565	6.573	6.580	6.588	6.595	6.603	6.611	6.618	6.626
44	6.633	6.641	6.648	6.656	6.663	6.671	6.678	6.686	6.693	6.701
45	6.708	6.716	6.723	6.731	6.738	6.745	6.753	6.760	6.768	6.775
46	6.782	6.790	6.797	6.804	6.812	6.819	6.826	6.834	6.841	6.848
47	6.856	6.863	6.870	6.877	6.885	6.892	6.899	6.907	6.914	6.921
48	6.928	6.935	6.943	6.950	6.957	6.964	6.971	6.979	6.986	6.993
49	7.000	7.007	7.014	7.021	7.029	7.036	7.043	7.050	7.057	7.064
50	7.071	7.078	7.085	7.092	7.099	7.106	7.113	7.120	7.127	7.134
51	7.141	7.148	7.155	7.162	7.169	7.176	7.183	7.190	7.197	7.204
52	7.211	7.218	7.225	7.232	7.239	7.246	7.253	7.259	7.266	7.273
53	7.280	7.287	7.294	7.301	7.308	7.314	7.321	7.328	7.335	7.342
54	7.348	7.355	7.362	7.369	7.376	7.382	7.389	7.396	7.403	7.409

제곱근표(4)   55.0부터 99.9까지의 수

수	0	1	2	3	4	5	6	7	8	9
55	7.416	7.423	7.430	7.436	7.443	7.450	7.457	7.463	7.470	7.477
56	7.483	7.490	7.497	7.503	7.510	7.517	7.523	7.530	7.537	7.543
57	7.550	7.556	7.563	7.570	7.576	7.583	7.589	7.596	7.603	7.609
58	7.616	7.622	7.629	7.635	7.642	7.649	7.655	7.662	7.668	7.675
59	7.681	7.688	7.694	7.701	7.707	7.714	7.720	7.727	7.733	7.740
60	7.746	7.752	7.759	7.765	7.772	7.778	7.785	7.791	7.797	7.804
61	7.810	7.817	7.823	7.829	7.836	7.842	7.849	7.855	7.861	7.868
62	7.874	7.880	7.887	7.893	7.899	7.906	7.912	7.918	7.925	7.931
63	7.937	7.944	7.950	7.956	7.962	7.969	7.975	7.981	7.987	7.994
64	8.000	8.006	8.012	8.019	8.025	8.031	8.037	8.044	8.050	8.056
65	8.062	8.068	8.075	8.081	8.087	8.093	8.099	8.106	8.112	8.118
66	8.124	8.130	8.136	8.142	8.149	8.155	8.161	8.167	8.173	8.179
67	8.185	8.191	8.198	8.204	8.210	8.216	8.222	8.228	8.234	8.240
68	8.246	8.252	8.258	8.264	8.270	8.276	8.283	8.289	8.295	8.301
69	8.307	8.313	8.319	8.325	8.331	8.337	8.343	8.349	8.355	8.361
70	8.367	8.373	8.379	8.385	8.390	8.396	8.402	8.408	8.414	8.420
71	8.426	8.432	8.438	8.444	8.450	8.456	8.462	8.468	8.473	8.479
72	8.485	8.491	8.497	8.503	8.509	8.515	8.521	8.526	8.532	8.538
73	8.544	8.550	8.556	8.562	8.567	8.573	8.579	8.585	8.591	8.597
74	8.602	8.608	8.614	8.620	8.626	8.631	8.637	8.643	8.649	8.654
75	8.660	8.666	8.672	8.678	8.683	8.689	8.695	8.701	8.706	8.712
76	8.718	8.724	8.729	8.735	8.741	8.746	8.752	8.758	8.764	8.769
77	8.775	8.781	8.786	8.792	8.798	8.803	8.809	8.815	8.820	8.826
78	8.832	8.837	8.843	8.849	8.854	8.860	8.866	8.871	8.877	8.883
79	8.888	8.894	8.899	8.905	8.911	8.916	8.922	8.927	8.933	8.939
80	8.944	8.950	8.955	8.961	8.967	8.972	8.978	8.983	8.989	8.994
81	9.000	9.006	9.011	9.017	9.022	9.028	9.033	9.039	9.044	9.050
82	9.055	9.061	9.066	9.072	9.077	9.083	9.088	9.094	9.099	9.105
83	9.110	9.116	9.121	9.127	9.132	9.138	9.143	9.149	9.154	9.160
84	9.165	9.171	9.176	9.182	9.187	9.192	9.198	9.203	9.209	9.214
85	9.220	9.225	9.230	9.236	9.241	9.247	9.252	9.257	9.263	9.268
86	9.274	9.279	9.284	9.290	9.295	9.301	9.306	9.311	9.317	9.322
87	9.327	9.333	9.338	9.343	9.349	9.354	9.359	9.365	9.370	9.375
88	9.381	9.386	9.391	9.397	9.402	9.407	9.413	9.418	9.423	9.429
89	9.434	9.439	9.445	9.450	9.455	9.460	9.466	9.471	9.476	9.482
90	9.487	9.492	9.497	9.503	9.508	9.513	9.518	9.524	9.529	9.534
91	9.539	9.545	9.550	9.555	9.560	9.566	9.571	9.576	9.581	9.586
92	9.592	9.597	9.602	9.607	9.612	9.618	9.623	9.628	9.633	9.638
93	9.644	9.649	9.654	9.659	9.664	9.670	9.675	9.680	9.685	9.690
94	9.695	9.701	9.706	9.711	9.716	9.721	9.726	9.731	9.737	9.742
95	9.747	9.752	9.757	9.762	9.767	9.772	9.778	9.783	9.788	9.793
96	9.798	9.803	9.808	9.813	9.818	9.823	9.829	9.834	9.839	9.844
97	9.849	9.854	9.859	9.864	9.869	9.874	9.879	9.884	9.889	9.894
98	9.899	9.905	9.910	9.915	9.920	9.925	9.930	9.935	9.940	9.945
99	9.950	9.955	9.960	9.965	9.970	9.975	9.980	9.985	9.990	9.995

수학은 개념이다!

디딤돌의 중학 수학 시리즈는
여러분의 수학 자신감을 높여 줍니다.

개념 이해
디딤돌수학 개념연산

다양한 이미지와 단계별 접근을 통해
개념이 쉽게 이해되는 교재

개념 적용
디딤돌수학 개념기본

개념 이해, 개념 적용, 개념 완성으로
개념에 강해질 수 있는 교재

개념 응용
최상위수학 라이트

개념을 다양하게 응용하여
문제해결력을 키워주는 교재

개념 완성

디딤돌수학 개념연산과 개념기본은 동일한 학습 흐름으로 구성되어 있습니다.
연계 학습이 가능한 개념연산과 개념기본을 통해
중학 수학 개념을 완성할 수 있습니다.

최상위 수학

Light 라이트 중 3/1

정답과 풀이

최상위 수학

Light 라이트

중 3 1

정답과 풀이

1 제곱근과 실수
주제별 실력다지기

01 ②   **02** ③   **03** ②, ④   **04** -7 **05** ②, ⑤   **06** ⑤   **07** ②   **08** $-a$

09 ①   **10** ④   **11** $-2a-b$ **12** $-a^2-b^2$ **13** ③   **14** ③   **15** ③   **16** ⑤

17 6   **18** 30   **19** 24   **20** 24   **21** ④   **22** 9   **23** ②

24 $(5, 6), (20, 3), (45, 2), (180, 1)$ **25** ③   **26** ①, ⑤   **27** ③   **28** ①, ⑤   **29** ④

30 $a<c<b$ **31** $A<C<B$ **32** $7-\sqrt{10}$ **33** $\sqrt{3}-2, \sqrt{3}-\sqrt{5}, 1-\sqrt{5}$ **34** ④   **35** ⑤

36 6   **37** $3, \dfrac{8}{3}, \sqrt{6}, 0, -\sqrt{\dfrac{11}{4}}, -\sqrt{5}$ **38** ④   **39** $\dfrac{1}{\sqrt{k}}, \sqrt{k}, k, k^2$ **40** ④

41 $0.7+\sqrt{6}, \sqrt{49}-\sqrt{2}, \pi, -\sqrt{2.5}$ **42** ②, ④   **43** $\sqrt{5}-\sqrt{4}, \pi-0.\dot{2}$ **44** ②, ⑤   **45** 3개

46 $\dfrac{12}{3}, -\sqrt{3.6}, 2-\sqrt{10}$ **47** ④, ⑤   **48** ㄹ, ㅁ   **49** ②, ⑤   **50** ㄱ, ㄴ, ㅁ   **51** ④   **52** 21

53 ②   **54** 10   **55** ④   **56** ③   **57** 6   **58** ⑤   **59** -10 **60** ③

61 $P(-1-\sqrt{3}), Q(3+\sqrt{5})$ **62** $P(5-\sqrt{2}), Q(5+\sqrt{2})$ **63** -4 **64** -6

---

01 ㄱ. 제곱근 64는 $\sqrt{64}=\sqrt{8^2}=8$이다.

ㄴ. $\sqrt{7}$은 7의 제곱근이다.

ㄷ. 음수의 제곱근은 없으므로 -25의 음의 제곱근은 없다.

ㄹ. $\sqrt{(-4)^2}=4$이므로 4의 제곱근은 $\pm\sqrt{4}=\pm2$이다.

ㅁ. 0의 제곱근은 0의 1개이다.

ㅂ. 양수의 제곱근은 2개, 0의 제곱근은 1개이고, 음수의 제곱근은 없다.

따라서 보기 중 옳은 것은 ㄱ, ㄴ, ㄹ의 3개이다.

참고 ㄴ에서 '$\sqrt{7}$은 7의 제곱근이다.'는 참이지만 '7의 제곱근은 $\sqrt{7}$이다.'는 거짓이다.

➡ 7의 제곱근은 $\pm\sqrt{7}$이다.

02 ① $a>0$일 때, a의 제곱근은 $\sqrt{a}$, $-\sqrt{a}$의 2개이다.

② $a>0$이므로 $\sqrt{a^2}=a$

따라서 제곱근 $\sqrt{a^2}$은 제곱근 a이므로 $\sqrt{a}$이다.

③ $a>0$일 때, $\sqrt{(-a)^2}=\sqrt{a^2}=a$이므로 $\sqrt{(-a)^2}$의 제곱근은 $\pm\sqrt{a}$이다.

④ $a>0$에서 $-a<0$이다. 이때 음수의 제곱근은 없으므로 $-a$의 제곱근은 없다.

⑤ 제곱근 a는 $\sqrt{a}$이고, a의 양의 제곱근은 $\sqrt{a}$이므로 제곱근 a와 a의 양의 제곱근은 같다.

따라서 옳지 않은 것은 ③이다.

03 ① $\sqrt{0.09}=\sqrt{(0.3)^2}=0.3$

③ $\sqrt{0.0001}=\sqrt{(0.01)^2}=0.01$

⑤ $\sqrt{\dfrac{25}{169}}=\sqrt{\left(\dfrac{5}{13}\right)^2}=\dfrac{5}{13}$

04 $\sqrt{81}=\sqrt{9^2}=9$의 음의 제곱근은

$-\sqrt{9}=-3$ $\therefore a=-3$

$\sqrt{(-4)^2}=4$의 양의 제곱근은

$\sqrt{4}=2$ $\therefore b=2$

$\therefore a-2b=(-3)-2\times2=-7$

05 ① $-\sqrt{a^2}=-(-a)=a$

③ $(\sqrt{-a})^2=-a$

④ $(-\sqrt{-a})^2=(\sqrt{-a})^2=-a$

06 ㄱ. $x<-2$이면 $x+2<0, 2-x>0$이므로

$A=\sqrt{(x+2)^2}+\sqrt{(2-x)^2}$

$=-(x+2)+(2-x)$

$=-x-2+2-x$

$=-2x$

ㄴ. $-2<x<0$이면 $x+2>0, 2-x>0$이므로

$A=\sqrt{(x+2)^2}+\sqrt{(2-x)^2}$

$=(x+2)+(2-x)$

$=4$

ㄷ. $0<x<2$이면 $x+2>0, 2-x>0$이므로

$A=\sqrt{(x+2)^2}+\sqrt{(2-x)^2}$

$=(x+2)+(2-x)$

$=4$

ㄹ. $x>2$이면 $x+2>0, 2-x<0$이므로

$A=\sqrt{(x+2)^2}+\sqrt{(2-x)^2}$

$=(x+2)-(2-x)$

$=x+2-2+x$

$=2x$

따라서 보기 중 옳은 것은 ㄱ, ㄷ, ㄹ이다.

07 $-1<a<1$에서 $a-1<0$, $3-a>0$이므로
$\sqrt{(a-1)^2}=-(a-1)$, $\sqrt{(3-a)^2}=3-a$
$\therefore \sqrt{(a-1)^2}-\sqrt{(3-a)^2}=-(a-1)-(3-a)$
$\qquad\qquad\qquad\qquad\qquad =-a+1-3+a=-2$

08 $-1<a<0$에서 $1-a>0$, $\frac{1}{2}a-1<0$이므로
$\sqrt{(1-a)^2}=1-a$
$\sqrt{\left(\frac{1}{2}a-1\right)^2}=-\left(\frac{1}{2}a-1\right)$
$\sqrt{\frac{1}{4}a^2}=\sqrt{\left(\frac{1}{2}a\right)^2}$이고, $\frac{1}{2}a<0$이므로
$\sqrt{\frac{1}{4}a^2}=\sqrt{\left(\frac{1}{2}a\right)^2}=-\frac{1}{2}a$
$\therefore \sqrt{(1-a)^2}-\sqrt{\left(\frac{1}{2}a-1\right)^2}+\sqrt{\frac{1}{4}a^2}$
$\qquad =1-a+\left(\frac{1}{2}a-1\right)-\frac{1}{2}a=-a$

09 $0<a<1$에서 $\frac{1}{a}>1$이므로
$a-\frac{1}{a}<0$, $a+\frac{1}{a}>0$, $-2a<0$
$\sqrt{\left(a-\frac{1}{a}\right)^2}=-\left(a-\frac{1}{a}\right)=-a+\frac{1}{a}$
$\sqrt{\left(a+\frac{1}{a}\right)^2}=a+\frac{1}{a}$
$\sqrt{(-2a)^2}=-(-2a)=2a$
$\therefore \sqrt{\left(a-\frac{1}{a}\right)^2}-\sqrt{\left(a+\frac{1}{a}\right)^2}-\sqrt{(-2a)^2}$
$\qquad =-a+\frac{1}{a}-\left(a+\frac{1}{a}\right)-2a=-4a$

10 $a>0$, $b<0$에서 $a-b>0$, $b-2a<0$이므로
$\sqrt{(a-b)^2}=a-b$, $\sqrt{(b-2a)^2}=-(b-2a)$
$\therefore \sqrt{(a-b)^2}-\sqrt{(b-2a)^2}=a-b+(b-2a)=-a$

11 $ab<0$, $a-b>0$에서 $a>b$이므로 $a>0$, $b<0$이다.
따라서 $\sqrt{(-a)^2}=\sqrt{a^2}=a$, $|b|=-b$,
$\sqrt{9b^2}=\sqrt{(3b)^2}=-3b$, $(-\sqrt{a})^2=(\sqrt{a})^2=a$이므로
$-\sqrt{(-a)^2}-2|b|+\sqrt{9b^2}-(-\sqrt{a})^2$
$=-a+2b-3b-a=-2a-b$

12 $ab<0$에서 a, b의 부호는 서로 반대이다.
또, $a+b<0$, $|a|<|b|$에서 두 수 a, b 중 음수인

수의 절댓값이 양수인 수의 절댓값보다 크므로
$a>0$, $b<0$이다.
따라서 $|b|=-b$, $\sqrt{b^2}=-b$이고,
$a-b>0$이므로
$\sqrt{b^2(a-b)^2}=\sqrt{\{b(a-b)\}^2}=-b(a-b)$,
$b-a<0$이므로
$\sqrt{a^2(b-a)^2}=\sqrt{\{a(b-a)\}^2}=-a(b-a)$
$\therefore a|b|-\sqrt{b^2(a-b)^2}+a\sqrt{b^2}-\sqrt{a^2(b-a)^2}$
$\quad =-ab+b(a-b)-ab+a(b-a)$
$\quad =-ab+ab-b^2-ab+ab-a^2$
$\quad =-a^2-b^2$

13 $2=\sqrt{4}$이고 $\sqrt{5}>\sqrt{4}$이므로 $\sqrt{5}>2$에서
$\sqrt{5}-2>0$, $2-\sqrt{5}<0$
$\therefore \sqrt{(\sqrt{5}-2)^2}-\sqrt{(2-\sqrt{5})^2}$
$\quad =\sqrt{5}-2-\{-(2-\sqrt{5})\}$
$\quad =\sqrt{5}-2+2-\sqrt{5}$
$\quad =0$

14 $5=\sqrt{25}$이고 $\sqrt{25}>\sqrt{17}$이므로
$5>\sqrt{17}$ $\quad \therefore 5-\sqrt{17}>0$
$4=\sqrt{16}$이고 $\sqrt{16}<\sqrt{17}$이므로
$4<\sqrt{17}$ $\quad \therefore 4-\sqrt{17}<0$
즉, $\sqrt{(5-\sqrt{17})^2}=5-\sqrt{17}$,
$\sqrt{(4-\sqrt{17})^2}=-(4-\sqrt{17})$
$\therefore \sqrt{(5-\sqrt{17})^2}+\sqrt{(4-\sqrt{17})^2}$
$\quad =5-\sqrt{17}-(4-\sqrt{17})$
$\quad =5-\sqrt{17}-4+\sqrt{17}$
$\quad =1$

15 a가 자연수이므로 $\sqrt{37+a}$가 자연수가 되려면
$37+a$는 37보다 크고 (자연수)^{2}의 꼴이어야 한다.
즉, $37+a=7^2$, 8^2, 9^2, … 이므로
$37+a=49$, 64, 81, …
$\therefore a=12$, 27, 44, …
$a=12$일 때, $b=7$
$a=27$일 때, $b=8$
$a=44$일 때, $b=9$
$\qquad\vdots$
따라서 $a+b$의 값 중 가장 작은 값은
$12+7=19$

16 n이 자연수이므로 $\sqrt{20-n}$이 자연수가 되려면
$20-n$은 20보다 작고 $(\text{자연수})^2$의 꼴이어야 한다.
즉, $20-n=1^2, 2^2, 3^2, 4^2$이므로
$20-n=1, 4, 9, 16$
$\therefore n=19, 16, 11, 4$
따라서 n의 값 중 가장 작은 자연수는 4, 가장 큰 자연수는 19이므로 $a=4$, $b=19$이다.
$\therefore b-a=19-4=15$

17 $\sqrt{120+4x}=\sqrt{4(30+x)}=\sqrt{2^2\times(30+x)}$이고 x는 자연수이므로 $\sqrt{120+4x}$가 자연수가 되려면 $30+x$는 30보다 크고 $(\text{자연수})^2$의 꼴이어야 한다.
즉, $30+x=6^2, 7^2, 8^2, \cdots$ 이므로
$30+x=36, 49, 64, \cdots$
$\therefore x=6, 19, 34, \cdots$
따라서 가장 작은 자연수 x의 값은 6이다.

18 $\sqrt{45-3a}=\sqrt{3(15-a)}$이므로 $15-a$는 0이거나 15보다 작고 $3\times(\text{자연수})^2$의 꼴이어야 한다.
즉, $15-a=0, 3\times1^2, 3\times2^2$이므로
$15-a=0, 3, 12$ $\qquad \therefore a=15, 12, 3$
따라서 구하는 모든 자연수 a의 값의 합은
$3+12+15=30$

19 $\sqrt{100+2a}-\sqrt{150-3b}$의 값이 가장 작은 정수가 되려면
$\sqrt{100+2a}$는 최소의 정수, $\sqrt{150-3b}$는 최대의 정수가 되어야 한다.
a가 자연수이므로 $\sqrt{100+2a}=\sqrt{2(50+a)}$가 정수가 되려면 $50+a$는 50보다 크고 $2\times(\text{자연수})^2$의 꼴이어야 한다.
즉, $50+a=2\times6^2, 2\times7^2, 2\times8^2, \cdots$
이때 $50+a$도 최소의 정수가 되어야 하므로
$50+a=2\times6^2=72$에서 $a=22$일 때
$\sqrt{100+2a}$는 최소의 정수가 된다.
또, b가 자연수이므로 $\sqrt{150-3b}=\sqrt{3(50-b)}$가 정수가 되려면 $50-b$는 0이거나 50보다 작고 $3\times(\text{자연수})^2$의 꼴이어야 한다.
즉, $50-b=0, 3\times1^2, 3\times2^2, 3\times3^2, 3\times4^2$
이때 $50-b$도 최대의 정수가 되어야 하므로
$50-b=3\times4^2=48$에서 $b=2$일 때
$\sqrt{150-3b}$는 최대의 정수가 된다.
$\therefore a+b=22+2=24$

20 $\sqrt{216a}=\sqrt{2^3\times3^3\times a}$가 자연수가 되려면 자연수 a는
$a=2\times3\times(\text{자연수})^2$의 꼴이어야 한다.
즉, $a=6\times1^2, 6\times2^2, 6\times3^2, \cdots$
$\therefore a=6, 24, 54, \cdots$
따라서 a의 값 중 가장 작은 두 자리의 자연수는 24이다.

21 $\sqrt{6xy}$가 자연수가 되려면 xy는 $6\times(\text{자연수})^2$의 꼴이어야 한다.
즉, $xy=6\times1^2, 6\times2^2, 6\times3^2, \cdots$
$\therefore xy=6, 24, 54, \cdots$
그런데 x, y는 6 이하의 자연수이므로
$xy\leq36$에서 $xy=6, 24$
(i) $xy=6$일 때, (x, y)는 $(1, 6), (2, 3), (3, 2),$ $(6, 1)$의 4가지
(ii) $xy=24$일 때, (x, y)는 $(4, 6), (6, 4)$의 2가지
따라서 (i), (ii)에 의해 $\sqrt{6xy}$가 자연수가 되는 경우는 모두 6가지이다.

22 $\sqrt{\dfrac{27}{x}}=\sqrt{\dfrac{3^2\times3}{x}}$이 자연수가 되려면 자연수 x는
$x=3\times(\text{3의 약수})^2$의 꼴이어야 한다.
즉, $x=3\times1^2, 3\times3^2$
$\therefore x=3, 27$
또, $\sqrt{\dfrac{2}{3}y}$가 자연수가 되려면 자연수 y는
$y=2\times3\times(\text{자연수})^2$의 꼴이어야 한다.
즉, $y=6\times1^2, 6\times2^2, 6\times3^2, \cdots$
$\therefore y=6, 24, 54, \cdots$
따라서 구하는 x, y는 각각 3, 6이므로 그 합은
$3+6=9$

23 $\sqrt{\dfrac{450}{n}}=\sqrt{\dfrac{5^2\times3^2\times2}{n}}$가 자연수가 되려면 자연수 n은
$n=2\times(\text{15의 약수})^2$의 꼴이어야 한다.
즉, $n=2\times1^2, 2\times3^2, 2\times5^2, 2\times15^2$
$\therefore n=2, 18, 50, 450$
따라서 자연수 n의 개수는 4이다.

24 $\sqrt{\dfrac{180}{a}}=\sqrt{\dfrac{6^2\times5}{a}}$가 자연수가 되려면
$a=5\times(\text{6의 약수})^2$의 꼴이어야 한다.
즉, $a=5\times1^2, 5\times2^2, 5\times3^2, 5\times6^2$
$\therefore a=5, 20, 45, 180$

$a=5$일 때, $b=\sqrt{\dfrac{180}{5}}=\sqrt{6^2}=6$

$a=20$일 때, $b=\sqrt{\dfrac{180}{20}}=\sqrt{3^2}=3$

$a=45$일 때, $b=\sqrt{\dfrac{180}{45}}=\sqrt{2^2}=2$

$a=180$일 때, $b=\sqrt{\dfrac{180}{180}}=1$

따라서 구하는 순서쌍 (a, b)는

$(5, 6), (20, 3), (45, 2), (180, 1)$

25 ㄱ. $3=\sqrt{9}$이므로 $3>\sqrt{5}$

ㄴ. $\dfrac{\sqrt{7}}{2}<\dfrac{\sqrt{8}}{2}$이므로 $-\dfrac{\sqrt{7}}{2}>-\dfrac{\sqrt{8}}{2}$

ㄷ. $0.6=\sqrt{0.36}$이므로 $\sqrt{0.6}>0.6$

ㄹ. $\dfrac{1}{3}=\sqrt{\dfrac{1}{9}}$이므로 $\dfrac{1}{3}>\sqrt{\dfrac{1}{10}}$

따라서 대소 관계가 옳은 것은 ㄴ, ㄷ이다.

26 ① $(\sqrt{2}-3)-(\sqrt{2}-4)=1>0$이므로

$\sqrt{2}-3>\sqrt{2}-4$

② $(\sqrt{14}+1)-5=\sqrt{14}-4=\sqrt{14}-\sqrt{16}<0$이므로

$\sqrt{14}+1<5$

③ $3-(2+\sqrt{2})=1-\sqrt{2}<0$이므로

$3<2+\sqrt{2}$

④ $(1+\sqrt{3})-(1+\sqrt{2})=\sqrt{3}-\sqrt{2}>0$이므로

$1+\sqrt{3}>1+\sqrt{2}$

⑤ $(-\sqrt{6}+\sqrt{7})-(-2+\sqrt{7})=-\sqrt{6}+2$

$\qquad\qquad\qquad\qquad\qquad =-\sqrt{6}+\sqrt{4}<0$

이므로 $-\sqrt{6}+\sqrt{7}<-2+\sqrt{7}$

따라서 옳은 것은 ①, ⑤이다.

27 ① $(\sqrt{40}+7)-13=\sqrt{40}-6=\sqrt{40}-\sqrt{36}>0$이므로

$\sqrt{40}+7\boxed{>}13$

② $(\sqrt{14}-2)-1=\sqrt{14}-3=\sqrt{14}-\sqrt{9}>0$이므로

$\sqrt{14}-2\boxed{>}1$

③ $(5-\sqrt{10})-2=3-\sqrt{10}=\sqrt{9}-\sqrt{10}<0$이므로

$5-\sqrt{10}\boxed{<}2$

④ $(\sqrt{2}-\sqrt{3})-(\sqrt{2}-\sqrt{5})=-\sqrt{3}+\sqrt{5}>0$이므로

$\sqrt{2}-\sqrt{3}\boxed{>}\sqrt{2}-\sqrt{5}$

⑤ $(\sqrt{18}-\sqrt{12})-(4-\sqrt{12})=\sqrt{18}-4$

$\qquad\qquad\qquad\qquad\qquad =\sqrt{18}-\sqrt{16}>0$

이므로 $\sqrt{18}-\sqrt{12}\boxed{>}4-\sqrt{12}$

따라서 부등호의 방향이 나머지 넷과 다른 것은 ③이다.

28 ① $5-(\sqrt{2}+3)=2-\sqrt{2}=\sqrt{4}-\sqrt{2}>0$이므로

$5>\sqrt{2}+3$

② $(\sqrt{15}+\sqrt{11})-(\sqrt{11}+4)=\sqrt{15}-4$

$\qquad\qquad\qquad\qquad\qquad\qquad =\sqrt{15}-\sqrt{16}<0$

이므로 $\sqrt{15}+\sqrt{11}<\sqrt{11}+4$

③ $(\sqrt{19}-1)-\dfrac{7}{2}=\sqrt{19}-\dfrac{9}{2}=\sqrt{\dfrac{76}{4}}-\sqrt{\dfrac{81}{4}}<0$

이므로 $\sqrt{19}-1<\dfrac{7}{2}$

④ $\left(\sqrt{\dfrac{1}{6}}-2\right)-\left(\sqrt{\dfrac{1}{5}}-2\right)=\sqrt{\dfrac{1}{6}}-\sqrt{\dfrac{1}{5}}$

$\qquad\qquad\qquad\qquad\qquad =\sqrt{\dfrac{5}{30}}-\sqrt{\dfrac{6}{30}}<0$

이므로 $\sqrt{\dfrac{1}{6}}-2<\sqrt{\dfrac{1}{5}}-2$

⑤ $(-4-\sqrt{3})-(-\sqrt{10}-\sqrt{3})=-4+\sqrt{10}$

$\qquad\qquad\qquad\qquad\qquad\qquad =-\sqrt{16}+\sqrt{10}<0$

이므로 $-4-\sqrt{3}<-\sqrt{10}-\sqrt{3}$

따라서 옳지 않은 것은 ①, ⑤이다.

29 $a-c=\sqrt{17}-4=\sqrt{17}-\sqrt{16}>0$이므로

$a>c$ $\qquad\cdots\cdots$ ㉠

$b-c=(1+\sqrt{6})-4=\sqrt{6}-3=\sqrt{6}-\sqrt{9}<0$이므로

$b<c$ $\qquad\cdots\cdots$ ㉡

㉠, ㉡에서

$b<c<a$

30 $a-c=(2\sqrt{3}+3)-7$

$\qquad\quad =2\sqrt{3}-4$

$\qquad\quad =\sqrt{12}-\sqrt{16}<0$

이므로 $a<c$ $\qquad\cdots\cdots$ ㉠

$b-c=(3\sqrt{3}+2)-7$

$\qquad\quad =3\sqrt{3}-5$

$\qquad\quad =\sqrt{27}-\sqrt{25}>0$

이므로 $b>c$ $\qquad\cdots\cdots$ ㉡

㉠, ㉡에서

$a<c<b$

31 $A-C=(\sqrt{12}-3)-(\sqrt{7}+\sqrt{12})=-3-\sqrt{7}<0$

이므로 $A<C$ $\qquad\cdots\cdots$ ㉠

$B-C=(\sqrt{7}+4)-(\sqrt{7}+\sqrt{12})=4-\sqrt{12}$

$\qquad\quad =\sqrt{16}-\sqrt{12}>0$

이므로 $B>C$ $\qquad\cdots\cdots$ ㉡

㉠, ㉡에서

$A<C<B$

32 점 B에 대응하는 수는 3과 4 사이에 있는 수이다.
$3<\sqrt{10}<4$에서 $4<1+\sqrt{10}<5$이므로 $1+\sqrt{10}$은 점 C에 대응한다.
$2<\sqrt{5}<3$이므로 $\sqrt{5}$는 점 A에 대응한다.
$3<\sqrt{10}<4$에서 $-4<-\sqrt{10}<-3$이고,
$3<7-\sqrt{10}<4$이므로 $7-\sqrt{10}$은 점 B에 대응한다.
따라서 점 B에 대응하는 수는 $7-\sqrt{10}$이다.

33 $(\sqrt{3}-\sqrt{5})-(\sqrt{3}-2)=-\sqrt{5}+2=-\sqrt{5}+\sqrt{4}<0$
이므로 $\sqrt{3}-\sqrt{5}<\sqrt{3}-2$ $\qquad$ ㉠
$(\sqrt{3}-\sqrt{5})-(1-\sqrt{5})=\sqrt{3}-1>0$이므로
$\sqrt{3}-\sqrt{5}>1-\sqrt{5}$ $\qquad$ ㉡
㉠, ㉡에서 $1-\sqrt{5}<\sqrt{3}-\sqrt{5}<\sqrt{3}-2$
따라서 수직선 위에 나타내었을 때, 오른쪽에 있는 수부터 차례로 나열하면
$\sqrt{3}-2,\ \sqrt{3}-\sqrt{5},\ 1-\sqrt{5}$

34 $\sqrt{2}=1.414$, $\sqrt{3}=1.732$에서 $\sqrt{3}-\sqrt{2}=0.318$이므로 $\sqrt{2}$에 0.318보다 작은 수를 더한 수와 $\sqrt{3}$에서 0.318보다 작은 수를 뺀 수는 $\sqrt{2}$와 $\sqrt{3}$ 사이에 있다.
① 0.01은 0.318보다 작으므로 $\sqrt{2}+0.01$은 $\sqrt{2}$와 $\sqrt{3}$ 사이에 있다.
② 0.1은 0.318보다 작으므로 $\sqrt{3}-0.1$은 $\sqrt{2}$와 $\sqrt{3}$ 사이에 있다.
③ $\dfrac{\sqrt{2}+\sqrt{3}}{2}$은 $\sqrt{2}$와 $\sqrt{3}$의 중점에 대응하는 수이므로 $\sqrt{2}$와 $\sqrt{3}$ 사이에 있다.
④ 0.4는 0.318보다 크므로 $\sqrt{2}+0.4$는 $\sqrt{3}$보다 큰 수로 $\sqrt{2}$와 $\sqrt{3}$ 사이에 있지 않다.
⑤ 0.2는 0.318보다 작으므로 $\sqrt{3}-0.2$는 $\sqrt{2}$와 $\sqrt{3}$ 사이에 있다.
따라서 $\sqrt{2}$와 $\sqrt{3}$ 사이에 있는 수가 아닌 것은 ④이다.
다른 풀이 ① $\sqrt{2}+0.01=1.414+0.01=1.424$
② $\sqrt{3}-0.1=1.732-0.1=1.632$
③ $\dfrac{\sqrt{2}+\sqrt{3}}{2}=\dfrac{1.414+1.732}{2}$
$\qquad\qquad=1.573$
④ $\sqrt{2}+0.4=1.414+0.4=1.814$
⑤ $\sqrt{3}-0.2=1.732-0.2=1.532$

35 $7=\sqrt{49}$이므로 $\sqrt{5}$와 $\sqrt{49}$ 사이에 있는 수가 아닌 것을 찾는다.

$\sqrt{5}<\sqrt{6.4}<\sqrt{\dfrac{15}{2}}(=\sqrt{7.5})<\sqrt{11}<\sqrt{38}<\sqrt{49}<\sqrt{50}$
따라서 $\sqrt{5}$와 7 사이에 있는 수가 아닌 것은 ⑤이다.

36 $1<\sqrt{3}<2$에서 $-2<-\sqrt{3}<-1$이므로
$-1<1-\sqrt{3}<0$, $3<\sqrt{3}+2<4$
두 수 $1-\sqrt{3}$과 $\sqrt{3}+2$를 수직선 위에 나타내면 다음 그림과 같다.

따라서 두 수 사이에 있는 정수는 0, 1, 2, 3이므로 그 합은
$0+1+2+3=6$
다른 풀이 $1<\sqrt{3}<2$에서 $\sqrt{3}=1.\times\times\times$이므로
$1-\sqrt{3}=1-1.\times\times\times=-0.\times\times\times$
$\sqrt{3}+2=1.\times\times\times+2=3.\times\times\times$
따라서 구하는 정수를 x라 하면
$\underset{-0.\times\times\times}{1-\sqrt{3}}<x<\underset{3.\times\times\times}{\sqrt{3}+2}$
에서 $x=0,\ 1,\ 2,\ 3$이므로 그 합은
$0+1+2+3=6$

37 주어진 수들을 근호를 사용하여 차례로 나타내면
$\sqrt{9},\ -\sqrt{\dfrac{11}{4}},\ \sqrt{\dfrac{64}{9}},\ -\sqrt{5},\ 0,\ \sqrt{6}$
이때 $\sqrt{\dfrac{11}{4}}<\sqrt{5}$이므로 $-\sqrt{\dfrac{11}{4}}>-\sqrt{5}$이고,
$\sqrt{9}=\sqrt{\dfrac{81}{9}}$, $\sqrt{6}=\sqrt{\dfrac{54}{9}}$이므로 $\sqrt{9}>\sqrt{\dfrac{64}{9}}>\sqrt{6}$
즉, $\sqrt{9}>\sqrt{\dfrac{64}{9}}>\sqrt{6}>0>-\sqrt{\dfrac{11}{4}}>-\sqrt{5}$
따라서 위의 수들을 큰 것부터 차례로 나열하면
$3,\ \dfrac{8}{3},\ \sqrt{6},\ 0,\ -\sqrt{\dfrac{11}{4}},\ -\sqrt{5}$

38 수직선 위에서 가장 오른쪽에 위치하는 수는 가장 큰 수이다.
① $\sqrt{3}$과 ② $\sqrt{2}+\sqrt{3}$과 ③ $\sqrt{3}-0.1$의 대소를 비교하면 $\sqrt{3}-0.1<\sqrt{3}<\sqrt{2}+\sqrt{3}$
이므로 이 중 가장 큰 수는 ②이다.
② $\sqrt{2}+\sqrt{3}$과 ④ $\sqrt{6}+\sqrt{3}$의 대소를 비교하면
$(\sqrt{2}+\sqrt{3})-(\sqrt{6}+\sqrt{3})=\sqrt{2}-\sqrt{6}<0$이므로
$\sqrt{2}+\sqrt{3}<\sqrt{6}+\sqrt{3}$
즉, 두 수 중 큰 수는 ④이다.
마지막으로 ④ $\sqrt{6}+\sqrt{3}$과 ⑤ $2+\sqrt{3}$의 대소를 비교하면

$(\sqrt{6}+\sqrt{3})-(2+\sqrt{3})=\sqrt{6}-2=\sqrt{6}-\sqrt{4}>0$이므로

$\sqrt{6}+\sqrt{3}>2+\sqrt{3}$

즉, 두 수 중 큰 수는 ④이다.

따라서 수직선 위에 나타내었을 때 가장 오른쪽에 위치하는 수, 즉 가장 큰 수는 ④이다.

39 $0<k<1$을 만족하는 적당한 k의 값을 대입하여 생각한다.

$k=\dfrac{1}{4}$이라 하면

$\sqrt{k}=\sqrt{\dfrac{1}{4}}=\dfrac{1}{2}$, $k^2=\left(\dfrac{1}{4}\right)^2=\dfrac{1}{16}$,

$\dfrac{1}{\sqrt{k}}=\dfrac{1}{\sqrt{\frac{1}{4}}}=\dfrac{1}{\frac{1}{2}}=2$

따라서 큰 것부터 차례로 나열하면

$\dfrac{1}{\sqrt{k}}$, $\sqrt{k}$, k, k^2

참고 $0<k<1$일 때, 다음이 성립한다.

(1) $k<\dfrac{1}{k}$, $\sqrt{k}<\dfrac{1}{\sqrt{k}}$

(2) $k<\sqrt{k}$

(3) $k>k^2>k^3>\cdots$

40 ① 0.1의 제곱근은 $\sqrt{0.1}$, $-\sqrt{0.1}$이므로 무리수이다.

② $x=\sqrt{5}$ 또는 $x=-\sqrt{5}$이므로 무리수이다.

③ 제곱근 3은 $\sqrt{3}$이므로 무리수이다.

④ $0.\dot{4}=\dfrac{4}{9}$의 음의 제곱근은 $-\sqrt{\dfrac{4}{9}}=-\dfrac{2}{3}$이므로 유리수이다.

⑤ 정사각형의 한 변의 길이는 $\sqrt{12}$이므로 무리수이다.

따라서 무리수가 아닌 것은 ④이다.

41 순환하지 않는 무한소수로 나타내어지는 것은 무리수이므로 주어진 수 중 무리수를 찾는다.

$0.12\dot{5}$는 순환소수이므로 유리수이다.

(유리수)+(무리수)=(무리수)이므로 $0.7+\sqrt{6}$은 무리수이다.

$\dfrac{1}{\sqrt{4}}=\dfrac{1}{2}$이므로 유리수이다.

$\sqrt{49}-\sqrt{2}=7-\sqrt{2}$이고,

(유리수)-(무리수)=(무리수)이므로 $\sqrt{49}-\sqrt{2}$는 무리수이다.

$\sqrt{169}=13$이므로 유리수이다.

$0.301301301\cdots=0.\dot{3}0\dot{1}$은 순환소수이므로 유리수이다.

π는 순환하지 않는 무한소수로 무리수이다.

$-\sqrt{2.5}$는 무리수이다.

따라서 주어진 수 중 순환하지 않는 무한소수, 즉 무리수는 $0.7+\sqrt{6}$, $\sqrt{49}-\sqrt{2}$, π, $-\sqrt{2.5}$이다.

42 ② 순환소수는 유리수이다.

④ 무한소수 중에서 순환소수는 유리수이다.

43 주어진 그림의 어두운 부분에 해당하는 수는 무리수이다.

$\sqrt{\dfrac{121}{196}}=\sqrt{\left(\dfrac{11}{14}\right)^2}=\dfrac{11}{14}$이므로 유리수이다.

$\sqrt{5}-\sqrt{4}=\sqrt{5}-2$이므로 무리수이다.

$-\sqrt{6.25}=-\sqrt{(2.5)^2}=-2.5$이므로 유리수이다.

$\pi-0.\dot{2}=\pi-\dfrac{2}{9}$이므로 무리수이다.

$\sqrt{\dfrac{1}{9}}-\dfrac{2}{3}=\dfrac{1}{3}-\dfrac{2}{3}=-\dfrac{1}{3}$이므로 유리수이다.

따라서 어두운 부분에 해당하는 수는 $\sqrt{5}-\sqrt{4}$, $\pi-0.\dot{2}$이다.

44 주어진 그림에서 어두운 부분에 해당하는 수는 무리수이다.

① $\sqrt{64}=\sqrt{8^2}=8$이므로 유리수이다.

② $-\sqrt{0.4}$는 무리수이다.

③ $-\sqrt{\dfrac{1}{100}}=-\sqrt{\left(\dfrac{1}{10}\right)^2}=-\dfrac{1}{10}$이므로 유리수이다.

④ $0.7\dot{2}$는 순환소수이므로 유리수이다.

⑤ (무리수)-(유리수)=(무리수)이므로 $\sqrt{3}-3$은 무리수이다.

따라서 어두운 부분에 해당하는 수는 ②, ⑤이다.

45 주어진 그림의 어두운 부분에 해당하는 수는 정수가 아닌 유리수이다.

3.14는 정수가 아닌 유리수이다.

$\sqrt{4.9}$는 무리수이다.

$1.\dot{2}$는 순환소수로 정수가 아닌 유리수이다.

$-\sqrt{1.96}=-\sqrt{(1.4)^2}=-1.4$이므로 정수가 아닌 유리수이다.

$-\sqrt{(-34)^2}=-\sqrt{34^2}=-34$이므로 정수이다.

따라서 어두운 부분에 해당하는 수는 3.14, $1.\dot{2}$, $-\sqrt{1.96}$의 3개이다.

46 주어진 그림의 어두운 부분에 해당하는 수는 무리수와 정수이다.

$0.272727\cdots=0.\dot{2}\dot{7}$은 순환소수이므로 정수가 아닌 유리수이다.

$\dfrac{12}{3}=4$이므로 정수이다.

$-\sqrt{3.6}$은 무리수이다.

$2-\sqrt{10}$은 무리수이다.

$\left(-\sqrt{\dfrac{7}{25}}\right)^2=\dfrac{7}{25}$이므로 정수가 아닌 유리수이다.

따라서 어두운 부분에 해당하는 수는 $\dfrac{12}{3}$, $-\sqrt{3.6}$, $2-\sqrt{10}$이다.

47 ④ 무리수에 대응하는 점들만으로는 수직선을 완전히 메울 수 없다.

⑤ 모든 무리수는 수직선 위에 나타낼 수 있다.

48 ㄱ. 두 유리수 사이에는 무수히 많은 무리수가 있다.

ㄴ. [반례] $a=4$이면 $\sqrt{a}=\sqrt{4}=2$이므로 유리수이다.

ㄷ. [반례] $a=\sqrt{2}$, $b=-\sqrt{2}$이면 $ab=\sqrt{2}\times(-\sqrt{2})=-2$이므로 유리수이다.

따라서 보기 중 옳은 것은 ㄹ, ㅁ이다.

49 ① [반례] $a=9$이면 $\sqrt{a}=\sqrt{9}=3$으로 유리수이다.

③ 수직선은 무리수에 대응하는 점만으로는 완전히 메울 수 없다.

④ 두 실수 사이에 있는 정수는 유한개이다.

따라서 옳은 것은 ②, ⑤이다.

50 (유리수)$\pm$(무리수)는 항상 무리수이다.

ㄱ. a가 유리수이면 a^2도 유리수이므로 a^2+b는 항상 무리수이다.

ㄴ. $a-b$는 무리수이고, 2는 유리수이므로 $\dfrac{a-b}{2}$는 항상 무리수이다.

ㄷ. [반례] $a=4$, $b=\sqrt{2}$이면 $\sqrt{a}\times b^2=\sqrt{4}\times(\sqrt{2})^2=2\times2=4$이므로 유리수이다.

ㄹ. [반례] $a=0$, $b=\sqrt{2}$이면 $\dfrac{a}{b}=\dfrac{0}{\sqrt{2}}=0$이므로 유리수이다.

ㅁ. a가 0이 아닌 유리수, b가 무리수이면 $\dfrac{b}{a}$는 항상 무리수이다.

따라서 보기 중 항상 무리수인 것은 ㄱ, ㄴ, ㅁ이다.

51 ① [반례] $a=3$, $b=\sqrt{2}$일 때, $\sqrt{a}-b=\sqrt{3}-\sqrt{2}$이므로 유리수가 아니다.

② [반례] $a=2$, $b=-\sqrt{2}$일 때, $\sqrt{a}+b=\sqrt{2}+(-\sqrt{2})=0$이므로 무리수가 아니다.

③ [반례] $a=2$, $b=\sqrt{2}$일 때, $\sqrt{a}\times b=\sqrt{2}\times\sqrt{2}=2$이므로 무리수가 아니다.

④ 유리수와 무리수의 합은 항상 무리수이다.

⑤ [반례] $a=4$, $b=\sqrt{2}$일 때, $\dfrac{b}{\sqrt{a}}=\dfrac{\sqrt{2}}{\sqrt{4}}=\dfrac{\sqrt{2}}{2}$이므로 유리수가 아니다.

따라서 항상 옳은 것은 ④이다.

52 주어진 부등식의 각 변을 제곱하면

$25\le3a-2<36$, $27\le3a<38$

$\therefore 9\le a<\dfrac{38}{3}$

따라서 부등식을 만족하는 자연수 a는 9, 10, 11, 12이므로 $M=12$, $m=9$이다.

$\therefore M+m=12+9=21$

53 주어진 부등식의 각 변을 2로 나누면

$1.6<\sqrt{x}<2.5$

각 변을 제곱하면

$2.56<x<6.25$

따라서 부등식을 만족하는 자연수 x는 3, 4, 5, 6이므로 그 합은

$3+4+5+6=18$

54 부등식 $-\sqrt{21}<-\sqrt{x}<-3$의 각 변에 -1을 곱하면

$3<\sqrt{x}<\sqrt{21}$

각 변을 제곱하면

$9<x<21$

이므로 이 부등식을 만족하는 자연수 x는 10, 11, 12, $\cdots$, 20이다.

또, 부등식 $\sqrt{15}<\sqrt{5x}<\sqrt{98}$의 각 변을 제곱하면

$15<5x<98$, $3<x<\dfrac{98}{5}$

이므로 이 부등식을 만족하는 자연수 x는 4, 5, 6, $\cdots$, 19이다.

따라서 두 부등식을 동시에 만족하는 자연수 x는 10, 11, 12, $\cdots$, 19의 10개이다.

55 $\sqrt{1}\,(=1)$보다 작은 자연수는 없으므로
$f(1)=0$
$\sqrt{2},\ \sqrt{3},\ \sqrt{4}\,(=2)$보다 작은 자연수는 1의 1개이므로
$f(2)=f(3)=f(4)=1$
$\sqrt{5},\ \sqrt{6},\ \sqrt{7},\ \sqrt{8},\ \sqrt{9}\,(=3)$보다 작은 자연수는 1, 2
의 2개이므로
$f(5)=f(6)=f(7)=f(8)=f(9)=2$
$\sqrt{10}$보다 작은 자연수는 1, 2, 3의 3개이므로
$f(10)=3$
$\therefore f(1)+f(2)+f(3)+\cdots+f(10)$
$\quad=0+(1\times3)+(2\times5)+3$
$\quad=16$

56 $5^2<32<6^2$에서 $5<\sqrt{32}<6$이므로 $\sqrt{32}$보다 크거나
같은 최소의 정수는 6이다.
$\therefore f(32)=6$
또, $11^2<128<12^2$에서 $11<\sqrt{128}<12$이므로 $\sqrt{128}$
보다 작거나 같은 최대의 정수는 11이다.
$\therefore g(128)=11$
$\therefore f(32)-g(128)=6-11=-5$

57 $(6.5)^2=42.25$이므로 $6^2<37<(6.5)^2$
즉, $6<\sqrt{37}<6.5$
따라서 $\sqrt{37}$에 가장 가까운 정수는 6이다.
$\therefore f(\sqrt{37})=6$

58 ① 한 변의 길이가 1인 정사각형의 대각선의 길이는
$\sqrt{1^2+1^2}=\sqrt{2}$이므로 $\overline{AC}=\overline{BD}=\sqrt{2}$
② $\overline{AC}=\overline{AQ}$, $\overline{BD}=\overline{BP}$이고, $\overline{AC}=\overline{BD}$이므로
$\overline{AQ}=\overline{BP}$
③ $\overline{AC}=\sqrt{2}$이므로 $\overline{AC}$를 한 변으로 하는 정사각형
의 넓이는 $(\sqrt{2})^2=2$이다.
④ $\overline{BP}=\overline{BD}=\sqrt{2}$이고, 점 P는 기준점 B의 왼쪽에
있으므로 점 P의 좌표는 $-3-\sqrt{2}$이다.
⑤ $\overline{AQ}=\overline{AC}=\sqrt{2}$이고, 점 Q는 기준점 A의 오른쪽
에 있으므로 점 Q의 좌표는 $-4+\sqrt{2}$이다.

59 오른쪽 그림에서
$\overline{BP}=\overline{BA}$
$\quad=\sqrt{1^2+1^2}$
$\quad=\sqrt{2},$
$\overline{BQ}=\overline{BC}$

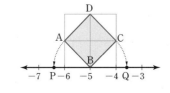

$\quad=\sqrt{1^2+1^2}$
$\quad=\sqrt{2}$
이므로 점 P에 대응하는 수는 $-5-\sqrt{2}$, 점 Q에 대
응하는 수는 $-5+\sqrt{2}$이다.
따라서 두 수의 합은
$(-5-\sqrt{2})+(-5+\sqrt{2})=-10$

60 ③ 한 변의 길이가 1인 정사각형의 대각선의 길이는
$\sqrt{1^2+1^2}=\sqrt{2}$이다. 점 C는 기준점의 좌표 -2에
서 오른쪽으로 $\sqrt{2}$만큼 떨어져 있으므로
$C(-2+\sqrt{2})$이다.

61 두 정사각형 ABCD, EFGH의 넓이가 각각 3, 5이
므로 한 변의 길이는 각각 $\sqrt{3},\ \sqrt{5}$이다.
$\therefore \overline{AD}=\sqrt{3},\ \overline{EF}=\sqrt{5}$
따라서 $\overline{AP}=\overline{AD}=\sqrt{3}$이고, 점 P는 기준점 A에서
왼쪽으로 $\sqrt{3}$만큼 떨어져 있으므로 점 P의 좌표는
$-1-\sqrt{3}$이다.
또, $\overline{EQ}=\overline{EF}=\sqrt{5}$이고, 점 Q는 기준점 E에서 오른
쪽으로 $\sqrt{5}$만큼 떨어져 있으므로 점 Q의 좌표는
$3+\sqrt{5}$이다.
$\therefore P(-1-\sqrt{3}),\ Q(3+\sqrt{5})$

62 오른쪽 그림에서
$\overline{OP}=\overline{OD}=\sqrt{1^2+1^2}=\sqrt{2}$
이므로
점 P의 좌표는 $5-\sqrt{2}$
$\overline{OQ}=\overline{OC}=\sqrt{1^2+1^2}=\sqrt{2}$이므로
점 Q의 좌표는 $5+\sqrt{2}$

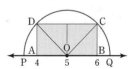

63 $\overline{AP}=\overline{AD}=\sqrt{1^2+2^2}=\sqrt{5}$,
$\overline{AQ}=\overline{AB}=\sqrt{2^2+1^2}=\sqrt{5}$
이므로 점 P에 대응하는 수는 $-1-\sqrt{5}$, 점 Q에 대
응하는 수는 $-1+\sqrt{5}$이다.
따라서 두 점 P, Q에 대응하는 두 수의 곱은
$(-1-\sqrt{5})\times(-1+\sqrt{5})=-4$

64

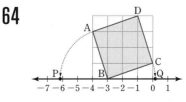

위의 그림에서

$\overline{BP}=\overline{BA}=\sqrt{1^2+3^2}=\sqrt{10}$

$\overline{BQ}=\overline{BC}=\sqrt{3^2+1^2}=\sqrt{10}$

점 P는 기준점 B에서 왼쪽으로 $\sqrt{10}$만큼 떨어져 있으므로 점 P에 대응하는 수 a는

$a=-3-\sqrt{10}$

또, 점 Q는 기준점 B에서 오른쪽으로 $\sqrt{10}$만큼 떨어져 있으므로 점 Q에 대응하는 수 b는

$b=-3+\sqrt{10}$

$\therefore a+b=(-3-\sqrt{10})+(-3+\sqrt{10})$

$=-6$

2 근호를 포함한 식의 계산

주제별 실력다지기

01 $\frac{\sqrt{2}}{4}$	**02** ⑤	**03** $\frac{7}{3}$	**04** ④	**05** ①	**06** ②	**07** 12	**08** ④
09 ②	**10** ②, ⑤	**11** ⑤	**12** 22	**13** $3\sqrt{5}$ cm	**14** ③	**15** ④	**16** ②
17 ①	**18** ④	**19** $2-\sqrt{2}$	**20** $\sqrt{3}-1$	**21** $-4+\frac{\sqrt{3}}{18}$	**22** ①, ⑤	**23** ③, ⑤	**24** ④
25 ②	**26** ②	**27** ⑤	**28** ②	**29** 120	**30** ③	**31** 1	**32** ①
33 ③	**34** $-\frac{2\sqrt{3}}{3}$	**35** ⑤	**36** ①	**37** $1-5\sqrt{2}$	**38** 75	**39** ①	**40** ④
41 ①	**42** ⑤	**43** $-\frac{2}{3}$					

44 (1) 100, 10, 10, 14.14 (2) 100, 10, 10, 44.72 (3) 100, 10, 10, 0.1414 (4) 10000, 100, 100, 0.04472

45 ②	**46** ⑤	**47** 0.2394	**48** ⑤	**49** ①	**50** ⑤	**51** ⑤	**52** ③, ④
53 0.7746	**54** $\sqrt{13}$ cm	**55** ③	**56** ②	**57** ⑤	**58** ⑤	**59** B$(2+2\sqrt{3}\pi)$	
60 $5\sqrt{5}$	**61** ①	**62** ⑤	**63** ③	**64** $10-2\sqrt{7}$	**65** $\frac{4\sqrt{3}+6}{3}$	**66** ③	**67** ③
68 ④							

01 $\frac{5}{\sqrt{24}}=\frac{5}{2\sqrt{6}}=\frac{5\times\sqrt{6}}{2\sqrt{6}\times\sqrt{6}}=\frac{5\sqrt{6}}{12}$ $\therefore a=\frac{5}{12}$

$\frac{3}{2\sqrt{5}}=\frac{3\times\sqrt{5}}{2\sqrt{5}\times\sqrt{5}}=\frac{3\sqrt{5}}{10}$ $\therefore b=\frac{3}{10}$

$\therefore \sqrt{ab}=\sqrt{\frac{5}{12}\times\frac{3}{10}}=\sqrt{\frac{1}{8}}=\frac{1}{\sqrt{8}}$

$=\frac{1}{2\sqrt{2}}=\frac{\sqrt{2}}{2\sqrt{2}\times\sqrt{2}}=\frac{\sqrt{2}}{4}$

02 $\frac{2-\sqrt{21}}{\sqrt{7}}=\frac{(2-\sqrt{21})\times\sqrt{7}}{\sqrt{7}\times\sqrt{7}}$

$=\frac{2\sqrt{7}-\sqrt{7^2\times3}}{7}$

$=\frac{2\sqrt{7}-7\sqrt{3}}{7}$

따라서 $a=2$, $b=7$, $c=7$이므로

$a+b+c=2+7+7=16$

03 $2-\cfrac{1}{2-\cfrac{1}{2-\sqrt{3}}}=2-\cfrac{1}{2-\cfrac{2+\sqrt{3}}{(2-\sqrt{3})(2+\sqrt{3})}}$

$=2-\cfrac{1}{2-\cfrac{2+\sqrt{3}}{4-3}}$

$=2-\cfrac{1}{2-(2+\sqrt{3})}$

$=2-\cfrac{1}{-\sqrt{3}}$

$=2+\frac{\sqrt{3}}{3}$

따라서 $a=2$, $b=\frac{1}{3}$이므로

$a+b=2+\frac{1}{3}$

$=\frac{7}{3}$

04 ① $-\sqrt{15}\times\sqrt{2}\div\sqrt{5}=-\dfrac{\sqrt{15}\times\sqrt{2}}{\sqrt{5}}$

$\qquad\qquad\qquad\qquad =-\sqrt{\dfrac{15\times2}{5}}=-\sqrt{6}$

② $\dfrac{4}{3}\times\dfrac{3}{\sqrt{8}}\div\dfrac{1}{5\sqrt{2}}=\dfrac{4}{3}\times\dfrac{3}{2\sqrt{2}}\times5\sqrt{2}=10$

③ $\sqrt{\dfrac{7}{2}}\div\sqrt{\dfrac{14}{5}}\div\sqrt{\dfrac{5}{19}}=\sqrt{\dfrac{7}{2}}\times\sqrt{\dfrac{5}{14}}\times\sqrt{\dfrac{19}{5}}$

$\qquad\qquad\qquad\qquad\qquad =\sqrt{\dfrac{7}{2}\times\dfrac{5}{14}\times\dfrac{19}{5}}$

$\qquad\qquad\qquad\qquad\qquad =\sqrt{\dfrac{19}{4}}=\dfrac{\sqrt{19}}{2}$

④ $2\sqrt{7}\times\sqrt{9}\div\dfrac{1}{\sqrt{7}}=2\sqrt{7}\times3\times\sqrt{7}=42$

⑤ $5\sqrt{21}\div10\sqrt{3}\times\sqrt{\dfrac{9}{7}}=5\sqrt{21}\times\dfrac{1}{10\sqrt{3}}\times\dfrac{3}{\sqrt{7}}$

$\qquad\qquad\qquad\qquad\qquad =5\sqrt{21}\times\dfrac{3}{10\sqrt{21}}=\dfrac{3}{2}$

05 $\sqrt{2}\times\sqrt{6}\times\sqrt{2a}\times\sqrt{8}\times\sqrt{3a}$

$=\sqrt{2\times6\times2a\times8\times3a}$

$=\sqrt{(24a)^2}=24a\ (\because a>0)$

따라서 $24a=120$이므로 $a=5$이다.

06 $\sqrt{48}=\sqrt{4^2\times3}=4\sqrt{3}$이므로 $a=4$

$\sqrt{72}=\sqrt{6^2\times2}=6\sqrt{2}$이므로 $b=6$

$\therefore\sqrt{8ab}=\sqrt{8\times4\times6}=\sqrt{8^2\times3}=8\sqrt{3}$

07 $\sqrt{147}=\sqrt{7^2\times3}=7\sqrt{3}\qquad\therefore a=7$

$\dfrac{\sqrt{54}}{3\sqrt{2}}\div\dfrac{\sqrt{3}}{\sqrt{15}}\times\sqrt{\dfrac{6}{5}}=\dfrac{3\sqrt{6}}{3\sqrt{2}}\times\dfrac{\sqrt{15}}{\sqrt{3}}\times\sqrt{\dfrac{6}{5}}$

$\qquad\qquad\qquad\qquad\qquad =\sqrt{\dfrac{6}{2}\times\dfrac{15}{3}\times\dfrac{6}{5}}$

$\qquad\qquad\qquad\qquad\qquad =\sqrt{18}=\sqrt{3^2\times2}$

$\qquad\qquad\qquad\qquad\qquad =3\sqrt{2}$

$\therefore b=3,\ c=2$

$\therefore a+b+c=7+3+2=12$

08 ① $\sqrt{(-3)^2}-\sqrt{8^2}=3-8=-5$

② $(-\sqrt{2})^2+\sqrt{(-11)^2}=2+11=13$

③ $\sqrt{(-7)^2}-\sqrt{\dfrac{1}{9}}\times\sqrt{(-27)^2}=7-\dfrac{1}{3}\times27$

$\qquad\qquad\qquad\qquad\qquad\qquad\qquad =7-9=-2$

④ $\sqrt{25}\div(-\sqrt{5})^2\times\sqrt{(-2)^2}=5\div5\times2=2$

⑤ $\sqrt{\left(-\dfrac{3}{2}\right)^2}\times\sqrt{4}-\sqrt{81}\div\{-\sqrt{(-3)^2}\}$

$\quad=\dfrac{3}{2}\times2-9\div(-3)=3+3=6$

09 $\sqrt{(-6)^2}=6,\ (-\sqrt{8})^2=8,\ \sqrt{\left(-\dfrac{4}{3}\right)^2}=\dfrac{4}{3},$

$\sqrt{2^4}=\sqrt{4^2}=4,\ \sqrt{100}=\sqrt{10^2}=10$이므로

$\sqrt{(-6)^2}-(-\sqrt{8})^2\div\sqrt{\left(-\dfrac{4}{3}\right)^2}+\sqrt{2^4}\times\sqrt{100}$

$=6-8\div\dfrac{4}{3}+4\times10$

$=6-8\times\dfrac{3}{4}+40=40$

10 ② $\sqrt{2a}+\sqrt{a}\ne\sqrt{3a}$

⑤ $\sqrt{a^2+b^2}\ne a+b=\sqrt{a^2}+\sqrt{b^2}$

11 ① $-6\sqrt{2}-3\sqrt{2}=-9\sqrt{2}$

② $\sqrt{75}+\sqrt{12}=5\sqrt{3}+2\sqrt{3}=7\sqrt{3}$

③ $\sqrt{32}-\dfrac{1}{\sqrt{2}}=4\sqrt{2}-\dfrac{\sqrt{2}}{2}=\dfrac{7\sqrt{2}}{2}$

④ $\sqrt{5}-\sqrt{125}-\sqrt{50}=\sqrt{5}-5\sqrt{5}-5\sqrt{2}$

$\qquad\qquad\qquad\qquad\quad =-4\sqrt{5}-5\sqrt{2}$

⑤ $5\sqrt{2}-3\sqrt{48}-\sqrt{8}+3\sqrt{3}$

$\quad=5\sqrt{2}-12\sqrt{3}-2\sqrt{2}+3\sqrt{3}$

$\quad=(5\sqrt{2}-2\sqrt{2})+(-12\sqrt{3}+3\sqrt{3})$

$\quad=3\sqrt{2}-9\sqrt{3}$

따라서 옳지 않은 것은 ⑤이다.

12 (주어진 식)$=2\sqrt{2}\left(4\sqrt{2}-\dfrac{6}{\sqrt{2}}\right)+3\sqrt{2}(\sqrt{2}+2\sqrt{2})$

$\qquad\qquad\quad =16-12+6+12=22$

13 넓이가 $5\,\text{cm}^2$, $20\,\text{cm}^2$인 두 정사각형의 한 변의 길이를 각각 $x\,\text{cm}$, $y\,\text{cm}$라 하면

$x^2=5,\ y^2=20$

$\therefore x=\sqrt{5},\ y=\sqrt{20}=2\sqrt{5}\,(\because x>0,\ y>0)$

$\therefore \overline{\text{AB}}+\overline{\text{BC}}=x+y$

$\qquad\qquad\qquad =\sqrt{5}+2\sqrt{5}$

$\qquad\qquad\qquad =3\sqrt{5}\,(\text{cm})$

14 $\sqrt{0.02}=\sqrt{\dfrac{2}{100}}=\dfrac{\sqrt{2}}{10}=\dfrac{x}{10}$에서 $a=\dfrac{1}{10}$

$\sqrt{80}=\sqrt{2^2\times20}=2\sqrt{20}=2y$에서 $b=2$

$\therefore 5ab=5\times\dfrac{1}{10}\times2=1$

15 $\sqrt{75}+\dfrac{18}{\sqrt{3}}-\sqrt{48}=5\sqrt{3}+\dfrac{18\sqrt{3}}{3}-4\sqrt{3}$

$\qquad\qquad\qquad\qquad =5\sqrt{3}+6\sqrt{3}-4\sqrt{3}=7\sqrt{3}$

$\therefore a=7$

$$\sqrt{0.3} \div \sqrt{\frac{9}{5}} \times \sqrt{432} = \sqrt{\frac{3}{10}} \times \sqrt{\frac{5}{9}} \times \sqrt{432}$$
$$= \sqrt{\frac{3}{10} \times \frac{5}{9} \times 432} = \sqrt{72} = 6\sqrt{2}$$

$\therefore b = 6$

$\therefore a + b = 7 + 6 = 13$

16 $a \triangle b = a + b - ab$의 a, b에 각각 $\sqrt{2}$, $\sqrt{8} - 2$를 대입하면

$\sqrt{2} \triangle (\sqrt{8} - 2) = \sqrt{2} + (\sqrt{8} - 2) - \sqrt{2}(\sqrt{8} - 2)$
$\quad\quad = \sqrt{2} + 2\sqrt{2} - 2 - 4 + 2\sqrt{2}$
$\quad\quad = 5\sqrt{2} - 6$

17 $a \circledcirc b = a - \sqrt{2}b + \sqrt{3}$의 a, b에 각각 $\sqrt{3}$, -1을 대입하면

$\sqrt{3} \circledcirc (-1) = \sqrt{3} - \sqrt{2} \times (-1) + \sqrt{3}$
$\quad\quad = 2\sqrt{3} + \sqrt{2}$

$\therefore \{\sqrt{3} \circledcirc (-1)\} \blacklozenge (-\sqrt{6}) = (2\sqrt{3} + \sqrt{2}) \blacklozenge (-\sqrt{6})$

따라서 $a \blacklozenge b = \sqrt{3}a - b$의 a, b에 각각 $2\sqrt{3} + \sqrt{2}$, $-\sqrt{6}$을 대입하면

$(2\sqrt{3} + \sqrt{2}) \blacklozenge (-\sqrt{6}) = \sqrt{3}(2\sqrt{3} + \sqrt{2}) - (-\sqrt{6})$
$\quad\quad = 6 + \sqrt{6} + \sqrt{6}$
$\quad\quad = 6 + 2\sqrt{6}$

18 $x \bigstar y = \sqrt{2}x - \sqrt{3}y$의 x, y에 각각 $\sqrt{2}$, $1 - \sqrt{3}$을 대입하면

$\sqrt{2} \bigstar (1 - \sqrt{3}) = \sqrt{2} \times \sqrt{2} - \sqrt{3}(1 - \sqrt{3})$
$\quad\quad = 2 - \sqrt{3} + 3$
$\quad\quad = 5 - \sqrt{3}$

19 $x \circledcirc y = x - 2\sqrt{y}$의 x, y에 각각 $4 + 3\sqrt{2}$, 8을 대입하면

$(4 + 3\sqrt{2}) \circledcirc 8 = 4 + 3\sqrt{2} - 2\sqrt{8}$
$\quad\quad = 4 + 3\sqrt{2} - 4\sqrt{2}$
$\quad\quad = 4 - \sqrt{2}$

이때 $1 < \sqrt{2} < 2$에서 $-2 < -\sqrt{2} < -1$이므로

$2 < 4 - \sqrt{2} < 3$

따라서 $4 - \sqrt{2}$의 정수 부분이 2이므로 소수 부분은

$(4 - \sqrt{2}) - 2 = 2 - \sqrt{2}$

20 $\sqrt{3} - 1$과 $\sqrt{2}$의 대소를 비교하면

$1 < \sqrt{3} < 2$이므로 $0 < \sqrt{3} - 1 < 1$이고, $1 < \sqrt{2} < 2$이므로

$\sqrt{3} - 1 < \sqrt{2}$

$\therefore (\sqrt{3} - 1) \triangle \sqrt{2} = \sqrt{3} - 1$

$2 - \sqrt{2}$와 $\sqrt{3} - \sqrt{2}$의 대소를 비교하면

$(2 - \sqrt{2}) - (\sqrt{3} - \sqrt{2}) = 2 - \sqrt{3} = \sqrt{4} - \sqrt{3} > 0$이므로

$2 - \sqrt{2} > \sqrt{3} - \sqrt{2}$

$\therefore (2 - \sqrt{2}) \triangle (\sqrt{3} - \sqrt{2}) = \sqrt{3} - \sqrt{2}$

따라서 $\sqrt{3} - 1$과 $\sqrt{3} - \sqrt{2}$의 대소를 비교하면

$(\sqrt{3} - 1) - (\sqrt{3} - \sqrt{2}) = -1 + \sqrt{2} > 0$이므로

$\sqrt{3} - 1 > \sqrt{3} - \sqrt{2}$

$\therefore$ (주어진 식) $= (\sqrt{3} - 1) \triangledown (\sqrt{3} - \sqrt{2}) = \sqrt{3} - 1$

21 $P \odot Q = \sqrt{2} \times (-\sqrt{2}) - \left(-\frac{1}{\sqrt{3}}\right) \times \frac{2}{3}$

$\quad\quad = -2 + \frac{2}{3\sqrt{3}} = -2 + \frac{2\sqrt{3}}{9}$

$R \odot S = \frac{1}{6} \times \sqrt{3} - 2\sqrt{2} \times \left(-\frac{1}{\sqrt{2}}\right) = \frac{\sqrt{3}}{6} + 2$

$\therefore (P \odot Q) - (R \odot S)$

$\quad = \left(-2 + \frac{2\sqrt{3}}{9}\right) - \left(\frac{\sqrt{3}}{6} + 2\right)$

$\quad = -2 + \frac{2\sqrt{3}}{9} - \frac{\sqrt{3}}{6} - 2$

$\quad = -4 + \frac{4\sqrt{3}}{18} - \frac{3\sqrt{3}}{18}$

$\quad = -4 + \frac{\sqrt{3}}{18}$

22 ① $\sqrt{135} = \sqrt{3^2 \times 3 \times 5} = 3 \times \sqrt{3} \times \sqrt{5} = 3ab$

⑤ $\sqrt{135} = \sqrt{3^3 \times 5} = (\sqrt{3})^3 \times \sqrt{5} = a^3 b$

23 ③ $\sqrt{0.72} = \sqrt{\frac{72}{100}} = \frac{\sqrt{2^3 \times 3^2}}{10}$

$\quad\quad = \frac{(\sqrt{2})^3 \times (\sqrt{3})^2}{10} = \frac{a^3 b^2}{10}$

⑤ $\sqrt{0.72} = \sqrt{\frac{72}{100}} = \frac{\sqrt{2^2 \times 2 \times 3^2}}{10}$

$\quad\quad = \frac{2 \times \sqrt{2} \times (\sqrt{3})^2}{10} = \frac{\sqrt{2} \times (\sqrt{3})^2}{5} = \frac{ab^2}{5}$

24 $2\sqrt{2} = \sqrt{8} = \sqrt{3 + 5} = \sqrt{(\sqrt{3})^2 + (\sqrt{5})^2} = \sqrt{a^2 + b^2}$

25 ㄱ. $\sqrt{0.5} = \sqrt{\frac{5}{10}} = \frac{\sqrt{5}}{\sqrt{10}} = \frac{a}{\sqrt{10}} = \frac{a\sqrt{10}}{10} \neq 0.1a$

ㄴ. $\sqrt{180} = \sqrt{6^2 \times 5} = 6\sqrt{5} = 6a$

ㄷ. $\sqrt{0.0125} = \sqrt{\frac{125}{10000}} = \frac{(\sqrt{5})^3}{100} = \frac{a^3}{100}$

ㄹ. $\frac{1}{10} = \sqrt{\frac{1}{100}} = \sqrt{5 \times \frac{1}{500}} = \sqrt{5 \times \frac{2}{1000}}$

$$=\sqrt{5}\times\sqrt{0.002}=a\sqrt{0.002}\neq a\sqrt{0.02}$$

따라서 보기 중 옳은 것은 ㄴ, ㄷ이다.

26
$$a\sqrt{\frac{3b}{a}}+b\sqrt{\frac{12a}{b}}=\sqrt{a^2\times\frac{3b}{a}}+\sqrt{b^2\times\frac{12a}{b}}$$
$$=\sqrt{3ab}+\sqrt{12ab}$$
$$=\sqrt{3ab}+2\sqrt{3ab}$$
$$=3\sqrt{3ab}$$
$$=3\sqrt{3\times27}=3\times9=27$$

27 $x>0$, $y>0$이므로
$$x\sqrt{\frac{45y}{x}}=\sqrt{x^2\times\frac{45y}{x}}=\sqrt{45xy}=3\sqrt{5xy}$$
$$y\sqrt{\frac{20x}{y}}=\sqrt{y^2\times\frac{20x}{y}}=\sqrt{20xy}=2\sqrt{5xy}$$
$$\therefore x\sqrt{\frac{45y}{x}}+y\sqrt{\frac{20x}{y}}=3\sqrt{5xy}+2\sqrt{5xy}=5\sqrt{5xy}$$
$$=5\sqrt{5\times16}=20\sqrt{5}$$

28 $a>0$, $b>0$이므로
$$a\sqrt{\frac{16b}{a}}=\sqrt{a^2\times\frac{16b}{a}}=\sqrt{16ab}=4\sqrt{ab}$$
$$b\sqrt{\frac{25a}{b}}=\sqrt{b^2\times\frac{25a}{b}}=\sqrt{25ab}=5\sqrt{ab}$$
$$\therefore a\sqrt{\frac{16b}{a}}-b\sqrt{\frac{25a}{b}}=4\sqrt{ab}-5\sqrt{ab}=-\sqrt{ab}$$
$$=-\sqrt{49}=-7$$

29 $a>0$, $b>0$이므로
$$\frac{7a\sqrt{b}}{\sqrt{a}}+\frac{3b\sqrt{a}}{\sqrt{b}}=\frac{7a\sqrt{ab}}{a}+\frac{3b\sqrt{ab}}{b}$$
$$=7\sqrt{ab}+3\sqrt{ab}$$
$$=10\sqrt{ab}$$
$$=10\times12=120$$

30 $a:b=1:3$에서 $b=3a$를 주어진 식에 대입하면
$$\frac{\sqrt{6a+b}}{\sqrt{6a-b}}=\frac{\sqrt{6a+3a}}{\sqrt{6a-3a}}=\frac{\sqrt{9a}}{\sqrt{3a}}$$
$$=\sqrt{\frac{9a}{3a}}=\sqrt{3}$$

이때 $1<\sqrt{3}<2$이므로 구하는 정수는 1이다.

31
$$2^x\times2^y=(2-\sqrt{2})(2+\sqrt{2})$$
$$=2^2-(\sqrt{2})^2=4-2$$
$$=2$$

이고,

$$2^x\times2^y=2^{x+y}$$

이므로 $2^{x+y}=2$

$$\therefore x+y=1$$

32
$$3x+\frac{1}{x}-\left(x^2+\frac{2}{x}\right)=3x+\frac{1}{x}-x^2-\frac{2}{x}$$
$$=-x^2+3x-\frac{1}{x}$$
$$=-(\sqrt{2})^2+3\sqrt{2}-\frac{1}{\sqrt{2}}$$
$$=-2+3\sqrt{2}-\frac{\sqrt{2}}{2}$$
$$=\frac{5\sqrt{2}}{2}-2$$

33 $a=3\sqrt{2}-1$, $b=3\sqrt{2}+1$이므로
$$a+b=(3\sqrt{2}-1)+(3\sqrt{2}+1)=6\sqrt{2}$$
$$a-b=(3\sqrt{2}-1)-(3\sqrt{2}+1)=-2$$
$$\therefore \frac{1}{a+b}+\frac{1}{a-b}=\frac{1}{6\sqrt{2}}+\frac{1}{-2}$$
$$=\frac{\sqrt{2}}{12}-\frac{1}{2}=\frac{\sqrt{2}-6}{12}$$

34 $a=\dfrac{2-\sqrt{3}}{\sqrt{2}}=\dfrac{(2-\sqrt{3})\sqrt{2}}{\sqrt{2}\times\sqrt{2}}=\dfrac{2\sqrt{2}-\sqrt{6}}{2}$,

$b=\dfrac{\sqrt{2}+\sqrt{6}}{3}$이므로
$$2a+3b=(2\sqrt{2}-\sqrt{6})+(\sqrt{2}+\sqrt{6})=3\sqrt{2}$$
$$a-3b=\frac{2\sqrt{2}-\sqrt{6}}{2}-(\sqrt{2}+\sqrt{6})=-\frac{3\sqrt{6}}{2}$$
$$\therefore \frac{2a+3b}{a-3b}=\frac{3\sqrt{2}}{-\frac{3\sqrt{6}}{2}}=3\sqrt{2}\div\left(-\frac{3\sqrt{6}}{2}\right)$$
$$=3\sqrt{2}\times\left(-\frac{2}{3\sqrt{6}}\right)=-\frac{2\sqrt{2}}{\sqrt{6}}$$
$$=-\frac{2\sqrt{12}}{6}=-\frac{2\sqrt{3}}{3}$$

35
$$\frac{a}{\sqrt{2}}+\frac{b}{\sqrt{3}}=\frac{\sqrt{2}a}{2}+\frac{\sqrt{3}b}{3}$$
$$=\frac{\sqrt{2}(2\sqrt{3}+4)}{2}+\frac{\sqrt{3}(\sqrt{2}-3\sqrt{6})}{3}$$
$$=\frac{2\sqrt{6}+4\sqrt{2}}{2}+\frac{\sqrt{6}-3\sqrt{18}}{3}$$
$$=\sqrt{6}+2\sqrt{2}+\frac{\sqrt{6}}{3}-3\sqrt{2}$$
$$=\frac{4\sqrt{6}}{3}-\sqrt{2}$$

36 $x>0$일 때,

$f(x)=\sqrt{x}(1-\sqrt{x})=\sqrt{x}-\sqrt{x^2}=\sqrt{x}-x$이므로

$f(1)=\sqrt{1}-1=0,\ f(2)=\sqrt{2}-2,$

$f(4)=\sqrt{4}-4=2-4=-2,\ f(8)=\sqrt{8}-8=2\sqrt{2}-8,$

$f(16)=\sqrt{16}-16=4-16=-12$

$\therefore f(1)+f(2)+f(4)+f(8)+f(16)$

$\quad =0+(\sqrt{2}-2)+(-2)+(2\sqrt{2}-8)+(-12)$

$\quad =3\sqrt{2}-24$

37 $f(x)=\sqrt{x},\ g(x)=-\sqrt{x}$이므로 $f(x)+g(x)=0$

$\therefore \{f(1)+f(2)+f(3)+\cdots+f(49)\}$

$\qquad\qquad +\{g(2)+g(3)+g(4)+\cdots+g(50)\}$

$\quad =f(1)+\{f(2)+g(2)\}+\{f(3)+g(3)\}+$

$\qquad\qquad \cdots+\{f(49)+g(49)\}+g(50)$

$\quad =f(1)+0+0+\cdots+0+g(50)$

$\quad =f(1)+g(50)$

$\quad =\sqrt{1}+(-\sqrt{50})$

$\quad =1-5\sqrt{2}$

38 $1\le\sqrt{1}<\sqrt{2}<\sqrt{3}<2$이므로

$x=1,\ 2,\ 3$일 때, $[\sqrt{x}]=1$

$\therefore f(1)=f(2)=f(3)=1$

$2\le\sqrt{4}<\sqrt{5}<\cdots<\sqrt{8}<3$이므로

$x=4,\ 5,\ 6,\ 7,\ 8$일 때, $[\sqrt{x}]=2$

$\therefore f(4)=f(5)=f(6)=f(7)=f(8)=2$

$3\le\sqrt{9}<\sqrt{10}<\cdots<\sqrt{15}<4$이므로

$x=9,\ 10,\ \cdots,\ 15$일 때, $[\sqrt{x}]=3$

$\therefore f(9)=f(10)=\cdots=f(15)=3$

$4\le\sqrt{16}<\sqrt{17}<\cdots<\sqrt{24}<5$이므로

$x=16,\ 17,\ \cdots,\ 24$일 때, $[\sqrt{x}]=4$

$\therefore f(16)=f(17)=\cdots=f(24)=4$

$x=25$일 때, $\sqrt{25}=5$이므로 $[\sqrt{x}]=5$

$\therefore f(25)=5$

따라서 구하는 값은

$f(1)+f(2)+f(3)+\cdots+f(25)$

$\quad =(1\times3)+(2\times5)+(3\times7)+(4\times9)+5$

$\quad =3+10+21+36+5=75$

39 $\sqrt{2}(\sqrt{2}-x)-\sqrt{8}(3-\sqrt{2})=2-x\sqrt{2}-6\sqrt{2}+4$

$\qquad\qquad\qquad\qquad\qquad =6-(x+6)\sqrt{2}$

이 식의 값이 유리수가 되려면 $x+6=0$이어야 하므로

$x=-6$

40 $\sqrt{5}(3\sqrt{5}-2)-a(6-2\sqrt{5})$

$\quad =15-2\sqrt{5}-6a+2a\sqrt{5}$

$\quad =(15-6a)+(2a-2)\sqrt{5}$

이 식의 값이 유리수가 되려면 $2a-2=0$이어야 한다.

$\therefore a=1$

41 $\dfrac{\sqrt{8}-\sqrt{48}}{\sqrt{2}}+\dfrac{k}{\sqrt{3}}(\sqrt{3}-\sqrt{2})$

$\quad =\sqrt{4}-\sqrt{24}+k-\dfrac{k\sqrt{2}}{\sqrt{3}}$

$\quad =2-2\sqrt{6}+k-\dfrac{k\sqrt{6}}{3}$

$\quad =(2+k)-\left(\dfrac{k}{3}+2\right)\sqrt{6}$

이 식의 값이 유리수가 되려면 $\dfrac{k}{3}+2=0$이어야 한다.

$\therefore k=-6$

42 $a(\sqrt{3}-1)-b+\sqrt{12}=0$

$a\sqrt{3}-a-b+2\sqrt{3}=0$

이 식의 좌변을 유리수 부분과 무리수 부분으로 나누어 정리하면

$(-a-b)+(a+2)\sqrt{3}=0$

이 등식이 성립하려면 $-a-b=0,\ a+2=0$이어야 한다.

따라서 $a=-2,\ b=2$이므로

$ab=-2\times2=-4$

43 $1<\sqrt{2}<2$에서 $\sqrt{2}$의 정수 부분이 1이므로 소수 부분은

$a=\sqrt{2}-1$

$4<\sqrt{18}<5$에서 $\sqrt{18}$의 정수 부분이 4이므로 소수 부분은

$b=\sqrt{18}-4=3\sqrt{2}-4$

$a=\sqrt{2}-1,\ b=3\sqrt{2}-4$를

$(a-1)x+(b+4)y-2=0$에 대입하면

$(\sqrt{2}-2)x+3\sqrt{2}y-2=0$

$x,\ y$가 유리수이므로 이 식의 좌변을 유리수 부분과 무리수 부분으로 나누어 정리하면

$(-2x-2)+(x+3y)\sqrt{2}=0$

이 등식이 성립하려면 $-2x-2=0,\ x+3y=0$이어야 한다.

따라서 $x=-1,\ y=\dfrac{1}{3}$이므로

$x+y=-1+\dfrac{1}{3}=-\dfrac{2}{3}$

44

(1) $\sqrt{200}=\sqrt{2\times\boxed{100}}=\boxed{10}\sqrt{2}$

$=\boxed{10}\times1.414=\boxed{14.14}$

(2) $\sqrt{2000}=\sqrt{20\times\boxed{100}}=\boxed{10}\sqrt{20}$

$=\boxed{10}\times4.472=\boxed{44.72}$

(3) $\sqrt{0.02}=\sqrt{\dfrac{2}{\boxed{100}}}=\dfrac{\sqrt{2}}{\boxed{10}}=\dfrac{1.414}{\boxed{10}}=\boxed{0.1414}$

(4) $\sqrt{0.002}=\sqrt{\dfrac{20}{\boxed{10000}}}=\dfrac{\sqrt{20}}{\boxed{100}}$

$=\dfrac{4.472}{\boxed{100}}=\boxed{0.04472}$

45

① $\sqrt{0.0491}=\sqrt{\dfrac{4.91}{10^2}}=\dfrac{\sqrt{4.91}}{10}=0.2216$

② $\sqrt{0.491}=\sqrt{\dfrac{49.1}{10^2}}=\dfrac{\sqrt{49.1}}{10}$

③ $\sqrt{491}=\sqrt{4.91\times10^2}=10\sqrt{4.91}=22.16$

④ $\sqrt{49100}=\sqrt{4.91\times100^2}=100\sqrt{4.91}=221.6$

⑤ $\sqrt{4910000}=\sqrt{4.91\times1000^2}=1000\sqrt{4.91}=2216$

따라서 $\sqrt{4.91}$의 값을 이용하여 그 값을 구할 수 없는 것은 ②이다.

46

① $\sqrt{325}=\sqrt{3.25\times10^2}=10\sqrt{3.25}=18.03$

② $\sqrt{3250}=\sqrt{32.5\times10^2}=10\sqrt{32.5}=57.01$

③ $\sqrt{32500}=\sqrt{3.25\times100^2}=100\sqrt{3.25}=180.3$

④ $\sqrt{0.325}=\sqrt{\dfrac{32.5}{10^2}}=\dfrac{\sqrt{32.5}}{10}=0.5701$

⑤ $\sqrt{0.0325}=\sqrt{\dfrac{3.25}{10^2}}=\dfrac{\sqrt{3.25}}{10}=0.1803$

따라서 옳지 않은 것은 ⑤이다.

47

$\sqrt{0.0573}=\sqrt{\dfrac{5.73}{10^2}}=\dfrac{\sqrt{5.73}}{10}$

제곱근표에서 $\sqrt{5.73}$의 값이 2.394이므로

$\dfrac{\sqrt{5.73}}{10}=\dfrac{2.394}{10}=0.2394$

48

① $\sqrt{2960}=\sqrt{29.6\times10^2}=10\sqrt{29.6}=54.41$

② $\sqrt{0.0296}=\sqrt{\dfrac{2.96}{10^2}}=\dfrac{\sqrt{2.96}}{10}=0.1720$

③ $\sqrt{0.00285}=\sqrt{\dfrac{28.5}{100^2}}=\dfrac{\sqrt{28.5}}{100}=\dfrac{c}{100}$

④ $\sqrt{0.0285}=\sqrt{\dfrac{2.85}{10^2}}=\dfrac{\sqrt{2.85}}{10}=\dfrac{a}{10}$

⑤ $\sqrt{28600}=\sqrt{2.86\times100^2}=100\sqrt{2.86}=100b$

따라서 옳지 않은 것은 ⑤이다.

49 $\sqrt{0.00073}=\sqrt{\dfrac{7.3}{100^2}}=\dfrac{\sqrt{7.3}}{100}=\dfrac{a}{100}$

50

① $\sqrt{32}=4\sqrt{2}=4\times1.414=5.656$

② $\sqrt{0.5}=\sqrt{\dfrac{1}{2}}=\dfrac{1}{\sqrt{2}}=\dfrac{\sqrt{2}}{2}=\dfrac{1.414}{2}=0.707$

③ $\dfrac{4}{\sqrt{8}}=\dfrac{4}{2\sqrt{2}}=\dfrac{4\sqrt{2}}{4}=\sqrt{2}=1.414$

④ $\sqrt{98}=7\sqrt{2}=7\times1.414=9.898$

⑤ $\sqrt{800}=\sqrt{20^2\times2}=20\sqrt{2}=20\times1.414=28.28$

따라서 옳지 않은 것은 ⑤이다.

51

① $\sqrt{0.05}=\sqrt{\dfrac{5}{10^2}}=\dfrac{\sqrt{5}}{10}$

② $\sqrt{45}=3\sqrt{5}$

③ $\dfrac{3}{\sqrt{20}}=\dfrac{3}{2\sqrt{5}}=\dfrac{3\sqrt{5}}{10}$

④ $\sqrt{0.2}=\sqrt{\dfrac{2}{10}}=\dfrac{1}{\sqrt{5}}=\dfrac{\sqrt{5}}{5}$

따라서 위의 네 값은 모두 $\sqrt{5}$의 값이 2.236임을 이용하여 그 값을 구할 수 있다.

⑤ $\sqrt{5000}=50\sqrt{2}$이므로 $\sqrt{2}$의 값을 알아야 한다.

52 $\sqrt{17^2}=\sqrt{289}$이므로 $\sqrt{289}=17$

③ $\sqrt{2.89}=\sqrt{\dfrac{289}{10^2}}=\dfrac{\sqrt{289}}{10}=\dfrac{17}{10}=1.7$

④ $\sqrt{1156}=\sqrt{2^2\times289}=2\sqrt{289}=2\times17=34$

53 $\sqrt{0.60}=\sqrt{\dfrac{60}{10^2}}=\dfrac{\sqrt{60}}{10}=\dfrac{2\sqrt{15}}{10}$

$=\dfrac{2\times3.873}{10}=0.7746$

54 정사각형 P의 넓이는

$3\times3=9(\text{cm}^2)$

정사각형 Q의 넓이는

$2\times2=4(\text{cm}^2)$

이므로 두 정사각형 P, Q의 넓이의 합은

$9+4=13(\text{cm}^2)$

이다. 이때 정사각형 R의 한 변의 길이를 x cm라 하면 넓이는 $x^2\,\text{cm}^2$이므로

$x^2=13$

그런데 $x>0$이므로 x는 13의 양의 제곱근이다.

$\therefore x=\sqrt{13}$

따라서 정사각형 R의 한 변의 길이는 $\sqrt{13}$ cm이다.

55 주어진 부채꼴의 넓이는

$\pi x^2\times\dfrac{60}{360}=\dfrac{\pi x^2}{6}(\text{cm}^2)$

주어진 원의 넓이는

$\pi \times 2^2 = 4\pi (\text{cm}^2)$

두 도형의 넓이가 같으므로

$\dfrac{\pi x^2}{6} = 4\pi$에서 $x^2 = 24$

그런데 $x > 0$이므로 $x = \sqrt{24} = 2\sqrt{6}$

56 오른쪽 그림에서 작은 정사각형의 넓이는 큰 정사각형의 넓이의 $\dfrac{1}{2}$이므로

작은 정사각형의 한 변의 길이를 x cm라 하면

$x^2 = 34 \times \dfrac{1}{2} = 17$

그런데 $x > 0$이므로 $x = \sqrt{17}$

따라서 작은 정사각형의 한 변의 길이는 $\sqrt{17}$ cm이다.

57 세 정사각형의 넓이가 각각 $3\ \text{cm}^2$, $12\ \text{cm}^2$, $27\ \text{cm}^2$ 이므로 각각의 한 변의 길이는

$\sqrt{3}$ cm, $\sqrt{12} = 2\sqrt{3}\,(\text{cm})$, $\sqrt{27} = 3\sqrt{3}\,(\text{cm})$ 이다.

① $\overline{AB} + \overline{BC} = \sqrt{3} + 2\sqrt{3} = 3\sqrt{3}\,(\text{cm})$

② $\overline{DF} = \overline{DE} + \overline{EF} = 2\sqrt{3} + 3\sqrt{3} = 5\sqrt{3}\,(\text{cm})$

③ $\overline{AD} + \overline{DE} = (\overline{AB} + \overline{BD}) + \overline{DE}$
$\qquad = (\sqrt{3} + 2\sqrt{3}) + 2\sqrt{3}$
$\qquad = 5\sqrt{3}\,(\text{cm})$

④ $\overline{CG} + \overline{GH} = (\overline{CE} + \overline{EG}) + \overline{GH}$
$\qquad = (2\sqrt{3} + 3\sqrt{3}) + 3\sqrt{3}$
$\qquad = 8\sqrt{3}\,(\text{cm})$

⑤ $\overline{BD} + \overline{DF} + \overline{FH} = \overline{BD} + (\overline{DE} + \overline{EF}) + \overline{FH}$
$\qquad = 2\sqrt{3} + (2\sqrt{3} + 3\sqrt{3}) + 3\sqrt{3}$
$\qquad = 10\sqrt{3}\,(\text{cm})$

따라서 옳지 않은 것은 ⑤이다.

58 직육면체 모양의 그릇에 담긴 물의 부피는

$3x \times 2x \times 4 = 24x^2\,(\text{cm}^3)$

삼각기둥 모양의 그릇에 담긴 물의 부피는

$\left(\dfrac{1}{2} \times 4 \times 3\right) \times 8 = 48\,(\text{cm}^3)$

따라서 $24x^2 = 48$이므로 $x^2 = 2$

그런데 $x > 0$이므로 $x = \sqrt{2}$

59 주어진 원의 반지름의 길이를 r라 하면 넓이가 3π이 므로

$\pi r^2 = 3\pi$

$\therefore r = \sqrt{3}\ (\because r > 0)$

이때 수직선 위의 두 점 A, B 사이의 거리는 원의 둘레의 길이와 같으므로

$\overline{AB} = 2\pi \times \sqrt{3} = 2\sqrt{3}\pi$

따라서 점 B는 점 A로부터 오른쪽으로 $2\sqrt{3}\pi$만큼 떨어져 있으므로 점 B의 좌표는 $B(2 + 2\sqrt{3}\pi)$이다.

60 한 변의 길이가 5인 정사각형의 넓이는

$5 \times 5 = 25$

밑변의 길이가 10, 높이가 5인 직각삼각형의 넓이는

$\dfrac{1}{2} \times 10 \times 5 = 25$

따라서 정사각형 모양의 색종이 1장과 직각삼각형 모양의 색종이 4장의 넓이의 합은

$25 + 4 \times 25 = 125$

오른쪽 그림과 같이 정사각형 모양의 색종이 1장과 직각삼각형 모양의 색종이 4장을 사용하여 만들 수 있는 정사각형의 한 변의 길이를 x라 하면 이 정사각형의 넓이가 125이므로

$x^2 = 125$

그런데 $x > 0$이므로

$x = \sqrt{125} = 5\sqrt{5}$

61 $3\sqrt{2} = \sqrt{3^2 \times 2} = \sqrt{18}$이고 $4 < \sqrt{18} < 5$이므로 $3\sqrt{2}$의 정수 부분은 $a = 4$이고

소수 부분은 $b = 3\sqrt{2} - 4$이다.

$\therefore b - a = 3\sqrt{2} - 4 - 4$
$\qquad = 3\sqrt{2} - 8$

62 $2 < \sqrt{5} < 3$이므로 $3 < \sqrt{5} + 1 < 4$

따라서 $\sqrt{5} + 1$의 정수 부분은 $a = 3$,

소수 부분은 $b = (\sqrt{5} + 1) - 3 = \sqrt{5} - 2$

$\therefore \dfrac{a}{b} = \dfrac{3}{\sqrt{5} - 2} = \dfrac{3(\sqrt{5} + 2)}{(\sqrt{5} - 2)(\sqrt{5} + 2)}$
$\qquad = \dfrac{3(\sqrt{5} + 2)}{(\sqrt{5})^2 - 2^2} = \dfrac{3\sqrt{5} + 6}{5 - 4}$
$\qquad = 3\sqrt{5} + 6$

63 $1 < \sqrt{2} < 2$이므로 $\sqrt{2}$의 소수 부분은 $a = \sqrt{2} - 1$

$-2 < -\sqrt{2} < -1$에서 $2 < 4 - \sqrt{2} < 3$이므로

$4 - \sqrt{2}$의 소수 부분은

$b = (4 - \sqrt{2}) - 2 = 2 - \sqrt{2}$

$$\therefore 2a+b=2(\sqrt{2}-1)+(2-\sqrt{2})$$
$$=2\sqrt{2}-2+2-\sqrt{2}=\sqrt{2}$$

64 $2\sqrt{3}=\sqrt{12}$에서 $3<\sqrt{12}<4$이므로
$2\sqrt{3}$의 정수 부분은 $a=3$
$2<\sqrt{7}<3$에서 $1<\sqrt{7}-1<2$
$\sqrt{7}-1$의 정수 부분이 1이므로 소수 부분은
$b=(\sqrt{7}-1)-1=\sqrt{7}-2$
$$\therefore a+\sqrt{7}b=3+\sqrt{7}(\sqrt{7}-2)$$
$$=3+7-2\sqrt{7}$$
$$=10-2\sqrt{7}$$

65 $1<\sqrt{3}<2$에서 $-2<-\sqrt{3}<-1$이므로
$2<4-\sqrt{3}<3$
$4-\sqrt{3}$의 정수 부분은 $a=2$
$2\sqrt{3}=\sqrt{12}$이고, $3<\sqrt{12}<4$이므로
$4<1+\sqrt{12}<5$, 즉 $4<1+2\sqrt{3}<5$
$1+2\sqrt{3}$의 정수 부분이 4이므로 소수 부분은
$b=(1+2\sqrt{3})-4=2\sqrt{3}-3$
$$\therefore \frac{a}{b}=\frac{2}{2\sqrt{3}-3}$$
$$=\frac{2(2\sqrt{3}+3)}{(2\sqrt{3}-3)(2\sqrt{3}+3)}$$
$$=\frac{4\sqrt{3}+6}{(2\sqrt{3})^2-3^2}$$
$$=\frac{4\sqrt{3}+6}{12-9}$$
$$=\frac{4\sqrt{3}+6}{3}$$

66 $1<\sqrt{3}<2$에서 $\sqrt{3}$의 정수 부분이 1이므로 소수 부분은 $a=\sqrt{3}-1$
$8<\sqrt{75}<9$에서 $\sqrt{75}$의 정수 부분이 8이므로
소수 부분은
$\sqrt{75}-8=5\sqrt{3}-8=5(\sqrt{3}-1)-3=5a-3$
다른 풀이 $a=\sqrt{3}-1$에서 $\sqrt{3}=a+1$을 대입하여 구할 수도 있다.
즉, $\sqrt{75}-8=5\sqrt{3}-8=5(a+1)-8=5a-3$

67 $3<\sqrt{15}<4$에서 $\sqrt{15}$의 정수 부분이 3이므로
$f(15)=3$
$4<\sqrt{20}<5$에서 $\sqrt{20}$의 정수 부분이 4이므로 소수
부분은
$\sqrt{20}-4=2\sqrt{5}-4$
즉, $g(20)=2\sqrt{5}-4$
$$\therefore f(15)-g(20)=3-(2\sqrt{5}-4)$$
$$=3-2\sqrt{5}+4$$
$$=7-2\sqrt{5}$$

68 $f(x)=5$에서 $\sqrt{x}$의 정수 부분이 5이므로
$5\le\sqrt{x}<6$
이 부등식의 각 변을 제곱하면
$25\le x<36$
따라서 주어진 식을 만족하는 자연수 x는 25, 26, $\cdots$, 35의 11개이다.

단원 종합 문제

본문 42~46쪽

01 3개	**02** ④	**03** ⑤	**04** ①, ⑤	**05** ③	**06** ②	**07** ①, ②	**08** ⑤
09 ③	**10** ④	**11** ⑤	**12** ②	**13** -3	**14** ③	**15** $-\sqrt{3}$	**16** ②
17 -5	**18** ⑤	**19** ②	**20** ④	**21** ④	**22** ④, ⑤	**23** ⑤	**24** ④
25 $\sqrt{2}$ cm	**26** ②	**27** ④	**28** A$(-3-\sqrt{2})$, B$(-3+\sqrt{2})$				

29 (1) 한 변의 길이 : $\sqrt{5}$, 넓이 : 5 (2) P : $5-\sqrt{5}$, Q : $5+\sqrt{5}$ **30** $\dfrac{4\sqrt{2}+\sqrt{6}}{3}$

01
ㄱ. 음수가 아닌 수는 0과 양수이다. 이때 0의 제곱근은 0으로 1개뿐이고 양수의 제곱근은 2개이다.

ㄴ. $-\sqrt{(-6)^2}=-6$으로 음수이므로 이 수의 제곱근은 없다.

ㄷ. $0.\dot{4}=\dfrac{4}{9}$의 제곱근은 $\pm\sqrt{\dfrac{4}{9}}=\pm\sqrt{\left(\dfrac{2}{3}\right)^2}=\pm\dfrac{2}{3}$
이고, $\pm0.\dot{2}=\pm\dfrac{2}{9}$이다.

ㄹ. $\sqrt{64}=\sqrt{8^2}=8$이므로 제곱근 $\sqrt{64}$는 $\sqrt{8}$이다.

ㅁ. $\sqrt{(-5)^2}=5$의 양의 제곱근과 음의 제곱근은 각각 $\sqrt{5}$, $-\sqrt{5}$이므로 두 수의 합은
$\sqrt{5}+(-\sqrt{5})=0$이다.

따라서 보기 중 옳은 것은 ㄴ, ㄹ, ㅁ의 3개이다.

02
① -0.2는 정수가 아닌 유리수이다.

② $\sqrt{3.14}$는 무리수이다.

③ $\sqrt{25}-\sqrt{3}=5-\sqrt{3}$은 무리수이다.

⑤ $\sqrt{0.16}=0.4$는 정수가 아닌 유리수, $-\sqrt{81}=-9$는 정수, $3\sqrt{2}$는 무리수이다.

따라서 옳은 것은 ④이다.

03
주어진 그림의 어두운 부분에 해당하는 수는 무리수이다.

① 1.4, 2는 유리수이다.

② -3, $\sqrt{\dfrac{9}{25}}=\dfrac{3}{5}$은 유리수이다.

③ $\sqrt{(-1)^2}=1$, $\sqrt{4}-1=2-1=1$은 유리수이다.

④ $\sqrt{(-0.07)^2}=0.07$, $-\sqrt{\dfrac{32}{8}}=-\sqrt{4}=-2$는 유리수이다.

따라서 무리수들로만 이루어진 것은 ⑤이다.

04
① 두 실수 사이에는 무수히 많은 실수가 있다.

② $2<\sqrt{7}<3$이므로 2와 $\sqrt{7}$ 사이에는 정수가 없다.

③ 두 실수 사이에는 무수히 많은 무리수가 있다.

④ 두 실수 사이에는 무수히 많은 유리수가 있다.

⑤ 2와 $\sqrt{7}$에 대응하는 두 점의 중점에 대응하는 수는 $\dfrac{2+\sqrt{7}}{2}=1+\dfrac{\sqrt{7}}{2}$이고,
(유리수)+(무리수)=(무리수)
이므로 $1+\dfrac{\sqrt{7}}{2}$은 무리수이다.

따라서 옳은 것은 ①, ⑤이다.

05
ㄱ. 유리수와 무리수는 모두 수직선 위의 한 점에 각 대응한다.

ㄷ. 유리수이면서 동시에 무리수인 수는 없으므로 수직선 위에는 유리수와 무리수에 동시에 대응하는 점이 있을 수 없다.

ㄹ. 수직선은 실수에 대응하는 점들로 완전히 메워진다.

ㅁ. [반례] 두 무리수가 $\sqrt{2}$, $2\sqrt{2}$이면 $\sqrt{2}\times2\sqrt{2}=4$이므로 그 곱은 유리수이다.

따라서 보기 중 옳은 것은 ㄱ, ㄴ, ㄹ이다.

06
① [반례] 두 유리수 $\dfrac{1}{2}$과 $\dfrac{1}{3}$ 사이에는 자연수가 없다.

③ [반례] $b=4$이면 $a^2=4$에서 $a=-2$ 또는 $a=2$이므로 a는 유리수이다.

④ [반례] $a=2$, $b=4$이면
$a\times\sqrt{b}=2\times\sqrt{4}=2\times2=4$이므로 유리수이다.

⑤ [반례] $a=2$, $b=-\sqrt{2}$이면
$\sqrt{a}+b=\sqrt{2}+(-\sqrt{2})=0$이므로 유리수이다.

따라서 옳은 것은 ②이다.

07
③, ④ ab, $a\div b$는 $a=0$이면 유리수이고, $a\neq0$이면 무리수이다.

예를 들어, $a=0$, $b=\sqrt{2}$이면 a는 유리수, b는 무리수이지만 $ab=0$, $a\div b=\dfrac{a}{b}=0$으로 유리수이다.

⑤ a가 0 또는 (유리수)^{2}의 꼴이면 $\sqrt{a}$는 유리수이다.

08
$5(2-\sqrt{3})-2(4-a\sqrt{3})=10-5\sqrt{3}-8+2a\sqrt{3}$
$\hspace{4.5cm}=2+(2a-5)\sqrt{3}$

이 식의 값이 유리수가 되려면 $2a-5=0$이어야 한다.

$\therefore a=\dfrac{5}{2}$

09
$(-5)^2=25$이므로 $(-5)^2$의 음의 제곱근은
$a=-\sqrt{25}=-5$
$\sqrt{25}=\sqrt{5^2}=5$이므로 $\sqrt{25}$의 양의 제곱근은
$b=\sqrt{5}$
$\therefore a+b^2=-5+(\sqrt{5})^2=-5+5=0$

10
$a<0$일 때, $-a>0$이므로 $\sqrt{(-a)^2}=-a$
$2a<0$이므로 $\sqrt{(2a)^2}=-2a$
$5a<0$이므로 $\sqrt{25a^2}=\sqrt{(5a)^2}=-5a$
$\therefore \sqrt{(-a)^2}+\sqrt{(2a)^2}-\sqrt{25a^2}$
$=(-a)+(-2a)-(-5a)$

$$= -a - 2a + 5a$$
$$= 2a$$

11 ① $(\sqrt{7}-1)-2=\sqrt{7}-3=\sqrt{7}-\sqrt{9}<0$이므로
$\sqrt{7}-1<2$

② $(2-\sqrt{5})-(-\sqrt{5}+8)=-6<0$이므로
$2-\sqrt{5}<-\sqrt{5}+8$

③ $(\sqrt{5}+\sqrt{6})-(\sqrt{7}+\sqrt{5})=\sqrt{6}-\sqrt{7}<0$이므로
$\sqrt{5}+\sqrt{6}<\sqrt{7}+\sqrt{5}$

④ $\sqrt{5}-(\sqrt{7}-1)=\sqrt{5}-\sqrt{7}+1$과 같이 부호를 판별하기 어려운 경우에는 제곱근의 값과 부등식의 성질을 이용한다. 즉,
$2<\sqrt{7}<3$이므로 $1<\sqrt{7}-1<2$이고,
$2<\sqrt{5}<3$이므로 $\sqrt{5}>\sqrt{7}-1$

⑤ $(-\sqrt{7}-3)-(-\sqrt{6}-3)=\sqrt{6}-\sqrt{7}<0$이므로
$-\sqrt{7}-3<-\sqrt{6}-3$

따라서 옳은 것은 ⑤이다.

참고 ④에서 제곱근의 값을 이용할 수도 있다.
$\sqrt{5}=2.\times\times\times$이고,
$\sqrt{7}=2.\times\times\times$에서 $\sqrt{7}-1=1.\times\times\times$이므로
$\sqrt{5}>\sqrt{7}-1$

12 $b-c=(\sqrt{17}+1)-(\sqrt{12}+1)=\sqrt{17}-\sqrt{12}>0$
$\therefore b>c$
$c-a=(\sqrt{12}+1)-4=\sqrt{12}-3=\sqrt{12}-\sqrt{9}>0$
$\therefore c>a$
따라서 $b>c$, $c>a$이므로 $a<c<b$이다.

다른 풀이 $b=\sqrt{17}+1$에서 $4<\sqrt{17}<5$이므로
$5<\sqrt{17}+1<6$이다.
$c=\sqrt{12}+1$에서 $3<\sqrt{12}<4$이므로
$4<\sqrt{12}+1<5$이다.
$\therefore a<c<b$

13 $2<\sqrt{5}<3$에서 $1<\sqrt{5}-1<2$이므로 $\sqrt{5}-1$은 점 C에 대응한다.
$1<\sqrt{2}<2$에서 $-2<-\sqrt{2}<-1$이므로 $-\sqrt{2}$는 점 A에 대응한다.
$1<\sqrt{3}<2$에서 $-2<-\sqrt{3}<-1$이고,
$-1<-\sqrt{3}+1<0$이므로 $-\sqrt{3}+1$은 점 B에 대응한다.
따라서 $a=-\sqrt{2}$, $c=\sqrt{5}-1$이므로
$a^2-(c+1)^2=(-\sqrt{2})^2-(\sqrt{5}-1+1)^2$
$\qquad\qquad\qquad = -3$

14 ① $-\sqrt{2}\times\sqrt{22}=-\sqrt{44}=-\sqrt{2^2\times11}=-2\sqrt{11}$

② $\sqrt{\dfrac{16}{3}}\div\sqrt{\dfrac{2}{9}}=\sqrt{\dfrac{16}{3}}\times\sqrt{\dfrac{9}{2}}=\sqrt{\dfrac{16}{3}\times\dfrac{9}{2}}$
$\qquad\qquad\qquad =\sqrt{24}=\sqrt{2^2\times6}$
$\qquad\qquad\qquad =2\sqrt{6}$

③ $\left(-\sqrt{\dfrac{14}{9}}\right)\times5\sqrt{\dfrac{2}{7}}=-5\sqrt{\dfrac{14}{9}\times\dfrac{2}{7}}$
$\qquad\qquad\qquad\qquad =-5\sqrt{\dfrac{4}{9}}$
$\qquad\qquad\qquad\qquad =-5\times\dfrac{2}{3}$
$\qquad\qquad\qquad\qquad =-\dfrac{10}{3}$

④ $\sqrt{20}\div\sqrt{2}\div\sqrt{5}=\sqrt{20}\times\dfrac{1}{\sqrt{2}}\times\dfrac{1}{\sqrt{5}}$
$\qquad\qquad\qquad =\sqrt{20\times\dfrac{1}{2}\times\dfrac{1}{5}}$
$\qquad\qquad\qquad =\sqrt{2}$

⑤ $(-3\sqrt{2})\times(-4\sqrt{6})=(-3)\times(-4)\times\sqrt{2\times6}$
$\qquad\qquad\qquad\qquad =12\sqrt{12}=12\sqrt{2^2\times3}$
$\qquad\qquad\qquad\qquad =24\sqrt{3}$

따라서 옳지 않은 것은 ③이다.

15 $\dfrac{1}{\sqrt{5}+\sqrt{3}}-\dfrac{1}{\sqrt{5}-\sqrt{3}}$
$= \dfrac{(\sqrt{5}-\sqrt{3})-(\sqrt{5}+\sqrt{3})}{(\sqrt{5}+\sqrt{3})(\sqrt{5}-\sqrt{3})}$
$= \dfrac{-2\sqrt{3}}{5-3}$
$= \dfrac{-2\sqrt{3}}{2}$
$= -\sqrt{3}$

16 $\dfrac{\sqrt{98}-\sqrt{27}}{\sqrt{2}}-\dfrac{5\sqrt{3}-\sqrt{18}}{\sqrt{3}}$
$= \dfrac{7\sqrt{2}-3\sqrt{3}}{\sqrt{2}}-\dfrac{5\sqrt{3}-3\sqrt{2}}{\sqrt{3}}$
$= \dfrac{(7\sqrt{2}-3\sqrt{3})\sqrt{2}}{\sqrt{2}\times\sqrt{2}}-\dfrac{(5\sqrt{3}-3\sqrt{2})\sqrt{3}}{\sqrt{3}\times\sqrt{3}}$
$= \dfrac{14-3\sqrt{6}}{2}-\dfrac{15-3\sqrt{6}}{3}$
$= 7-\dfrac{3\sqrt{6}}{2}-5+\sqrt{6}$
$= 2-\dfrac{\sqrt{6}}{2}$

따라서 $a=2$, $b=-\dfrac{1}{2}$이므로
$ab=2\times\left(-\dfrac{1}{2}\right)=-1$

17 주어진 두 식을 각각 계산하면

$a=\sqrt{(-1)^2}+(-\sqrt{3})^2-(-\sqrt{5})^2$

$\quad=1+3-5=-1$

$b=(-\sqrt{4})^2\times\sqrt{\dfrac{25}{16}}-\sqrt{0.81}\times\sqrt{(-10)^2}$

$\quad=4\times\dfrac{5}{4}-0.9\times10$

$\quad=5-9$

$\quad=-4$

$\therefore a+b=(-1)+(-4)=-5$

18 $\sqrt{1}$, $\sqrt{2}$, $\sqrt{3}$ 이하의 자연수는 1의 1개이므로

$N(1)=N(2)=N(3)=1$

같은 방법으로 하면

$N(4)=N(5)=N(6)=N(7)=N(8)=2$

$N(9)=N(10)=N(11)=\cdots=N(15)=3$

$N(16)=N(17)=N(18)=\cdots=N(24)=4$

$\therefore N(1)+N(2)+N(3)+\cdots+N(24)$

$\quad=1\times3+2\times5+3\times7+4\times9$

$\quad=3+10+21+36=70$

따라서 a의 값은 24이다.

19 $f(1)=\sqrt{1}-\sqrt{2}$, $f(2)=\sqrt{2}-\sqrt{3}$, $f(3)=\sqrt{3}-\sqrt{4}$, $\cdots$,

$f(8)=\sqrt{8}-\sqrt{9}$이므로

$f(1)+f(2)+f(3)+\cdots+f(8)$

$=(\sqrt{1}-\cancel{\sqrt{2}})+(\cancel{\sqrt{2}}-\cancel{\sqrt{3}})+(\cancel{\sqrt{3}}-\cancel{\sqrt{4}})+\cdots$

$\qquad\qquad\qquad\qquad\qquad +(\cancel{\sqrt{8}}-\sqrt{9})$

$=\sqrt{1}-\sqrt{9}$

$=1-3$

$=-2$

20 $\dfrac{a}{\sqrt{3}}-\dfrac{b}{\sqrt{2}}=\dfrac{\sqrt{3}a}{3}-\dfrac{\sqrt{2}b}{2}$

$\qquad=\dfrac{\sqrt{3}(2\sqrt{2}+3)}{3}-\dfrac{\sqrt{2}(\sqrt{3}-3\sqrt{6})}{2}$

$\qquad=\dfrac{2\sqrt{6}+3\sqrt{3}}{3}-\dfrac{\sqrt{6}-3\sqrt{12}}{2}$

$\qquad=\dfrac{2\sqrt{6}}{3}+\sqrt{3}-\dfrac{\sqrt{6}}{2}+3\sqrt{3}$

$\qquad=4\sqrt{3}+\dfrac{\sqrt{6}}{6}$

21 $\sqrt{43-x}$가 자연수가 되려면 $43-x$는 43보다 작은

(자연수)^{2}의 꼴이어야 하므로

$43-x=1^2,\ 2^2,\ 3^2,\ 4^2,\ 5^2,\ 6^2$

$\therefore x=42,\ 39,\ 34,\ 27,\ 18,\ 7$

따라서 자연수 x의 값 중 가장 작은 자연수는 $a=7$

이고, 가장 큰 자연수는 $b=42$이므로

$\dfrac{b}{a}=\dfrac{42}{7}=6$

22 ④ $\sqrt{216}=\sqrt{2^3\times3^3}=(\sqrt{2})^3\times(\sqrt{3})^3=a^3b^3$

⑤ $\sqrt{216}=\sqrt{2^3\times3^3}=2\sqrt{2}\times3\sqrt{3}=6\times\sqrt{2}\times\sqrt{3}=6ab$

다른 풀이 각각에 수를 대입하여 풀 수도 있다.

① $a^2b=2\sqrt{3}=\sqrt{12}$

② $ab^3=\sqrt{2}\times3\sqrt{3}=3\sqrt{6}=\sqrt{54}$

③ $2a^2b=2\times2\times\sqrt{3}=4\sqrt{3}=\sqrt{48}$

④ $a^3b^3=2\sqrt{2}\times3\sqrt{3}=6\sqrt{6}=\sqrt{216}$

⑤ $6ab=6\times\sqrt{2}\times\sqrt{3}=6\sqrt{6}=\sqrt{216}$

23 부등식 $2<\sqrt{2a-1}<4$의 각 변을 제곱하면

$4<2a-1<16,\ 5<2a<17$

$\therefore \dfrac{5}{2}<a<\dfrac{17}{2}$

따라서 자연수 a는 3, 4, 5, 6, 7, 8의 6개이다.

24 부등식 $2<\sqrt{3n}<4$의 각 변을 제곱하면

$4<3n<16$

$\therefore \dfrac{4}{3}<n<\dfrac{16}{3}$

이때 n은 자연수이므로

$n=2,\ 3,\ 4,\ 5$

따라서 모든 n의 값의 합은

$2+3+4+5=14$

25 4개의 정사각형 ㈎, ㈏, ㈐, ㈑의 넓이를 각각 S_1,

S_2, S_3, S_4라 하면

$S_1=5S_2$, $S_2=4S_3$, $S_3=3S_4$

이때 $S_1=120\ \text{cm}^2$이므로

$S_2=\dfrac{1}{5}S_1=\dfrac{1}{5}\times120=24(\text{cm}^2)$

$S_3=\dfrac{1}{4}S_2=\dfrac{1}{4}\times24=6(\text{cm}^2)$

$S_4=\dfrac{1}{3}S_3=\dfrac{1}{3}\times6=2(\text{cm}^2)$

따라서 정사각형 ㈑의 한 변의 길이는

$\sqrt{S_4}=\sqrt{2}\ \text{cm}$

다른 풀이 정사각형 ㈑의 넓이를 S라 하면

정사각형 ㈐의 넓이는 $3S$

정사각형 ㈏의 넓이는 $4\times3S=12S$

정사각형 ㈎의 넓이는 $5 \times 12S = 60S$

이때 정사각형 ㈎의 넓이가 120 cm^2이므로

$60S = 120$

$\therefore S = 2$

따라서 정사각형 ㈒의 넓이가 2 cm^2이므로 그 한 변의 길이는 $\sqrt{2} \text{ cm}$이다.

26 $4 < \sqrt{24} < 5$에서 $\sqrt{24}$의 정수 부분이 4이므로

$f(24) = \sqrt{24} - 4 = 2\sqrt{6} - 4$

$2 < \sqrt{6} < 3$에서 $\sqrt{6}$의 정수 부분이 2이므로

$f(6) = \sqrt{6} - 2$

$\therefore f(24) - f(6) = 2\sqrt{6} - 4 - (\sqrt{6} - 2)$
$ = 2\sqrt{6} - 4 - \sqrt{6} + 2$
$ = \sqrt{6} - 2$

27 ① $\sqrt{2370} = \sqrt{23.7 \times 10^2} = 10\sqrt{23.7}$
$\phantom{① \sqrt{2370}} = 10 \times 4.868 = 48.68$

② $\sqrt{23700} = \sqrt{2.37 \times 100^2} = 100\sqrt{2.37}$
$\phantom{② \sqrt{23700}} = 100 \times 1.539 = 153.9$

③ $\sqrt{0.237} = \sqrt{\dfrac{23.7}{10^2}} = \dfrac{\sqrt{23.7}}{10}$
$\phantom{③ \sqrt{0.237}} = \dfrac{4.868}{10} = 0.4868$

④ $\sqrt{0.0237} = \sqrt{\dfrac{2.37}{10^2}} = \dfrac{\sqrt{2.37}}{10}$
$\phantom{④ \sqrt{0.0237}} = \dfrac{1.539}{10} = 0.1539$

⑤ $\sqrt{0.00237} = \sqrt{\dfrac{23.7}{100^2}} = \dfrac{\sqrt{23.7}}{100}$
$\phantom{⑤ \sqrt{0.00237}} = \dfrac{4.868}{100} = 0.04868$

따라서 옳지 않은 것은 ④이다.

28

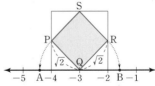

위의 그림에서

$\overline{QA} = \overline{QP} = \sqrt{1^2 + 1^2} = \sqrt{2}$,

$\overline{QB} = \overline{QR} = \sqrt{1^2 + 1^2} = \sqrt{2}$이므로

점 $A(-3 - \sqrt{2})$, 점 $B(-3 + \sqrt{2})$이다.

29 (1)

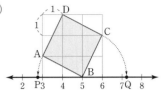

위의 그림에서

□ABCD의 한 변의 길이는
$\overline{AB} = \sqrt{2^2 + 1^2} = \sqrt{5}$

이므로

□ABCD의 넓이는 $(\sqrt{5})^2 = 5$이다.

(2) $\overline{BP} = \overline{BA} = \sqrt{5}$, $\overline{BQ} = \overline{BC} = \sqrt{5}$이고 점 P는 기준점 B의 왼쪽, 점 Q는 기준점 B의 오른쪽에 있으므로 점 P에 대응하는 수는 $5 - \sqrt{5}$, 점 Q에 대응하는 수는 $5 + \sqrt{5}$이다.

30 $S_2 = \dfrac{1}{3}S_1$, $S_3 = \dfrac{1}{3}S_2 = \dfrac{1}{3} \times \dfrac{1}{3}S_1 = \dfrac{1}{9}S_1$이므로

$S_1 : S_2 : S_3 = S_1 : \dfrac{1}{3}S_1 : \dfrac{1}{9}S_1$
$ = 1 : \dfrac{1}{3} : \dfrac{1}{9}$

따라서 세 정사각형 ㈎, ㈏, ㈐의 한 변의 길이의 비는

$\sqrt{1} : \sqrt{\dfrac{1}{3}} : \sqrt{\dfrac{1}{9}}$, 즉 $1 : \dfrac{\sqrt{3}}{3} : \dfrac{1}{3}$

이때 $S_1 = 2$이므로 정사각형 ㈎의 한 변의 길이는 $\sqrt{2}$이고, 정사각형 ㈏, ㈐의 한 변의 길이는 각각

$\dfrac{\sqrt{6}}{3}$, $\dfrac{\sqrt{2}}{3}$이다.

$\therefore \overline{AB} = \sqrt{2} + \dfrac{\sqrt{6}}{3} + \dfrac{\sqrt{2}}{3}$
$\phantom{\therefore \overline{AB}} = \dfrac{4\sqrt{2} + \sqrt{6}}{3}$

다른 풀이 $S_1 = 2$에서 정사각형 ㈎의 넓이가 2이므로

$S_2 = \dfrac{1}{3}S_1 = \dfrac{1}{3} \times 2 = \dfrac{2}{3}$

$S_3 = \dfrac{1}{3}S_2 = \dfrac{1}{3} \times \dfrac{2}{3} = \dfrac{2}{9}$

따라서 세 정사각형 ㈎, ㈏, ㈐의 한 변의 길이는

각각 $\sqrt{2}$, $\sqrt{\dfrac{2}{3}}$, $\sqrt{\dfrac{2}{9}}$, 즉 $\sqrt{2}$, $\dfrac{\sqrt{6}}{3}$, $\dfrac{\sqrt{2}}{3}$이므로

$\overline{AB} = \sqrt{2} + \dfrac{\sqrt{6}}{3} + \dfrac{\sqrt{2}}{3}$
$\phantom{\overline{AB}} = \dfrac{4\sqrt{2} + \sqrt{6}}{3}$

1 다항식의 곱셈
주제별 실력다지기

01 3	02 ①	03 -2	04 ⑤	05 7	06 -8	07 31	08 50
09 ③, ④	10 ⑤	11 6	12 $16a^4-8a^2b^2+b^4$		13 ④	14 ⑤	15 ④
16 ③	17 ①	18 ①	19 ③	20 0	21 6, 6, 6, 1200, 8836		22 ⑤
23 ③	24 ⑤	25 ②	26 ④	27 ①	28 ②	29 ②	30 2^{31}
31 $x-y$	32 $x^2+2xy+y^2-4$		33 ① $x+3$ ② $x+2$ ③ x^2+3x ④ $x^4+6x^3+11x^2+6x$				
34 35	35 ③	36 ④	37 9	38 ①	39 ③	40 ③	41 ①
42 ③	43 ④	44 ②	45 ②	46 ①	47 ②	48 ②	49 36
50 ②	51 -2	52 ④	53 ⑤	54 ④	55 ㄱ, ㄷ	56 ①	57 2
58 49	59 ⑤	60 5	61 $\sqrt{5}$	62 52	63 ④	64 ②, ⑤	65 2

01 xy항이 나오는 부분만 전개하면
$2Axy-5xy=(2A-5)xy$이므로
$2A-5=3$, $2A=8$ ∴ $A=4$
y항이 나오는 부분만 전개하면 $5By$이므로
$5B=-5$ ∴ $B=-1$
∴ $A+B=4-1=3$

02 $(\sqrt{2}x+y-3)(\sqrt{2}x-y+3)$을 전개하였을 때,
x^2항이 나오는 부분만 전개하면
$\sqrt{2}x\times\sqrt{2}x=2x^2$이므로 $a=2$
y항이 나오는 부분만 전개하면
$y\times3+(-3)\times(-y)=3y+3y=6y$이므로 $b=6$
∴ $a-b=2-6=-4$

03 $x(2x^2-3x+1)(x^2-x-1)$
$=(2x^3-3x^2+x)(x^2-x-1)$을 전개하였을 때,
x^3항이 나오는 부분만 전개하면
$2x^3\times(-1)+(-3x^2)\times(-x)+x\times x^2$
$=-2x^3+3x^3+x^3=2x^3$
이므로 $A=2$
x항이 나오는 부분만 전개하면
$x\times(-1)=-x$이므로 $B=-1$
∴ $AB=2\times(-1)=-2$
다른 풀이 $x(2x^2-3x+1)(x^2-x-1)$의 전개식에
서 x^3, x의 계수는 각각 $(2x^2-3x+1)(x^2-x-1)$
의 전개식에서 x^2의 계수, 상수항과 같다.
$(2x^2-3x+1)(x^2-x-1)$에서 x^2항이 나오는 부분
만 전개하면

$2x^2\times(-1)+(-3x)\times(-x)+1\times x^2=2x^2$
상수항이 나오는 부분만 전개하면
$1\times(-1)=-1$
따라서 주어진 식에서 x^3의 계수는 2, x의 계수는
-1이므로 $A=2$, $B=-1$
∴ $AB=2\times(-1)=-2$

04 주어진 식을 전개하였을 때 상수항을 포함한 모든 항
의 계수의 총합은 전개식에서 모든 문자에 1을 대입
하여 계산한 값과 같다.
따라서 $(3x+y-2)^2(x-ay+3)$에서 $x=1$, $y=1$
을 대입하면
$(3+1-2)^2(1-a+3)=20$
$4(4-a)=20$, $4-a=5$ ∴ $a=-1$

05 상수항을 제외한 각 항의 계수의 총합을 구하려면 모든
항의 계수와 상수항의 총합에서 상수항만 빼면 된다.
모든 항의 계수와 상수항의 총합은 주어진 식의 모든
문자에 1을 대입한 값과 같으므로 주어진 식에 $x=1$
을 대입하면
$(1-2+3+1)(2+1-1+1)=3\times3=9$
이때 상수항은 2이므로 구하는 값은 $9-2=7$

06 $(x-ay-1)(x-4y+b)$의 전개식에서 xy항이 나
오는 부분만 전개하면
$x\times(-4y)+(-ay)\times x=-4xy-axy$
$\qquad\qquad\qquad\qquad =(-4-a)xy$
xy의 계수가 -8이므로
$-4-a=-8$ ∴ $a=4$

상수항이 되는 부분만 전개하면

$-1 \times b = -b$

상수항은 -5이므로 $-b = -5$ ∴ $b = 5$

따라서 주어진 식은 $(x-4y-1)(x-4y+5)$이고,

이것을 전개하였을 때 상수항을 포함한 모든 항의 계수의 총합은 $x=1$, $y=1$을 대입하여 계산한 값과 같으므로

$(1-4-1)(1-4+5) = -4 \times 2 = -8$

07 $a_1 x^{10} + a_2 x^9 + \cdots + a_{10} x + a_{11}$에서

$a_1 + a_2 + a_3 + \cdots + a_{10}$은 상수항 a_{11}을 제외한 각 항의 계수의 합이다.

모든 항의 계수와 상수항의 총합을 구하기 위해

$(2011x^2 - 2010x + 1)^5 = a_1 x^{10} + a_2 x^9 + \cdots + a_{10} x + a_{11}$

에 $x=1$을 대입하면

$(2011 - 2010 + 1)^5 = a_1 + a_2 + a_3 + \cdots + a_{10} + a_{11}$

$2^5 = a_1 + a_2 + a_3 + \cdots + a_{10} + a_{11}$

이때 주어진 식에서 상수항 a_{11}은 1이므로

$a_1 + a_2 + a_3 + \cdots + a_{10} = 2^5 - a_{11} = 32 - 1 = 31$

08 ㈎ $(x + Ay)^2 = x^2 + 2Axy + A^2 y^2$에서

$\quad 2A = 8$, $A^2 = B$

$\quad$ ∴ $A = 4$, $B = 16$

㈏ $(x + Cy)^2 = x^2 + 2Cxy + C^2 y^2$에서

$\quad 2C = -12$, $C^2 = D$

$\quad$ ∴ $C = -6$, $D = 36$

∴ $A + B + C + D = 4 + 16 - 6 + 36 = 50$

09 ③ $(\sqrt{2}x - \sqrt{3}y)(\sqrt{2}x + \sqrt{3}y) = (\sqrt{2}x)^2 - (\sqrt{3}y)^2$

$\qquad\qquad\qquad\qquad\qquad = 2x^2 - 3y^2$

④ $(-m - 3n)^2 = (m + 3n)^2 = m^2 + 6mn + 9n^2$

10 $(-5x - 2y)(5x - 2y) + 3(x - 2y)^2$

$= (-2y - 5x)(-2y + 5x) + 3(x^2 - 4xy + 4y^2)$

$= 4y^2 - 25x^2 + 3x^2 - 12xy + 12y^2$

$= -22x^2 - 12xy + 16y^2$

따라서 $a = -12$, $b = 16$이므로

$a + b = -12 + 16 = 4$

11 $(x-1)(x+1)(x^{\boxed{2}}+1) = (x^2 - 1)(x^2 + 1)$

$\qquad\qquad\qquad\qquad = (x^2)^2 - 1$

$\qquad\qquad\qquad\qquad = x^{\boxed{4}} - 1$

따라서 □ 안에 알맞은 수들의 합은 $2 + 4 = 6$

12 $(2a-b)(2a+b)(4a^2 - b^2) = (4a^2 - b^2)(4a^2 - b^2)$

$\qquad\qquad\qquad\qquad\qquad\quad = (4a^2 - b^2)^2$

$\qquad\qquad\qquad\qquad\qquad\quad = 16a^4 - 8a^2 b^2 + b^4$

13 $(x-y) \triangle (x+y) = (x-y)^2 - (x+y)^2$

$\qquad\qquad\qquad\quad = (x^2 - 2xy + y^2) - (x^2 + 2xy + y^2)$

$\qquad\qquad\qquad\quad = x^2 - 2xy + y^2 - x^2 - 2xy - y^2$

$\qquad\qquad\qquad\quad = -4xy$

14 $\begin{vmatrix} (2x-y) & (y-3x) \\ (3x+y) & (-2x+y) \end{vmatrix}$

$= (2x-y)(-2x+y) - (y-3x)(3x+y)$

$= (2x-y)\{-(2x-y)\} - (y-3x)(y+3x)$

$= -(2x-y)^2 - \{y^2 - (3x)^2\}$

$= -(4x^2 - 4xy + y^2) - (y^2 - 9x^2)$

$= -4x^2 + 4xy - y^2 - y^2 + 9x^2$

$= 5x^2 + 4xy - 2y^2$

15 ① $(y+4)(y-6) = y^2 - 2y - 24$

② $(3a+1)(2a+1) = 6a^2 + 5a + 1$

③ $(3x-2)(7x-4) = 21x^2 - 26x + 8$

⑤ $(-2x-3y)(x+4y) = -2x^2 - 11xy - 12y^2$

16 $(x-2)(5x+a) = 5x^2 + ax - 10x - 2a$

$\qquad\qquad\qquad = 5x^2 + (a-10)x - 2a$

따라서 $a - 10 = -13$, $-2a = b$이므로

$a = -3$, $b = -2a = -2 \times (-3) = 6$

17 $(5x-7y)(4x + Ay) = 20x^2 + (5A - 28)xy - 7Ay^2$

이므로 $5A - 28 = -B$, $-7A = -42$

따라서 $A = 6$, $B = -2$이므로

$B - A = -2 - 6 = -8$

18 $(x-2y)(-x+2y) - (x+3y)(x-5y)$

$= -(x-2y)(x-2y) - (x+3y)(x-5y)$

$= -(x-2y)^2 - (x+3y)(x-5y)$

$= -(x^2 - 4xy + 4y^2) - (x^2 - 2xy - 15y^2)$

$= -x^2 + 4xy - 4y^2 - x^2 + 2xy + 15y^2$

$= -2x^2 + 6xy + 11y^2$

따라서 $a = 6$, $b = 11$이므로

$b - a = 11 - 6 = 5$

19

① $(x+3)(x-1)=x^2+2x-3$이므로 □$=3$

② $(a-5b)(a-\square b)=a^2-(5+\square)ab+5\times\square\times b^2$
$$=a^2-9ab+20b^2$$

따라서 $5+\square=9$이므로 □$=4$

③ $(-x-3y)(x+2y)=-x^2-5xy-6y^2$이므로
□$=-5$

④ $\left(x-\dfrac{1}{3}\right)\left(\square x+\dfrac{1}{4}\right)=\square x^2-\left(\dfrac{\square}{3}-\dfrac{1}{4}\right)x-\dfrac{1}{12}$
$$=x^2-\dfrac{1}{12}x-\dfrac{1}{12}$$

∴ □$=1$

⑤ $(2a-b)(3a+b)=6a^2-ab-b^2$에서 □$=-1$

따라서 □ 안에 들어갈 수가 가장 작은 것은 ③이다.

20

$(2x+a)(x-1)+(x-a)(-a-x)$
$=(2x+a)(x-1)-(x-a)(x+a)$
$=2x^2+(-2+a)x-a-(x^2-a^2)$
$=2x^2+(-2+a)x-a-x^2+a^2$
$=x^2+(-2+a)x+a^2-a$

x의 계수가 음수이므로 $-2+a<0$ ∴ $a<2$
이때 a는 자연수이므로 $a=1$
따라서 상수항은
$a^2-a=1^2-1=0$

21

$94^2=(100-\boxed{6})^2$
$\quad=100^2-2\times100\times\boxed{6}+\boxed{6}^2$
$\quad=10000-\boxed{1200}+36$
$\quad=\boxed{8836}$

22

① $84^2=(80+4)^2=80^2+2\times80\times4+4^2$

② $95^2=(100-5)^2=100^2-2\times100\times5+5^2$

③ $62\times58=(60+2)(60-2)=60^2-2^2$

④ $107\times97=(100+7)(100-3)$
$\qquad=100^2+(7-3)\times100+7\times(-3)$

⑤ $103\times97=(100+3)(100-3)=100^2-3^2$이므로
$(x+y)(x-y)=x^2-y^2$을 이용하는 것이 적절하다.

23

$50.3\times49.7=(50+0.3)(50-0.3)$
$\qquad\qquad=50^2-(0.3)^2$
$\qquad\qquad=2500-0.09=2499.91$

따라서 $(a+b)(a-b)=a^2-b^2$을 이용하는 것이 가장 편리하다.

24

$(\sqrt{3}-\sqrt{2})^{10}(\sqrt{3}+\sqrt{2})^{12}$
$=(\sqrt{3}-\sqrt{2})^{10}(\sqrt{3}+\sqrt{2})^{10}\times(\sqrt{3}+\sqrt{2})^2$
$=\{(\sqrt{3}-\sqrt{2})(\sqrt{3}+\sqrt{2})\}^{10}\times(\sqrt{3}+\sqrt{2})^2$
$=\{(\sqrt{3})^2-(\sqrt{2})^2\}^{10}\times(\sqrt{3}+\sqrt{2})^2$
$=(3-2)^{10}\times(\sqrt{3}+\sqrt{2})^2$
$=1\times(3+2\sqrt{6}+2)$
$=5+2\sqrt{6}$

따라서 $a=5$, $b=2$이므로 $a+b=5+2=7$

25

$(2-\sqrt{5})^2(2+\sqrt{5})^2(5-2\sqrt{6})(5+2\sqrt{6})$
$=\{(2-\sqrt{5})(2+\sqrt{5})\}^2\times\{(5-2\sqrt{6})(5+2\sqrt{6})\}$
$=\{2^2-(\sqrt{5})^2\}^2\times\{5^2-(2\sqrt{6})^2\}$
$=(4-5)^2\times(25-24)$
$=1\times1=1$

26

$(\sqrt{2}-\sqrt{3}+\sqrt{5})(\sqrt{2}+\sqrt{3}-\sqrt{5})$
$=\{\sqrt{2}-(\sqrt{3}-\sqrt{5})\}\{\sqrt{2}+(\sqrt{3}-\sqrt{5})\}$
$=(\sqrt{2})^2-(\sqrt{3}-\sqrt{5})^2$
$=2-(3-2\sqrt{15}+5)$
$=2-(8-2\sqrt{15})$
$=-6+2\sqrt{15}$

따라서 $a=-6$, $b=2$, $c=15$이므로
$a+b+c=-6+2+15=11$

27

xy항이 나오는 부분만 전개하면

① $-2\times(-2x)\times5y=20xy$이므로 xy의 계수는 20

② $-3(2xy+2xy)=-12xy$이므로 xy의 계수는 -12

③ $-2xy+4xy=2xy$이므로 xy의 계수는 2

④ $-2xy-xy-2\times3y\times x=-3xy-6xy=-9xy$
이므로 xy의 계수는 -9

⑤ $(5xy-5xy)-(xy+xy)=-2xy$이므로 xy의 계수는 -2

따라서 xy의 계수가 가장 큰 것은 ①이다.

28

$(x-\sqrt{2})(x^2+2)(x^4+4)(x+\sqrt{2})$
$=\{(x-\sqrt{2})(x+\sqrt{2})\}(x^2+2)(x^4+4)$
$=\{(x^2-2)(x^2+2)\}(x^4+4)$
$=(x^4-4)(x^4+4)$
$=x^8-16$

따라서 $x^8-16=240$에서 $x^8=256=2^8$이므로 $x=2$

29 $(3+1)(9+1)(81+1)$

$=\dfrac{1}{2}(3-1)(3+1)(3^2+1)(3^4+1)$

$=\dfrac{1}{2}(3^2-1)(3^2+1)(3^4+1)$

$=\dfrac{1}{2}(3^4-1)(3^4+1)=\dfrac{1}{2}(3^8-1)$

따라서 $a=\dfrac{1}{2}$, $b=8$이므로 $ab=4$

30 주어진 등식의 양변에 $(2-4)$를 곱하면

$(2-4)A=(2-4)(2+4)(2^2+4^2)(2^4+4^4)(2^8+4^8)$

$\qquad\quad=(2^2-4^2)(2^2+4^2)(2^4+4^4)(2^8+4^8)$

$\qquad\quad=(2^4-4^4)(2^4+4^4)(2^8+4^8)$

$\qquad\quad=(2^8-4^8)(2^8+4^8)=2^{16}-4^{16}$

$\qquad\quad=2^{16}-(2^2)^{16}=2^{16}-2^{32}$

$-2A=2^{16}-2^{32}$에서 양변을 -2로 나누면

$A=-2^{15}+2^{31}$ $\qquad$ $\therefore$ $A+2^{15}=2^{31}$

31 $\{(x-y)-1\}^2$에서 $x-y=X$로 치환하면

$(X-1)^2=X^2-2X+1$

$\qquad\qquad=(x-y)^2-2(x-y)+1$

$\qquad\qquad=x^2-2xy+y^2-2(\boxed{x-y})+1$

32 $x+y=X$로 치환하면

$(x+y+2)(x+y-2)=(X+2)(X-2)$

$\qquad\qquad\qquad\qquad=X^2-4$

$\qquad\qquad\qquad\qquad=(x+y)^2-4$

$\qquad\qquad\qquad\qquad=x^2+2xy+y^2-4$

33 $x(x+1)(x+2)(x+3)$

$=\{x\underset{①}{(x+3)}\}\{\underset{②}{(x+1)(x+2)}\}$

$=(x^2+3x)(x^2+3x+2)$

$\underset{③}{x^2+3x}=t$로 치환하면

(주어진 식)$=t(t+2)=t^2+2t$이므로

t에 다시 $\underset{③}{x^2+3x}$를 대입하여 전개하면

$(x^2+3x)^2+2(x^2+3x)=x^4+6x^3+9x^2+2x^2+6x$

$\qquad\qquad\qquad\qquad=\underset{④}{x^4+6x^3+11x^2+6x}$

34 상수항의 합이 -1이 되는 두 일차식끼리 묶은 후
이를 전개하면

$(x+1)(x+3)(x-2)(x-4)$

$=\{(x+1)(x-2)\}\{(x+3)(x-4)\}$

$=(x^2-x-2)(x^2-x-12)$ $\quad\rangle x^2-x=A$로 치환

$=(A-2)(A-12)$

$=A^2-14A+24$

$=(x^2-x)^2-14(x^2-x)+24$ $\quad\rangle A=x^2-x$를 대입

$=x^4-2x^3+x^2-14x^2+14x+24$

$=x^4-2x^3-13x^2+14x+24$

따라서 $a=-2$, $b=-13$, $c=24$이므로

$a-b+c=-2-(-13)+24=35$

35 $\dfrac{\sqrt{5}-\sqrt{3}}{\sqrt{5}+\sqrt{3}}-\dfrac{\sqrt{5}+\sqrt{3}}{\sqrt{5}-\sqrt{3}}$

$=\dfrac{(\sqrt{5}-\sqrt{3})^2-(\sqrt{5}+\sqrt{3})^2}{(\sqrt{5}+\sqrt{3})(\sqrt{5}-\sqrt{3})}$

$=\dfrac{(5-2\sqrt{15}+3)-(5+2\sqrt{15}+3)}{5-3}$

$=\dfrac{-4\sqrt{15}}{2}=-2\sqrt{15}$

36 주어진 식에서 각각의 분모를 유리화하면

(주어진 식)

$=\dfrac{2(1-\sqrt{3})}{(1+\sqrt{3})(1-\sqrt{3})}+\dfrac{2(\sqrt{3}-\sqrt{5})}{(\sqrt{3}+\sqrt{5})(\sqrt{3}-\sqrt{5})}$

$\qquad+\dfrac{2(\sqrt{5}-\sqrt{7})}{(\sqrt{5}+\sqrt{7})(\sqrt{5}-\sqrt{7})}+\dfrac{2(\sqrt{7}-\sqrt{9})}{(\sqrt{7}+\sqrt{9})(\sqrt{7}-\sqrt{9})}$

$=\dfrac{2(1-\sqrt{3})}{1-3}+\dfrac{2(\sqrt{3}-\sqrt{5})}{3-5}+\dfrac{2(\sqrt{5}-\sqrt{7})}{5-7}$

$\qquad\qquad\qquad\qquad\qquad+\dfrac{2(\sqrt{7}-\sqrt{9})}{7-9}$

$=-(1-\sqrt{3})-(\sqrt{3}-\sqrt{5})-(\sqrt{5}-\sqrt{7})-(\sqrt{7}-\sqrt{9})$

$=-1+\sqrt{3}-\sqrt{3}+\sqrt{5}-\sqrt{5}+\sqrt{7}-\sqrt{7}+\sqrt{9}$

$=-1+\sqrt{9}=-1+3=2$

37 주어진 식에서 각각의 분모를 유리화하면

(주어진 식)

$=\dfrac{1-\sqrt{2}}{(1+\sqrt{2})(1-\sqrt{2})}+\dfrac{\sqrt{2}-\sqrt{3}}{(\sqrt{2}+\sqrt{3})(\sqrt{2}-\sqrt{3})}$

$\qquad+\dfrac{\sqrt{3}-\sqrt{4}}{(\sqrt{3}+\sqrt{4})(\sqrt{3}-\sqrt{4})}+\cdots$

$\qquad+\dfrac{\sqrt{98}-\sqrt{99}}{(\sqrt{98}+\sqrt{99})(\sqrt{98}-\sqrt{99})}$

$\qquad+\dfrac{\sqrt{99}-\sqrt{100}}{(\sqrt{99}+\sqrt{100})(\sqrt{99}-\sqrt{100})}$

$=\dfrac{1-\sqrt{2}}{1-2}+\dfrac{\sqrt{2}-\sqrt{3}}{2-3}+\dfrac{\sqrt{3}-\sqrt{4}}{3-4}+\cdots$

$\qquad+\dfrac{\sqrt{98}-\sqrt{99}}{98-99}+\dfrac{\sqrt{99}-\sqrt{100}}{99-100}$

$$=-(1-\sqrt{2})-(\sqrt{2}-\sqrt{3})-(\sqrt{3}-\sqrt{4})-\cdots$$
$$\qquad\qquad -(\sqrt{98}-\sqrt{99})-(\sqrt{99}-\sqrt{100})$$
$$=-1+\sqrt{2}-\sqrt{2}+\sqrt{3}-\sqrt{3}+\sqrt{4}-\cdots$$
$$\qquad\qquad -\sqrt{98}+\sqrt{99}-\sqrt{99}+\sqrt{100}$$
$$=-1+\sqrt{100}=-1+10=9$$

38 $f(x)=\sqrt{x}+\sqrt{x+1}$에서

$$\frac{1}{f(x)}=\frac{1}{\sqrt{x}+\sqrt{x+1}}$$
$$=\frac{\sqrt{x}-\sqrt{x+1}}{(\sqrt{x}+\sqrt{x+1})(\sqrt{x}-\sqrt{x+1})}$$
$$=\frac{\sqrt{x}-\sqrt{x+1}}{x-(x+1)}=\frac{\sqrt{x}-\sqrt{x+1}}{-1}$$
$$=-\sqrt{x}+\sqrt{x+1}$$

즉 $\dfrac{1}{f(x)}=-\sqrt{x}+\sqrt{x+1}$이므로

$$\frac{1}{f(1)}+\frac{1}{f(2)}+\frac{1}{f(3)}+\cdots+\frac{1}{f(80)}$$
$$=(-\sqrt{1}+\sqrt{2})+(-\sqrt{2}+\sqrt{3})+(-\sqrt{3}+\sqrt{4})+\cdots$$
$$\qquad\qquad +(-\sqrt{80}+\sqrt{81})$$
$$=-\sqrt{1}+\sqrt{81}=-1+9=8$$

39 주어진 식의 분모를 유리화하면

$$\frac{\sqrt{x-1}-\sqrt{x+1}}{\sqrt{x-1}+\sqrt{x+1}}$$
$$=\frac{(\sqrt{x-1}-\sqrt{x+1})^2}{(\sqrt{x-1}+\sqrt{x+1})(\sqrt{x-1}-\sqrt{x+1})}$$
$$=\frac{(\sqrt{x-1})^2-2\sqrt{(x-1)(x+1)}+(\sqrt{x+1})^2}{(\sqrt{x-1})^2-(\sqrt{x+1})^2}$$
$$=\frac{x-1-2\sqrt{x^2-1}+(x+1)}{(x-1)-(x+1)}$$
$$=\frac{2x-2\sqrt{x^2-1}}{-2}$$
$$=-x+\sqrt{x^2-1}$$

이 식에 $x=\sqrt{2}$를 대입하면
$$-x+\sqrt{x^2-1}=-\sqrt{2}+\sqrt{(\sqrt{2})^2-1}=-\sqrt{2}+1$$

40 $Q=S=b(a-b)$이므로 $P+Q=P+S$이다.
이때 $P+Q=(a+b)(a-b)$이고 $P+S=a^2-b^2$
이다.
따라서 주어진 그림은 곱셈 공식
$(a+b)(a-b)=a^2-b^2$을 설명하는 것이다.

41 어두운 부분은 전체에서 어둡지 않은 부분을 뺀 것이
므로

(어두운 부분의 넓이)
$$=5x(x+y+3y)-(x+y)(x-y)$$
$$=5x(x+4y)-(x^2-y^2)$$
$$=5x^2+20xy-x^2+y^2$$
$$=4x^2+20xy+y^2$$

따라서 $a=4$, $b=20$이므로 $a-b=4-20=-16$

42 길을 제외한 화단의
넓이는 오른쪽 그림의
어두운 부분의 넓이와
같다.

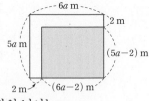

따라서 길을 제외한 화단의 넓이는
$$(6a-2)(5a-2)=30a^2-22a+4\,(\text{m}^2)$$

43

위의 그림에서 오른쪽 직사각형의 가로의 길이는
$a+b$이고, 세로의 길이는 $a-b$이므로 이 직사각형
의 넓이는
$$(a+b)(a-b) \qquad \cdots\cdots\ \bigcirc$$
또 왼쪽 도형에서 어두운 부분의 넓이는 정사각형의
넓이에서 직각이등변삼각형 2개의 넓이를 빼면 되
므로
$$a^2-2\times\frac{1}{2}b^2=a^2-b^2 \qquad \cdots\cdots\ \bigcirc$$
그런데 $\bigcirc=\bigcirc$이므로 주어진 그림이 설명하는 식은
$(a+b)(a-b)=a^2-b^2$이다.

44 $x=\dfrac{1}{3-\sqrt{10}}=\dfrac{3+\sqrt{10}}{(3-\sqrt{10})(3+\sqrt{10})}$
$$=\frac{3+\sqrt{10}}{9-10}=-3-\sqrt{10}$$

$x=-3-\sqrt{10}$에서 $x+3=-\sqrt{10}$
이 식의 양변을 제곱하면 $(x+3)^2=(-\sqrt{10})^2$
$x^2+6x+9=10$, $x^2+6x=1$
$\therefore x^2+6x-5=1-5=-4$

45 $x=\dfrac{2-\sqrt{3}}{2+\sqrt{3}}=\dfrac{(2-\sqrt{3})^2}{(2+\sqrt{3})(2-\sqrt{3})}$
$$=\frac{4-4\sqrt{3}+3}{4-3}=7-4\sqrt{3}$$

$x=7-4\sqrt{3}$에서 $x-7=-4\sqrt{3}$

이 식의 양변을 제곱하면

$(x-7)^2=(-4\sqrt{3})^2$

$x^2-14x+49=48$, $x^2-14x=-1$

$\therefore x^2-14x+1=-1+1=0$

46 $x=3-\sqrt{5}$에서 $x-3=-\sqrt{5}$

이 식의 양변을 제곱하면

$(x-3)^2=(-\sqrt{5})^2$

$x^2-6x+9=5$, $x^2-6x=-4$

$\therefore (x^2-6x+1)(x^2-6x+7)=(-4+1)(-4+7)$

$\qquad\qquad\qquad\qquad\qquad =-3\times 3=-9$

47 $x=\sqrt{10}+2$에서 $x-2=\sqrt{10}$

이 식의 양변을 제곱하면

$(x-2)^2=(\sqrt{10})^2$

$x^2-4x+4=10$, $x^2-4x=6$

$\therefore \sqrt{(x-1)(x-3)}=\sqrt{x^2-4x+3}$

$\qquad\qquad\qquad\qquad =\sqrt{6+3}=\sqrt{9}=3$

다른 풀이 $x=\sqrt{10}+2$를 주어진 식에 대입하면

$\sqrt{(x-1)(x-3)}=\sqrt{(\sqrt{10}+2-1)(\sqrt{10}+2-3)}$

$\qquad\qquad\qquad =\sqrt{(\sqrt{10}+1)(\sqrt{10}-1)}$

$\qquad\qquad\qquad =\sqrt{(\sqrt{10})^2-1^2}$

$\qquad\qquad\qquad =\sqrt{10-1}=\sqrt{9}=3$

48 $\dfrac{1}{\sqrt{5}-2}$의 분모를 유리화하면

$\dfrac{\sqrt{5}+2}{(\sqrt{5}-2)(\sqrt{5}+2)}=\dfrac{\sqrt{5}+2}{5-4}=\sqrt{5}+2$

$2<\sqrt{5}<3$에서 $4<\sqrt{5}+2<5$이므로 $\sqrt{5}+2$의 정수

부분은 4이고, 소수 부분은

$a=(\sqrt{5}+2)-4=\sqrt{5}-2$

$a=\sqrt{5}-2$에서 $a+2=\sqrt{5}$

이 식의 양변을 제곱하면 $(a+2)^2=(\sqrt{5})^2$

$a^2+4a+4=5$, $a^2+4a=1$

$\therefore a^2+4a-2=1-2=-1$

49 $x^2+y^2=(x+y)^2-2xy$

$\qquad\quad =(-6)^2-2\times 4$

$\qquad\quad =36-8=28$

$\therefore 2x^2-5xy+2y^2=2(x^2+y^2)-5xy$

$\qquad\qquad\qquad\qquad =2\times 28-5\times 4$

$\qquad\qquad\qquad\qquad =56-20=36$

50 $(x-y)^2=x^2+y^2-2xy$에서

$x-y=3$, $x^2+y^2=5$를 대입하면

$3^2=5-2xy$, $2xy=-4$ $\qquad \therefore xy=-2$

51 ㈎ $x^2+y^2=(x+y)^2-2xy=6^2-2\times(-1)$

$\qquad\qquad\qquad =36+2=38$

㈏ $(x-y)^2=(x+y)^2-4xy=6^2-4\times(-1)$

$\qquad\qquad\qquad =36+4=40$

따라서 $a=38$, $b=40$이므로 $a-b=38-40=-2$

52 $x=\dfrac{\sqrt{3}+1}{\sqrt{3}-1}=\dfrac{(\sqrt{3}+1)^2}{(\sqrt{3}-1)(\sqrt{3}+1)}$

$\qquad =\dfrac{3+2\sqrt{3}+1}{3-1}=2+\sqrt{3}$

$y=\dfrac{\sqrt{3}-1}{\sqrt{3}+1}=\dfrac{(\sqrt{3}-1)^2}{(\sqrt{3}+1)(\sqrt{3}-1)}$

$\qquad =\dfrac{3-2\sqrt{3}+1}{3-1}=2-\sqrt{3}$

이므로

$x+y=2+\sqrt{3}+(2-\sqrt{3})=4$

$xy=(2+\sqrt{3})(2-\sqrt{3})=4-3=1$

$\therefore x^2+xy+y^2=(x+y)^2-xy$

$\qquad\qquad\qquad =4^2-1=16-1$

$\qquad\qquad\qquad =15$

53 $x^2=X$, $y^2=Y$로 치환하면

$x^4+y^4=X^2+Y^2=(X+Y)^2-2XY$

이때 $X+Y=x^2+y^2$, $XY=x^2y^2=(xy)^2$에서

$x^2+y^2=(x+y)^2-2xy$

$\qquad\quad =2^2-2\times(-1)=4+2=6$

$(xy)^2=(-1)^2=1$

이므로 $X+Y=6$, $XY=1$

$\therefore x^4+y^4=(X+Y)^2-2XY$

$\qquad\qquad =6^2-2\times 1=36-2=34$

54 $m^2+n^2=(m-n)^2+2mn$

$\qquad\qquad =5^2+2\times(-2)=21$

$\therefore m^2+6mn+n^2=(m^2+n^2)+6mn$

$\qquad\qquad\qquad\qquad =21+6\times(-2)=9$

55 ㄱ. $a^2+b^2=(a-b)^2+2ab$

$\qquad\qquad =(-2)^2+2\times 3=10$

ㄴ. $(a+b)^2=(a-b)^2+4ab$

$\qquad\qquad =(-2)^2+4\times 3=16$

ㄷ. $\dfrac{2}{a}-\dfrac{2}{b}=\dfrac{2b-2a}{ab}=\dfrac{-2(a-b)}{ab}$

$\qquad\qquad =\dfrac{-2\times(-2)}{3}=\dfrac{4}{3}$

ㄹ. $\dfrac{b}{a}+\dfrac{a}{b}=\dfrac{a^2+b^2}{ab}=\dfrac{10}{3}$

따라서 보기 중 옳지 않은 것은 ㄱ, ㄷ이다.

56 $a^2-5ab+b^2=-1$ ····· ㉠

$a^2+ab+b^2=5$ ····· ㉡

에서 ㉡$-$㉠을 하면

$6ab=6$ $\quad\therefore ab=1$

㉡에 $ab=1$을 대입하면

$a^2+1+b^2=5$ $\quad\therefore a^2+b^2=4$

$\therefore (a-b)^2=a^2+b^2-2ab$

$\qquad\qquad\quad =4-2\times1=2$

57 $(x-1)(y-1)=1$에서

$xy-(x+y)+1=1$

$xy=4$이므로 $4-(x+y)+1=1$

$\therefore x+y=4$

$\therefore \dfrac{x}{y}+\dfrac{y}{x}=\dfrac{x^2+y^2}{xy}=\dfrac{(x+y)^2-2xy}{xy}$

$\qquad\qquad =\dfrac{4^2-2\times4}{4}=\dfrac{8}{4}=2$

58 $(ax-by)(bx-ay)=abx^2-a^2xy-b^2xy+aby^2$

$\qquad\qquad\qquad\qquad =ab(x^2+y^2)-(a^2+b^2)xy$

이때 x^2+y^2, a^2+b^2의 값을 구하면

$x^2+y^2=(x+y)^2-2xy$

$\qquad =4^2-2\times(-1)$

$\qquad =16+2=18$

$a^2+b^2=(a-b)^2+2ab$

$\qquad =(-3)^2+2\times2$

$\qquad =9+4=13$

$\therefore ab(x^2+y^2)-(a^2+b^2)xy=2\times18-13\times(-1)$

$\qquad\qquad\qquad\qquad\qquad =36+13=49$

59 $x^2+\dfrac{1}{x^2}=\left(x+\dfrac{1}{x}\right)^2-2$

$\qquad\quad =7^2-2=47$

60 $\left(x-\dfrac{1}{x}\right)^2=\left(x+\dfrac{1}{x}\right)^2-4$

$\qquad\qquad =3^2-4=5$

61 $\left(\sqrt{x}+\dfrac{1}{\sqrt{x}}\right)^2=x+\dfrac{1}{x}+2=3+2=5$

$\therefore \sqrt{x}+\dfrac{1}{\sqrt{x}}=\sqrt{5}\ (\because \sqrt{x}>0)$

62 $x^2-6x+1=0$에서

$x\neq0$이므로 양변을 x로 나누면

$x-6+\dfrac{1}{x}=0$ $\quad\therefore x+\dfrac{1}{x}=6$

$x^2+\dfrac{1}{x^2}=\left(x+\dfrac{1}{x}\right)^2-2$

$\qquad\quad =6^2-2=34$

이므로

$x^2+3x+\dfrac{3}{x}+\dfrac{1}{x^2}=x^2+\dfrac{1}{x^2}+3\left(x+\dfrac{1}{x}\right)$

$\qquad\qquad\qquad\qquad =34+3\times6=52$

63 $\left(2x+\dfrac{2}{x}\right)^2=\left\{2\left(x+\dfrac{1}{x}\right)\right\}^2=4\left(x+\dfrac{1}{x}\right)^2$

$\qquad\qquad =4\left\{\left(x-\dfrac{1}{x}\right)^2+4\right\}=4(2^2+4)$

$\qquad\qquad =4\times8=32$

64 $x\neq0$이므로

$x^2+8x-1=0$에서 양변을 x로 나누면

$x+8-\dfrac{1}{x}=0$

① $x-\dfrac{1}{x}=-8$

② $\dfrac{x}{2}-\dfrac{1}{2x}=\dfrac{1}{2}\left(x-\dfrac{1}{x}\right)=\dfrac{1}{2}\times(-8)=-4$

③ $x^2+\dfrac{1}{x^2}=\left(x-\dfrac{1}{x}\right)^2+2=(-8)^2+2=66$

④ $\left(x+\dfrac{1}{x}\right)^2=\left(x-\dfrac{1}{x}\right)^2+4=(-8)^2+4=68$

⑤ ④에서 $\left(x+\dfrac{1}{x}\right)^2=68$이므로

$\qquad x+\dfrac{1}{x}=\pm\sqrt{68}=\pm2\sqrt{17}$

따라서 옳은 것은 ②, ⑤이다.

65 $3^{2x}\times3^{2y}=(12-3\sqrt{7})(12+3\sqrt{7})$

$\qquad\qquad\quad =12^2-(3\sqrt{7})^2$

$\qquad\qquad\quad =144-63=81=3^4$

이고,

$3^{2x}\times3^{2y}=3^{2x+2y}=3^{2(x+y)}$

이므로 $3^{2(x+y)}=3^4$에서 $2(x+y)=4$

$\therefore x+y=2$

01 ③	02 ①	03 ②	04 ②	05 ②	06 6	07 ③	08 ①, ④
09 ㄷ, ㅂ	10 ③	11 ②, ③	12 ㄱ, ㄷ, ㄹ	13 ④	14 ②	15 ⑤	16 ②
17 13	18 16	19 ⑤	20 ①, ⑤	21 ④	22 −12	23 ①, ⑤	24 ①
25 ⑤	26 ①	27 ④	28 ①	29 ④			

30 (1) $(x+2)(x+3)$ (2) $(x-3)(x+4)$ (3) $(x+2)(3x+1)$ (4) $(x+5)(2x-1)$ 31 ③   32 ⑤

33 ③	34 ③	35 ①	36 ②	37 $(x+6)(2x-5)$	38 ⑤	39 ①
40 ③	41 ①	42 ④	43 ③	44 ④	45 ④	46 6	47 20
48 ⑤	49 ④	50 ㄴ, ㄹ	51 ⑤	52 $6x-2y-2$		53 $(x+y-4)(x+y+6)$
54 13	55 ②	56 $2x^2+10x+10$		57 ②	58 ①	

59 $(x^2-2x-16)(x^2-4x-16)$ 60 $a+1, a-2, a+b-2$ 61 ④   62 ③   63 ①, ④

64 ④	65 ⑤	66 $(x-y-2)(x-y-3)$	67 ㄱ, ㄹ	68 ①	69 $(x-y)(x-z)(y-z)$

70 (1) −60 (2) 11 (3) $x^2+11x-60$ (4) $(x-4)(x+15)$ 71 $(x+2)(x-20)$ 72 ③

73 −3	74 $(x-4)(x+7)$	75 ②	76 ②	77 1	78 ③	79 ②
80 21	81 ②	82 ③	83 131	84 ①	85 ③	86 ③	87 ③
88 ④	89 ④	90 ②	91 $\dfrac{25}{4}$	92 ①	93 −5	94 ①	95 ③
96 ②	97 $\dfrac{1007}{2013}$	98 −1	99 ⑤	100 $(x-1)(x-4)$	101 ⑤	102 ②

103 ①   104 $(3x-5)(x-9)$ 105 (1) $a\pi(2r+a)$ (2) $\pi(2r+a)$ (3) al 106 $\pi(3r+1)(r+1)$ cm²

107 ⑤   108 ④   109 $\dfrac{2}{3}(x+y)(x-y)$

01
$$ab-2a-2b+4=a(b-2)-2(b-2)$$
$$=(a-2)(b-2)$$

02
$$xy^2-xz^2-y+z=x(y^2-z^2)-(y-z)$$
$$=x(y+z)(y-z)-(y-z)$$
$$=(y-z)\{x(y+z)-1\}$$
$$=(y-z)(xy+xz-1)$$
$$\therefore A=y-z$$

03
$$4x^2-2x-9y^2+3y$$
$$=(4x^2-9y^2)-(2x-3y)$$
$$=\{(2x)^2-(3y)^2\}-(2x-3y)$$
$$=(2x+3y)(2x-3y)-(2x-3y)$$
$$=(2x-3y)(2x+3y-1)$$
따라서 $a=-3$, $b=2$, $c=3$, $d=-1$이므로
$$ab-cd=-3\times2-3\times(-1)$$
$$=-6+3=-3$$

04
$$9-x^2-y^2+2xy=9-(x^2+y^2-2xy)$$
$$=3^2-(x-y)^2$$
$$=\{3+(x-y)\}\{3-(x-y)\}$$
$$=(3+x-y)(3-x+y)$$

05
$$1-4x^2-4xy-y^2=1-(4x^2+4xy+y^2)$$
$$=1^2-(2x+y)^2$$
$$=\{1+(2x+y)\}\{1-(2x+y)\}$$
$$=(1+2x+y)(1-2x-y)$$
따라서 $a=1$, $b=2$, $c=1$, $d=-1$이므로
$$a+b+c+d=1+2+1+(-1)=3$$

06
$$4xy+25z^2-x^2-4y^2$$
$$=25z^2-(x^2-4xy+4y^2)$$
$$=(5z)^2-(x-2y)^2$$
$$=\{5z+(x-2y)\}\{5z-(x-2y)\}$$
$$=(5z+x-2y)(5z-x+2y)$$
따라서 $a=5$, $b=-1$, $c=2$이므로
$$a+b+c=5+(-1)+2=6$$

07 $a(x+y)(x-y)(x^2+y^2)$의 인수는 1, a, $x+y$, $x-y$, x^2+y^2의 곱으로 이루어진 식들이다.
따라서 주어진 식의 인수가 아닌 것은 ③이다.

08 $a^2+ab-2a-2b=a(a+b)-2(a+b)$
$\qquad\qquad\qquad\quad=(a+b)(a-2)$
따라서 주어진 식의 인수는 ①, ④이다.

09 $a^4-a^3-a^2+1=(a^4-a^3)-(a^2-1)$
$\qquad\qquad\qquad\quad=a^3(a-1)-(a+1)(a-1)$
$\qquad\qquad\qquad\quad=(a-1)\{a^3-(a+1)\}$
$\qquad\qquad\qquad\quad=(a-1)(a^3-a-1)$
따라서 보기 중 주어진 식의 인수는 ㄷ, ㅂ이다.

10 $4x^2-y^2-2y-1$
$=4x^2-(y^2+2y+1)$
$=(2x)^2-(y+1)^2$
$=A^2-B^2 \leftarrow A=2x,\ B=y+1$
$=(A+B)(A-B)$
$=(2x+y+1)\{2x-(y+1)\}$
$=(2x+y+1)(2x-y-1)$
따라서 보기 중 주어진 식의 인수인 것을 모두 고르면 ㄴ, ㄷ이다.

11 $4z^2-x^2-9y^2+6xy$
$=4z^2-(x^2+9y^2-6xy)$
$=(2z)^2-(x-3y)^2$
$=\{2z+(x-3y)\}\{2z-(x-3y)\}$
$=(2z+x-3y)(2z-x+3y)$
따라서 주어진 식의 인수를 모두 고르면 ②, ③이다.

12 $a^4-a^2=a^2(a^2-1)=a^2(a+1)(a-1)$
따라서 보기 중 주어진 식의 인수를 모두 고르면 ㄱ, ㄷ, ㄹ이다.

13 $x(a+b)-y(a+b)=(a+b)(x-y)$
$a(x-y)+b(y-x)=a(x-y)-b(x-y)$
$\qquad\qquad\qquad\quad=(x-y)(a-b)$
따라서 두 다항식의 공통인수는 $x-y$이다.

14 주어진 두 다항식을 인수분해하면
$x-3x^2=x(1-3x)$

$-9x^2y+3xy=3xy(1-3x)$
따라서 두 다항식의 공통인수는 $x(1-3x)$이다.

15 주어진 두 다항식을 인수분해하면
$ab-ac-b+c=a(b-c)-(b-c)$
$\qquad\qquad\qquad=(b-c)(a-1)$
$ab-ac-bc+c^2=a(b-c)-c(b-c)$
$\qquad\qquad\qquad\quad=(b-c)(a-c)$
따라서 두 다항식의 공통인수는 $b-c$이다.

16 ① $x^2-x+\square=x^2-2\times x\times\dfrac{1}{2}+\boxed{\left(\dfrac{1}{2}\right)^2}=\left(x-\dfrac{1}{2}\right)^2$
$\qquad \therefore \square=\left(\dfrac{1}{2}\right)^2=\dfrac{1}{4}$
② $\square x^2+8x+1=\square x^2+2\times 4x\times 1+1^2$
$\qquad\qquad\qquad=(4x+1)^2$
$\quad \square x^2=(4x)^2 \qquad \therefore \square=4^2=16$
③ $\square x^2+6x+9=\square x^2+2\times x\times 3+3^2=(x+3)^2$
$\quad \square x^2=x^2 \qquad \therefore \square=1$
④ $9x^2-12xy+\square y^2$
$\qquad=(3x)^2-2\times 3x\times 2y+(2y)^2$
$\qquad=(3x-2y)^2$
$\quad \square y^2=(2y)^2 \qquad \therefore \square=2^2=4$
⑤ $x^2+\square xy+\dfrac{1}{9}y^2=x^2+\square xy+\left(\dfrac{1}{3}y\right)^2$
$\qquad\qquad\qquad\quad=\left(x+\dfrac{1}{3}y\right)^2$
$\qquad \therefore \square=2\times 1\times\dfrac{1}{3}=\dfrac{2}{3}\ (\because \square \text{ 안의 수는 양수})$
따라서 $\square$ 안에 들어갈 수 중 가장 큰 것은 ②이다.

17 $ax^2+24x+16=ax^2+2\times 3x\times 4+4^2$
$\qquad\qquad\qquad\quad=(3x+4)^2$
이므로
$ax^2=(3x)^2=9x^2 \qquad \therefore a=9$
$4x^2+bxy+y^2=(2x)^2\pm 2\times 2x\times y+y^2$
$\qquad\qquad\qquad=(2x\pm y)^2$
$\qquad\qquad\qquad=4x^2\pm 4xy+y^2$
$\therefore b=-4\ (\because b<0)$
$\therefore a-b=9-(-4)=13$
다른 풀이 이차식 ax^2+bx+c가 완전제곱식이 되려면
$b^2=4ac$이어야 하므로
$ax^2+24x+16$에서
$24^2=4\times a\times 16 \qquad \therefore a=9$
$4x^2+bxy+y^2$에서

$b^2 = 4 \times 4 \times 1$ ∴ $b = -4$ ($\because b < 0$)

∴ $a - b = 9 - (-4) = 13$

18 $(2x+3)(2x-5) + k = 4x^2 + (-10+6)x - 15 + k$
$$= 4x^2 - 4x - 15 + k$$
$$= (2x)^2 - 2 \times 2x \times 1 - 15 + k$$

따라서 완전제곱식이 되려면

$-15 + k = 1^2$이므로 $k = 16$

다른 풀이 이차식이 완전제곱식이 되려면

$(2x+3)(2x-5) + k = 4x^2 - 4x - 15 + k$에서

$($일차항의 계수$)^2 = 4 \times ($이차항의 계수$) \times ($상수항$)$

이어야 하므로

$(-4)^2 = 4 \times 4 \times (-15+k)$, $-15+k = 1$

∴ $k = 16$

19 $16x^2 - (k-3)x + 9 = (4x)^2 - (k-3)x + 3^2$에서

$-(k-3) = \pm 2 \times 4 \times 3 = \pm 24$

$-k + 3 = 24$ 또는 $-k + 3 = -24$

∴ $k = -21$ 또는 $k = 27$

따라서 모든 상수 k의 값의 합은

$-21 + 27 = 6$

다른 풀이 이차식이 완전제곱식이 되려면

$($일차항의 계수$)^2 = 4 \times ($이차항의 계수$) \times ($상수항$)$

이어야 하므로

$16x^2 - (k-3)x + 9$에서

$\{-(k-3)\}^2 = 4 \times 16 \times 9 = 24^2$

∴ $k - 3 = \pm 24$

따라서 $k = -21$ 또는 $k = 27$이므로 모든 상수 k의 값의 합은 $-21 + 27 = 6$

20 $4x^2 + kx + \dfrac{1}{25} = (2x)^2 + kx + \left(\dfrac{1}{5}\right)^2$

∴ $k = \pm 2 \times 2 \times \dfrac{1}{5} = \pm \dfrac{4}{5}$

다른 풀이 이차식이 완전제곱식이 되려면

$($일차항의 계수$)^2 = 4 \times ($이차항의 계수$) \times ($상수항$)$

이어야 하므로

$k^2 = 4 \times 4 \times \dfrac{1}{25} = \dfrac{16}{25}$ ∴ $k = \pm \dfrac{4}{5}$

21 ① $a^2 - 6a + 9 = (a-3)^2$

② $9a^2 - 30ab + 25b^2 = (3a - 5b)^2$

③ $4x^2 - 12x + 9 = (2x - 3)^2$

⑤ $\dfrac{1}{4}x^2 + \dfrac{1}{3}x + \dfrac{1}{9} = \left(\dfrac{1}{2}x + \dfrac{1}{3}\right)^2$

따라서 완전제곱식으로 인수분해할 수 없는 것은 ④ 이다.

22 $ax^2 - 12x + b = (2x + c)^2$에서

$ax^2 = (2x)^2 = 4x^2$ ∴ $a = 4$

$-12 = 2 \times 2 \times c$ ∴ $c = -3$

$b = c^2 = (-3)^2 = 9$

∴ $\dfrac{ab}{c} = \dfrac{4 \times 9}{-3} = -12$

23 $-5x^2 - axy - 45y^2 = -5\left(x^2 + \dfrac{a}{5}xy + 9y^2\right)$
$$= -5(x + by)^2$$

이므로

$\dfrac{a}{5} = 2 \times 1 \times b$ ∴ $a = 10b$

$9y^2 = (by)^2$, $9y^2 = b^2y^2$ ∴ $b = \pm 3$

$b = 3$일 때, $a = 10 \times 3 = 30$

$b = -3$일 때, $a = 10 \times (-3) = -30$

따라서 $a + b$의 값은

$30 + 3 = 33$ 또는 $-30 + (-3) = -33$

24 $\sqrt{y^2 - 10y + 25} - \sqrt{y^2 + 4y + 4}$
$$= \sqrt{(y-5)^2} - \sqrt{(y+2)^2}$$

이때 $-2 < y < 5$에서 $y - 5 < 0$, $y + 2 > 0$이므로

$\sqrt{(y-5)^2} = -(y-5)$, $\sqrt{(y+2)^2} = y+2$

∴ (주어진 식) $= -(y-5) - (y+2)$
$$= -y + 5 - y - 2$$
$$= -2y + 3$$

25 $\sqrt{a^2 - a + \dfrac{1}{4}} - \sqrt{a^2 + a + \dfrac{1}{4}}$
$$= \sqrt{\left(a - \dfrac{1}{2}\right)^2} - \sqrt{\left(a + \dfrac{1}{2}\right)^2}$$

이때 $0 < 2a < 1$에서 $0 < a < \dfrac{1}{2}$이므로

$a - \dfrac{1}{2} < 0$, $a + \dfrac{1}{2} > 0$

∴ (주어진 식) $= \sqrt{\left(a - \dfrac{1}{2}\right)^2} - \sqrt{\left(a + \dfrac{1}{2}\right)^2}$
$$= -\left(a - \dfrac{1}{2}\right) - \left(a + \dfrac{1}{2}\right)$$
$$= -a + \dfrac{1}{2} - a - \dfrac{1}{2}$$
$$= -2a$$

26
$$x^4-81=(x^2)^2-9^2$$
$$=(x^2+9)(x^2-9)$$
$$=(x^2+9)(x^2-3^2)$$
$$=(x^2+9)(x+3)(x-3)$$
따라서 인수가 아닌 것은 ①이다.

27
$$\frac{1}{9}a^2-\frac{25}{36}b^2=\left(\frac{1}{3}a\right)^2-\left(\frac{5}{6}b\right)^2$$
$$=\left(\frac{1}{3}a+\frac{5}{6}b\right)\left(\frac{1}{3}a-\frac{5}{6}b\right)$$
따라서 두 일차식은 $\frac{1}{3}a+\frac{5}{6}b$, $\frac{1}{3}a-\frac{5}{6}b$이고, 그 합은
$$\left(\frac{1}{3}a+\frac{5}{6}b\right)+\left(\frac{1}{3}a-\frac{5}{6}b\right)=\frac{2}{3}a$$

28
$$16x^3y-36xy^3=4xy(4x^2-9y^2)$$
$$=4xy\{(2x)^2-(3y)^2\}$$
$$=4xy(2x+3y)(2x-3y)$$
$$=A(2x+by)(cx-3y)$$
따라서 $A=4xy$, $b=3$, $c=2$이므로
$$\frac{Ab}{c}=\frac{4xy\times3}{2}=6xy$$

29
$$[2x-y, -x+y]$$
$$=(2x-y)^2-(-x+y)^2 \leftarrow A=2x-y, B=-x+y$$
$$=A^2-B^2=(A+B)(A-B)$$
$$=(2x-y-x+y)\{2x-y-(-x+y)\}$$
$$=x(3x-2y)$$

30
(1) $x^2+5x+6=x^2+(2+3)x+2\times3$
$$=(x+2)(x+3)$$
(2) $x^2+x-12=x^2+(4-3)x+4\times(-3)$
$$=(x-3)(x+4)$$
(3) $3x^2+7x+2=(x+2)(3x+1)$

$$\begin{array}{ccccc} 1 & & 2 & \to & 6 \\ 3 & & 1 & \to & 1\,(+ \\ \hline & & & & 7 \end{array}$$

(4) $2x^2+9x-5=(x+5)(2x-1)$

$$\begin{array}{ccccc} 1 & & 5 & \to & 10 \\ 2 & & -1 & \to & -1\,(+ \\ \hline & & & & 9 \end{array}$$

31
① $x^2+7x+10=x^2+(2+5)x+2\times5$
$$=(x+2)(x+5)$$

② $x^2+x-20=x^2+(5-4)x+5\times(-4)$
$$=(x+5)(x-4)$$
③ $6x^2+7x-5=(2x-1)(3x+5)$

$$\begin{array}{ccccc} 2 & & -1 & \to & -3 \\ 3 & & 5 & \to & 10\,(+ \\ \hline & & & & 7 \end{array}$$

④ $x^2+5xy-24y^2=x^2+(8-3)xy+8y\times(-3y)$
$$=(x+8y)(x-3y)$$
⑤ $12x^2-13xy+3y^2=(3x-y)(4x-3y)$

$$\begin{array}{ccccc} 3 & & -1 & \to & -4 \\ 4 & & -3 & \to & -9\,(+ \\ \hline & & & & -13 \end{array}$$

따라서 인수분해한 것으로 옳지 않은 것은 ③이다.

32
$$5x^2-8xy-4y^2=(x-2y)(5x+2y)$$
$$=(ax+by)(cx-dy)$$

$$\begin{array}{ccccc} 1 & & -2 & \to & -10 \\ 5 & & 2 & \to & 2\,(+ \\ \hline & & & & -8 \end{array}$$

이때 $c>0$, $d>0$이므로 $a=5$, $b=2$, $c=1$, $d=2$
$$\therefore a+b+c+d=5+2+1+2=10$$

33
① $x^2+x-6=x^2+(3-2)x+3\times(-2)$
$$=(x+3)(x-2)$$
② $x^2-9x+14=x^2+(-2-7)x+(-2)\times(-7)$
$$=(x-2)(x-7)$$
③ $x^2-7x-18=x^2+(2-9)x+2\times(-9)$
$$=(x+2)(x-9)$$
④ $2x^2-x-6=(x-2)(2x+3)$

$$\begin{array}{ccccc} 1 & & -2 & \to & -4 \\ 2 & & 3 & \to & 3\,(+ \\ \hline & & & & -1 \end{array}$$

⑤ $3x^2-7x+2=(x-2)(3x-1)$

$$\begin{array}{ccccc} 1 & & -2 & \to & -6 \\ 3 & & -1 & \to & -1\,(+ \\ \hline & & & & -7 \end{array}$$

따라서 ①, ②, ④, ⑤는 $x-2$를 공통인수로 갖는다.

34
$$x^2-3xy-28y^2=(x+4y)(x-7y)$$
① $x^2-xy-20y^2=(x+4y)(x-5y)$
② $x^2-6xy-7y^2=(x+y)(x-7y)$
③ $x^2-10xy+24y^2=(x-4y)(x-6y)$
④ $2x^2-15xy+7y^2=(2x-y)(x-7y)$
⑤ $3x^2+11xy-4y^2=(3x-y)(x+4y)$
따라서 공통인수를 갖지 않는 것은 ③이다.

35
$$x^2-7x+12=x^2+(-4-3)x+(-4)\times(-3)$$
$$=(x-4)(x-3)$$
$$2x^2-7x-4=(x-4)(2x+1)$$

$$\begin{array}{ccccc}1 & \diagdown & -4 & \to & -8 \\ 2 & \diagup & 1 & \to & \underline{1}\,(+ \\ & & & & -7\end{array}$$

이므로 두 다항식의 공통인수는 $x-4$ $\therefore p=-4$
$$3x^2+10x-8=(x+4)(3x-2)$$

$$\begin{array}{ccccc}1 & \diagdown & 4 & \to & 12 \\ 3 & \diagup & -2 & \to & \underline{-2}\,(+ \\ & & & & 10\end{array}$$

$$5x^2+19x-4=(x+4)(5x-1)$$

$$\begin{array}{ccccc}1 & \diagdown & 4 & \to & 20 \\ 5 & \diagup & -1 & \to & \underline{-1}\,(+ \\ & & & & 19\end{array}$$

이므로 두 다항식의 공통인수는 $x+4$ $\therefore q=4$
$$\therefore p-q=-4-4=-8$$

36
$$x^2-9y^2=x^2-(3y)^2=(x+3y)(x-3y)$$
$$x^2-12xy+27y^2$$
$$=x^2+(-3-9)xy+(-3y)\times(-9y)$$
$$=(x-3y)(x-9y)$$
$$2x^2-5xy-3y^2=(x-3y)(2x+y)$$

$$\begin{array}{ccccc}1 & \diagdown & -3 & \to & -6 \\ 2 & \diagup & 1 & \to & \underline{1}\,(+ \\ & & & & -5\end{array}$$

따라서 세 다항식의 공통인수는 $x-3y$이다.

37 주어진 식이 $x+6$을 인수로 가지므로
$$ax^2+7x-30=(x+6)(ax-5)$$

$$\begin{array}{ccccc}1 & \diagdown & 6 & \to & 6a \\ a & \diagup & -5 & \to & \underline{-5}\,(+ \\ & & & & 6a-5\end{array}$$

즉, $6a-5=7$이므로 $a=2$
따라서 $2x^2+7x-30=(x+6)(2x-5)$

38 $x^2-2(a-1)x+3a=(x-5)(x+p)$로 놓으면
$$x^2-2(a-1)x+3a=x^2+(p-5)x-5p$$에서
$$-2(a-1)=p-5,\ 3a=-5p$$
$$3a=-5p$$에서 $p=-\dfrac{3}{5}a$ $\cdots\cdots$ ㉠
㉠을 $-2(a-1)=p-5$에 대입하면
$$-2(a-1)=-\dfrac{3}{5}a-5,\ -2a+2=-\dfrac{3}{5}a-5$$
$$\dfrac{7}{5}a=7$$ $\therefore a=5$

다른 풀이 $x^2-2(a-1)x+3a$가 $x-5$를 인수로 가지므로 이 식에 $x-5=0$이 되는 x의 값, 즉 $x=5$를 대입하면 식의 값이 0이 된다.
$$5^2-2(a-1)\times 5+3a=0,\ 25-10a+10+3a=0$$
$$7a=35$$ $\therefore a=5$

39 $-6x^2+kx-2=(2x-1)(-3x+2)$로 놓으면
$$-6x^2+kx-2=-6x^2+7x-2$$이므로
$$k=7$$
따라서 다른 인수는 $-3x+2$이고, k의 값은 7이다.
다른 풀이 $-6x^2+kx-2$가 $2x-1$을 인수로 가지므로 이 식에 $2x-1=0$이 되는 x의 값, 즉 $x=\dfrac{1}{2}$을 대입하면 식의 값이 0이 된다.
$$-6\times\left(\dfrac{1}{2}\right)^2+k\times\dfrac{1}{2}-2=0$$
$$-\dfrac{3}{2}+\dfrac{1}{2}k-2=0$$ $\therefore k=7$
$$\therefore -6x^2+7x-2=(2x-1)(-3x+2)$$

$$\begin{array}{ccccc}2 & \diagdown & -1 & \to & 3 \\ -3 & \diagup & 2 & \to & \underline{4}\,(+ \\ & & & & 7\end{array}$$

40 $2x^2+Axy-10y^2=(x-2y)(2x+5y)$로 놓으면
$$2x^2+Axy-10y^2=2x^2+xy-10y^2$$이므로
$$A=1$$

41 $3x^2+ax+8$이 $x-2$와 $3x-b$로 각각 나누어떨어지므로
$$3x^2+ax+8=(x-2)(3x-b)$$로 놓으면
$$3x^2+ax+8=3x^2+(-b-6)x+2b$$에서
$$a=-b-6,\ 8=2b$$
따라서 $b=4$, $a=-b-6=-4-6=-10$이므로
$$a-b=-10-4=-14$$
다른 풀이 $3x^2+ax+8$이 $x-2$를 인수로 가지므로 이 식에 $x-2=0$이 되는 x의 값, 즉 $x=2$를 대입하면 식의 값이 0이 된다.
$$3\times 2^2+a\times 2+8=0,\ 12+2a+8=0$$
$$2a=-20$$ $\therefore a=-10$
주어진 식에 $a=-10$을 대입하여 인수분해하면
$$3x^2-10x+8=(x-2)(3x-4)$$

$$\begin{array}{ccccc}1 & \diagdown & -2 & \to & -6 \\ 3 & \diagup & -4 & \to & \underline{-4}\,(+ \\ & & & & -10\end{array}$$

따라서 $b=4$이므로 $a-b=-10-4=-14$

42 먼저 x^2-25, $2x^2+7x-15$를 각각 인수분해하면
$x^2-25=(x+5)(x-5)$
$2x^2+7x-15=(x+5)(2x-3)$

$$\begin{array}{ccccc}1 & & 5 & \to & 10 \\ 2 & & -3 & \to & \underline{-3}\,(+ \\ & & & & 7\end{array}$$

따라서 두 다항식의 공통인수는 $x+5$이므로
$x^2+ax-10$도 $x+5$를 인수로 갖는다.
$x^2+ax-10=(x+5)(x-2)$로 놓으면
$x^2+ax-10=x^2+3x-10$이므로
$a=3$

다른 풀이 $x^2+ax-10$이 $x+5$를 인수로 가지므로
이 식에 $x+5=0$이 되는 x의 값, 즉 $x=-5$를 대입
하면 식의 값이 0이 된다.
$(-5)^2+a\times(-5)-10=0$
$25-5a-10=0$ ∴ $a=3$

43 $2x^2-5x+k=(x-2)(2x+p)$로 놓으면
$2x^2-5x+k=2x^2+(p-4)x-2p$에서
$-5=p-4$, $k=-2p$
따라서 $p=-1$이므로
$k=-2p=-2\times(-1)=2$

다른 풀이 $2x^2-5x+k$가 $x-2$를 인수로 가지므로
이 식에 $x-2=0$이 되는 x의 값, 즉 $x=2$를 대입하
면 식의 값이 0이 된다.
$2\times2^2-5\times2+k=0$, $8-10+k=0$
∴ $k=2$

44 $2x^2-x-15=(2x+5)(x-3)$이므로 두 다항식
$2x^2-x-15$, $x^2+ax-21$의 공통인수는 $x-3$이다.
∴ $b=3$
$x^2+ax-21=(x-3)(x+7)$로 놓으면
$x^2+ax-21=x^2+4x-21$에서 $a=4$
∴ $a-b=4-3=1$

다른 풀이 $x^2+ax-21$이 $x-3$을 인수로 가지므로
이 식에 $x-3=0$이 되는 x의 값, 즉 $x=3$을 대입하
면 식의 값이 0이 된다.
$3^2+3a-21=0$, $3a=12$
∴ $a=4$

45 두 이차식이 $x-1$을 공통인수로 가지므로
$ax^2-5x+3=(x-1)(ax-3)$으로 놓으면
$ax^2-5x+3=ax^2-(3+a)x+3$에서
$3+a=5$ ∴ $a=2$
$5x^2-12x+b=(x-1)(5x-b)$로 놓으면
$5x^2-12x+b=5x^2-(b+5)x+b$에서
$b+5=12$ ∴ $b=7$
∴ $a+b=2+7=9$

다른 풀이 두 이차식이 $x-1$을 공통인수로 가지므로
$x-1=0$이 되는 x의 값, 즉 $x=1$을 두 이차식에 각
각 대입하면 식의 값이 0이 된다.
ax^2-5x+3에 $x=1$을 대입하면
$a-5+3=0$ ∴ $a=2$
$5x^2-12x+b$에 $x=1$을 대입하면
$5-12+b=0$ ∴ $b=7$
∴ $a+b=2+7=9$

46 $x^2+ax+12=(x+p)(x+q)$ (p, q는 자연수)로 놓
으면
$x^2+ax+12=x^2+(p+q)x+pq$에서
$pq=12$, $p+q=a$
곱해서 12가 되는 두 자연수 p, q는
1, 12 또는 2, 6 또는 3, 4
따라서 $p+q$의 값은
$1+12=13$ 또는 $2+6=8$ 또는 $3+4=7$이므로 자
연수 a의 최댓값 $M=13$, 최솟값 $m=7$이다.
∴ $M-m=13-7=6$

47 $x^2-x-n=(x+a)(x+b)$ (a, b는 정수)로 놓으면
$x^2-x-n=x^2+(a+b)x+ab$에서
$a+b=-1$, $ab=-n$
이때 $1<n<20$이므로
$-20<-n<-1$, 즉 $-20<ab<-1$
따라서 더해서 -1, 곱해서 -20보다 크고 -1보다
작은 정수가 되는 두 정수 a, b는 1, -2 또는
2, -3 또는 3, -4이므로
$n=-\{1\times(-2)\}=2$ 또는 $n=-\{2\times(-3)\}=6$
또는 $n=-\{3\times(-4)\}=12$
따라서 모든 자연수 n의 값의 합은
$2+6+12=20$

48 $a^2=X$로 치환하면

$a^4+a^2-2=X^2+X-2$

$\qquad =(X-1)(X+2)$

$\qquad =(a^2-1)(a^2+2)$

$\qquad =(a+1)(a-1)(a^2+2)$

49 $x-3y=A$로 치환하면

$(x-3y)^2-5(x-3y)-6$

$=A^2-5A-6$

$=(A+1)(A-6)$

$=(x-3y+1)(x-3y-6)$

50 $x-2y=A$, $x+y=B$로 치환하면

(주어진 식)

$=2A^2+5AB-3B^2$

$=(2A-B)(A+3B)$

$=\{2(x-2y)-(x+y)\}\{x-2y+3(x+y)\}$

$=(2x-4y-x-y)(x-2y+3x+3y)$

$=(x-5y)(4x+y)$

따라서 보기에서 두 일차식을 고르면 ㄴ, ㄹ이다.

51 $2(x+3)^2+11(x+3)-6$에서

$x+3=X$로 치환하면

(주어진 식)$=2X^2+11X-6$

$\qquad =(X+6)(2X-1)$

$\qquad =(x+3+6)\{2(x+3)-1\}$

$\qquad =(x+9)(2x+5)$

$3(x+1)^2+2(x+1)(x-2)-(x-2)^2$에서

$x+1=A$, $x-2=B$로 치환하면

(주어진 식)$=3A^2+2AB-B^2$

$\qquad =(A+B)(3A-B)$

$\qquad =(x+1+x-2)\{3(x+1)-(x-2)\}$

$\qquad =(2x-1)(2x+5)$

따라서 주어진 두 다항식의 공통인수는 $2x+5$이다.

52 $3x-y=A$로 치환하면

$(3x-y+2)(3x-y-4)+5$

$=(A+2)(A-4)+5$

$=A^2-2A-8+5$

$=A^2-2A-3$

$=(A-3)(A+1)$

$=(3x-y-3)(3x-y+1)$

따라서 주어진 식은 두 일차식 $3x-y-3$,

$3x-y+1$의 곱으로 인수분해되므로 그 합은

$(3x-y-3)+(3x-y+1)=6x-2y-2$

53 $x+y=A$로 치환하면

(주어진 식)$=(A+3)(A-1)-21$

$\qquad =A^2+2A-3-21$

$\qquad =A^2+2A-24$

$\qquad =(A-4)(A+6)$

$\qquad =(x+y-4)(x+y+6)$

54 $(2x+5y)^2-(x-3y)^2$에서

$2x+5y=A$, $x-3y=B$로 치환하면

(주어진 식)

$=A^2-B^2$

$=(A+B)(A-B)$

$=(2x+5y+x-3y)\{2x+5y-(x-3y)\}$

$=(3x+2y)(x+8y)$

$=(ax+by)(x+cy)$

이므로 $a=3$, $b=2$, $c=8$

$\therefore a+b+c=3+2+8=13$

55 $2x+y=A$, $x-2y=B$로 치환하면

$(2x+y)^2-(x-2y)^2$

$=A^2-B^2$

$=(A+B)(A-B)$

$=(2x+y+x-2y)\{2x+y-(x-2y)\}$

$=(3x-y)(x+3y)$

$=(ax-y)(x+by)$

따라서 $a=3$, $b=3$이므로 $a-b=0$

56 $(x+1)(x+2)(x+3)(x+4)-8$

$=\{(x+1)(x+4)\}\{(x+2)(x+3)\}-8$

$=(x^2+5x+4)(x^2+5x+6)-8$

$x^2+5x=A$로 치환하면

(주어진 식)$=(A+4)(A+6)-8$

$\qquad =A^2+10A+24-8$

$\qquad =A^2+10A+16$

$\qquad =(A+2)(A+8)$

$\qquad =(x^2+5x+2)(x^2+5x+8)$

따라서 주어진 식을 인수분해하였을 때, 이차식인 두

인수는 x^2+5x+2, x^2+5x+8이므로

$(x^2+5x+2)+(x^2+5x+8)=2x^2+10x+10$

57
$$x(x-1)(x+1)(x+2)+k$$
$$=\{x(x+1)\}\{(x-1)(x+2)\}+k$$
$$=(x^2+x)(x^2+x-2)+k$$
$x^2+x=A$로 치환하면
$$(주어진\ 식)=A(A-2)+k=A^2-2A+k$$
이것이 완전제곱식이 되려면
$$(상수항)=\left\{\frac{1}{2}\times(일차항의\ 계수)\right\}^2$$이므로
$$k=\left(\frac{-2}{2}\right)^2=1$$

58
$$(x-2)(x-1)(x+1)(x+2)-40$$
$$=\{(x-1)(x+1)\}\{(x-2)(x+2)\}-40$$
$$=(x^2-1)(x^2-4)-40$$
$$=(x^2)^2-5x^2+4-40$$
$$=(x^2)^2-5x^2-36$$
$x^2=t$로 치환하면
$$(주어진\ 식)=t^2-5t-36$$
$$=(t-9)(t+4)$$
$$=(x^2-9)(x^2+4)$$
$$=(x+3)(x-3)(x^2+4)$$

59 $(주어진\ 식)$
$$=\{(x-8)(x+2)\}\{(x-4)(x+4)\}+8x^2$$
$$=(x^2-6x-16)(x^2-16)+8x^2$$
$x^2-16=A$로 치환하면
$$A(A-6x)+8x^2=A^2-6xA+8x^2$$
$$=(A-2x)(A-4x)$$
$$=(x^2-2x-16)(x^2-4x-16)$$

60 b에 대하여 내림차순으로 정리하면
$$a^2+ab-a+b-2$$
$$=ab+b+(a^2-a-2)$$
$$=b(\boxed{a+1})+(\boxed{a-2})(a+1)$$
$$=(a+1)(\boxed{a+b-2})$$

61 주어진 식을 y에 대하여 내림차순으로 정리하면
$$x^2+xy-7x-2y+10=xy-2y+x^2-7x+10$$
$$=(x-2)y+(x-2)(x-5)$$
$$=(x-2)(x+y-5)$$

62 주어진 식을 a에 대하여 내림차순으로 정리하면
$$a^2-b^2+2a+8b-15$$

$$=a^2+2a-b^2+8b-15$$
$$=a^2+2a-(b^2-8b+15)$$
$$=a^2+2a-(b-3)(b-5)$$
$$=(a+b-3)\{a-(b-5)\}$$
$$=(a+b-3)(a-b+5)$$
따라서 두 일차식의 합은
$$(a+b-3)+(a-b+5)=2a+2$$
다른 풀이 완전제곱식이 되는 항끼리 적당히 묶으면
$$a^2-b^2+2a+8b-15$$
$$=(a^2+2a+1)-(b^2-8b+16)$$
$$=(a+1)^2-(b-4)^2$$
$$=(a+1+b-4)\{a+1-(b-4)\}$$
$$=(a+b-3)(a-b+5)$$
따라서 두 일차식의 합은
$$(a+b-3)+(a-b+5)=2a+2$$

63 주어진 식을 x에 대하여 내림차순으로 정리하면
$$x^2-y^2-4x+2y+3=x^2-4x-(y^2-2y-3)$$
$$=x^2-4x-(y-3)(y+1)$$
$$=(x+y-3)\{x-(y+1)\}$$
$$=(x+y-3)(x-y-1)$$
이므로 이 식의 인수를 모두 고르면 ①, ④이다.
다른 풀이 완전제곱식이 되는 항끼리 적당히 묶으면
$$x^2-y^2-4x+2y+3$$
$$=(x^2-4x+4)-(y^2-2y+1)$$
$$=(x-2)^2-(y-1)^2$$
$$=(x-2+y-1)\{x-2-(y-1)\}$$
$$=(x+y-3)(x-y-1)$$

64 주어진 식을 x에 대하여 내림차순으로 정리하면
$$x^2-y^2-8x-6y+7=x^2-8x-(y^2+6y-7)$$
$$=x^2-8x-(y-1)(y+7)$$
$$=(x+y-1)\{x-(y+7)\}$$
$$=(x+y-1)(x-y-7)$$
$$=(x+y-1)(px+qy+r)$$
따라서 $p=1$, $q=-1$, $r=-7$이므로
$$p+q-r=1+(-1)-(-7)=7$$
다른 풀이 완전제곱식이 되는 항끼리 적당히 묶으면
$$x^2-y^2-8x-6y+7$$
$$=(x^2-8x+16)-(y^2+6y+9)$$
$$=(x-4)^2-(y+3)^2$$
$$=(x-4+y+3)\{x-4-(y+3)\}$$

$$=(x+y-1)(x-y-7)$$
$$=(x+y-1)(px+qy+r)$$
따라서 $p=1$, $q=-1$, $r=-7$이므로
$$p+q-r=1+(-1)-(-7)=7$$

65 주어진 식을 x에 대하여 내림차순으로 정리하면
$$x^2+y^2-2xy-3x+3y+2$$
$$=x^2+(-2y-3)x+y^2+3y+2$$
$$=x^2+(-2y-3)x+(y+1)(y+2)$$
$$=\{x-(y+1)\}\{x-(y+2)\}$$
$$=(x-y-1)(x-y-2)=A(x-y-2)$$
$$\therefore A=x-y-1$$
다른 풀이 공통 부분이 나오도록 항을 적당히 묶으면
$$x^2+y^2-2xy-3x+3y+2$$
$$=(x^2+y^2-2xy)-3(x-y)+2$$
$$=(x-y)^2-3(x-y)+2$$
$x-y=t$로 치환하면
$$(\text{주어진 식})=t^2-3t+2=(t-1)(t-2)$$
$$=(x-y-1)(x-y-2)$$
$$=A(x-y-2)$$
$$\therefore A=x-y-1$$

66 $x^2+y^2-5x+5y-2xy+6$
$$=x^2-(2y+5)x+y^2+5y+6$$
$$=x^2-(2y+5)x+(y+2)(y+3)$$
$$=\{x-(y+2)\}\{x-(y+3)\}$$
$$=(x-y-2)(x-y-3)$$

67 주어진 식을 x에 대하여 내림차순으로 정리하면
$$x^2-2y^2+xy-x+y=x^2+(y-1)x-2y^2+y$$
$$=x^2+(y-1)x-y(2y-1)$$
$$=(x-y)(x+2y-1)$$
따라서 보기 중 주어진 식의 인수는 ㄱ, ㄹ이다.

68 주어진 식을 x에 대하여 내림차순으로 정리하면
$$x^2-xy-2y^2+3y-1$$
$$=x^2-yx-(2y^2-3y+1)$$
$$=x^2-yx-(2y-1)(y-1)$$
$$=(x+y-1)\{x-(2y-1)\}$$
$$=(x+y-1)(x-2y+1)$$
따라서 두 일차식 $x+y-1$, $x-2y+1$의 합은
$$(x+y-1)+(x-2y+1)=2x-y$$

69 주어진 식을 전개한 후 x에 대하여 내림차순으로 정리하면
$$xy(x-y)+yz(y-z)+zx(z-x)$$
$$=x^2y-xy^2+y^2z-yz^2+xz^2-x^2z$$
$$=(y-z)x^2-(y^2-z^2)x+y^2z-yz^2$$
$$=(y-z)x^2-(y+z)(y-z)x+yz(y-z)$$
$$=(y-z)\{x^2-(y+z)x+yz\}$$
$$=(y-z)(x-y)(x-z)$$
$$=(x-y)(x-z)(y-z)$$

70 (1) 현정이는 상수항은 바르게 보았으므로 바르게 본 상수항은
$$(x+5)(x-12)=x^2-7x-60$$
에서 -60이다.
(2) 은정이는 x의 계수는 바르게 보았으므로 바르게 본 x의 계수는
$$(x+5)(x+6)=x^2+11x+30$$
에서 11이다.
(3) $a=11$, $b=-60$이므로 처음에 주어진 이차식은
$$x^2+11x-60$$
(4) $x^2+11x-60=(x-4)(x+15)$

71 선영이는 상수항은 바르게 보았으므로 바르게 본 상수항은
$$(x+5)(x-8)=x^2-3x-40$$
에서 -40이다.
$$\therefore b=-40$$
지영이는 x의 계수는 바르게 보았으므로 바르게 본 x의 계수는
$$(x-9)^2=x^2-18x+81$$
에서 -18이다.
$$\therefore a=-18$$
따라서 이차식 x^2+ax+b를 바르게 인수분해하면
$$x^2-18x-40=(x+2)(x-20)$$

72 처음 주어진 이차식을 ax^2+bx+c라 하면
유빈이는 x의 계수와 상수항은 바르게 보았으므로
$$(4x+3)(x-1)=4x^2-x-3$$
에서 $b=-1$, $c=-3$
승아는 x^2의 계수와 x의 계수는 바르게 보았으므로
$$(x-2)(2x+3)=2x^2-x-6$$
에서 $a=2$, $b=-1$

따라서 처음에 주어진 이차식은 $2x^2-x-3$이므로 바르게 인수분해하면

$2x^2-x-3=(x+1)(2x-3)$

$$\begin{array}{ccc} 1 & \diagdown\diagup & 1 & \to & 2 \\ 2 & \diagup\diagdown & -3 & \to & -3 \;(+ \\ & & & & \overline{-1} \end{array}$$

73 현정이가 $(x+2)(3x-1)$을 전개하는데 -1을 p로 잘못 보았다고 하면 잘못 보고 전개한 식은

$(x+2)(3x+p)=3x^2+(p+6)x+2p$
$\qquad\qquad\qquad =3x^2+2x+a$

에서 $p+6=2$, $2p=a$이므로

$p=-4$

$a=2p=2\times(-4)=-8$

은정이가 $(x-3)(x+7)$을 전개하는데 -3을 q로 잘못 보았다고 하면 잘못 보고 전개한 식은

$(x+q)(x+7)=x^2+(7+q)x+7q$
$\qquad\qquad\qquad =x^2+bx-14$

에서 $7+q=b$, $7q=-14$이므로

$q=-2$

$b=7+q=7+(-2)=5$

$\therefore a+b=-8+5=-3$

74 낙천이는 일차항의 계수의 부호는 반대로 보고 x^2의 계수와 상수항은 바르게 보았으므로

$(x-a)(x+4)=x^2-(a-4)x-4a$

에서 처음 주어진 이차식은

$x^2+(a-4)x-4a \qquad \cdots\cdots \text{㉠}$

기백이는 상수항을 원래 상수항보다 10만큼 크게 보고 x^2의 계수와 x의 계수는 바르게 보았으므로

$(x-3)(x+b)=x^2+(b-3)x-3b$

에서 처음 주어진 이차식은

$x^2+(b-3)x-3b-10 \qquad \cdots\cdots \text{㉡}$

㉠과 ㉡이 서로 같은 식이므로

$a-4=b-3$, $-4a=-3b-10$

즉 $a-b=1$, $4a-3b=10$

위의 두 식을 연립하여 풀면

$a=7$, $b=6$

따라서 $a=7$, $b=6$을 ㉠ 또는 ㉡에 대입하면 처음에 주어진 이차식은 $x^2+3x-28$이므로 이 식을 인수분해하면

$x^2+3x-28=(x-4)(x+7)$

75 $89=a$, $11=b$로 치환하면

$89^2-2\times89\times11-3\times11^2=a^2-2ab-3b^2$
$\qquad\qquad\qquad\qquad\qquad =(a-3b)(a+b)$
$\qquad\qquad\qquad\qquad\qquad =(89-3\times11)(89+11)$
$\qquad\qquad\qquad\qquad\qquad =(89-33)\times100$
$\qquad\qquad\qquad\qquad\qquad =56\times100$
$\qquad\qquad\qquad\qquad\qquad =5600$

76 $109=t$로 치환하면

$\dfrac{109^2+2\times109-3}{108}=\dfrac{t^2+2t-3}{t-1}$
$\qquad\qquad\qquad\qquad =\dfrac{(t+3)(t-1)}{t-1}$
$\qquad\qquad\qquad\qquad =t+3$
$\qquad\qquad\qquad\qquad =109+3$
$\qquad\qquad\qquad\qquad =112$

77 $2012=t$로 치환하면

$\left(\dfrac{-2013+2012\times2013}{2012^2-1}\right)^5=\left\{\dfrac{-(t+1)+t(t+1)}{t^2-1}\right\}^5$
$\qquad\qquad\qquad\qquad\qquad =\left\{\dfrac{(t+1)(t-1)}{(t+1)(t-1)}\right\}^5$
$\qquad\qquad\qquad\qquad\qquad =1^5=1$

78 $-1^2+2^2-3^2+4^2-\cdots-9^2+10^2$
$=(2^2-1^2)+(4^2-3^2)+\cdots+(10^2-9^2)$
$=(2+1)(2-1)+(4+3)(4-3)+\cdots$
$\qquad\qquad\qquad\qquad\qquad\quad +(10+9)(10-9)$
$=(2+1)+(4+3)+\cdots+(10+9)$
$=1+2+3+4+\cdots+9+10$
$=55$

79 $-2^2-4^2-6^2+8^2+10^2+12^2$
$=(12^2-2^2)+(10^2-4^2)+(8^2-6^2)$
$=(12+2)(12-2)+(10+4)(10-4)$
$\qquad\qquad\qquad\qquad\qquad +(8+6)(8-6)$
$=14\times10+14\times6+14\times2$
$=14\times(10+6+2)$
$=14\times18$

따라서 두 자연수 m, n은 14, 18이므로

$m+n=14+18=32$

80
$$40\left(1-\frac{1}{2^2}\right)\left(1-\frac{1}{3^2}\right)\cdots\left(1-\frac{1}{19^2}\right)\left(1-\frac{1}{20^2}\right)$$
$$=40\left(1-\frac{1}{2}\right)\left(1+\frac{1}{2}\right)\left(1-\frac{1}{3}\right)\left(1+\frac{1}{3}\right)\left(1-\frac{1}{4}\right)\left(1+\frac{1}{4}\right)$$
$$\times\cdots\times\left(1-\frac{1}{20}\right)\left(1+\frac{1}{20}\right)$$
$$=40\times\frac{1}{2}\times\frac{\cancel{3}}{\cancel{2}}\times\frac{\cancel{2}}{3}\times\frac{\cancel{4}}{\cancel{3}}\times\frac{\cancel{3}}{\cancel{4}}\times\frac{\cancel{5}}{\cancel{4}}\times\cdots\times\frac{\cancel{19}}{20}\times\frac{21}{20}$$
$$=40\times\frac{1}{2}\times\frac{21}{20}$$
$$=21$$

81
$$3^{12}-1=(3^6)^2-1^2$$
$$=(3^6+1)(3^6-1)$$
$$=(3^6+1)\{(3^3)^2-1^2\}$$
$$=(3^6+1)(3^3+1)(3^3-1)$$
따라서 $3^{12}-1$은 20과 30 사이의 두 자연수인
$3^3+1=28$, $3^3-1=26$으로 나누어떨어진다.
$$\therefore a+b=26+28=54$$

82 $23=t$로 치환하면
$$\sqrt{21+\frac{4}{25}}=\sqrt{\frac{21\times25+4}{25}}=\sqrt{\frac{(t-2)(t+2)+4}{25}}$$
$$=\sqrt{\frac{t^2-4+4}{25}}=\sqrt{\frac{t^2}{5^2}}=\frac{t}{5}=\frac{23}{5}$$
따라서 $a=5$, $b=23$이므로 $b-a=23-5=18$

83 $10\times11\times12\times13+1$에서 $10=t$로 치환하면
$$10\times11\times12\times13+1$$
$$=t(t+1)(t+2)(t+3)+1$$
$$=\{t(t+3)\}\{(t+1)(t+2)\}+1$$
$$=(t^2+3t)(t^2+3t+2)+1$$
여기서 다시 $t^2+3t=A$로 치환하면
$$(t^2+3t)(t^2+3t+2)+1=A(A+2)+1$$
$$=A^2+2A+1$$
$$=(A+1)^2$$
$$=(t^2+3t+1)^2$$
$$\therefore (주어진 \; 식)=\sqrt{(t^2+3t+1)^2}$$
$$=t^2+3t+1$$
$$=10^2+3\times10+1$$
$$=100+30+1$$
$$=131$$

84 x, y의 분모를 각각 유리화하면
$$x=\frac{1}{\sqrt{2}+1}=\frac{\sqrt{2}-1}{(\sqrt{2}+1)(\sqrt{2}-1)}=\sqrt{2}-1$$

$$y=\frac{1}{\sqrt{2}-1}=\frac{\sqrt{2}+1}{(\sqrt{2}-1)(\sqrt{2}+1)}=\sqrt{2}+1$$
$$\therefore \; x^3y-xy^3$$
$$=xy(x^2-y^2)$$
$$=xy(x+y)(x-y)$$
$$=(\sqrt{2}-1)(\sqrt{2}+1)(\sqrt{2}-1+\sqrt{2}+1)$$
$$\{\sqrt{2}-1-(\sqrt{2}+1)\}$$
$$=(2-1)\times2\sqrt{2}\times(-2)$$
$$=-4\sqrt{2}$$

85
$$x^2+y^2-2xy+5x-5y=(x^2+y^2-2xy)+5(x-y)$$
$$=(x-y)^2+5(x-y)$$
$$=(x-y)(x-y+5)$$
이때 $x-y=1-\sqrt{3}-(1+\sqrt{3})=-2\sqrt{3}$이므로
$$(주어진 \; 식)=-2\sqrt{3}\times(-2\sqrt{3}+5)$$
$$=12-10\sqrt{3}$$

86 $x+2=A$로 치환하면
$$(x+2)^2-6(x+2)+9=A^2-6A+9$$
$$=(A-3)^2$$
$$=(x+2-3)^2$$
$$=(x-1)^2$$
$$=(1-\sqrt{3}-1)^2$$
$$=(-\sqrt{3})^2$$
$$=3$$

87 $1<\sqrt{3}<2$에서 $\sqrt{3}$의 정수 부분이 1이므로 소수 부분은 $x=\sqrt{3}-1$
주어진 식에서 $x+2=t$로 치환하면
$$(x+2)^2-2(x+2)+1=t^2-2t+1$$
$$=(t-1)^2$$
$$=(x+2-1)^2$$
$$=(x+1)^2$$
$$=(\sqrt{3}-1+1)^2$$
$$=(\sqrt{3})^2=3$$

88
$$a^2+16b^2-8ab+5=(a^2-8ab+16b^2)+5$$
$$=(a-4b)^2+5$$
$$=(15.4-4\times2.85)^2+5$$
$$=(15.4-11.4)^2+5$$
$$=4^2+5=21$$

89
$$x^2-y^2-3x-3y=(x+y)(x-y)-3(x+y)$$
$$=(x+y)(x-y-3)$$
$$=2\sqrt{2}\times(2-3)$$
$$=-2\sqrt{2}$$

90
$$a^3b+ab^3=ab(a^2+b^2)$$
$$=ab\{(a+b)^2-2ab\}$$
$$=2\times\{(2\sqrt{3})^2-2\times2\}$$
$$=2\times(12-4)=2\times8=16$$

91
$$a^2+b^2+2(a-1)(b-1)-1$$
$$=a^2+b^2+2ab-2a-2b+2-1$$
$$=(a^2+2ab+b^2)-2(a+b)+1$$
$$=(a+b)^2-2(a+b)+1$$
이때 $a+b=t$로 치환하면
$$(\text{주어진 식})=t^2-2t+1=(t-1)^2$$
$$=(a+b-1)^2=\left(-\frac{3}{2}-1\right)^2$$
$$=\left(-\frac{5}{2}\right)^2=\frac{25}{4}$$

92
$$x^2+y^2-2xy-4x+4y+4$$
$$=(x^2+y^2-2xy)-4(x-y)+4$$
$$=(x-y)^2-4(x-y)+4$$
$$=A^2-4A+4 \Leftarrow x-y=A\text{로 치환}$$
$$=(A-2)^2$$
$$=(x-y-2)^2$$
$$=(2+\sqrt{3}-2)^2$$
$$=(\sqrt{3})^2=3$$

93
$$(x-1)(x-3)(x+5)(x+7)+10$$
$$=\{(x-1)(x+5)\}\{(x-3)(x+7)\}+10$$
$$=(x^2+4x-5)(x^2+4x-21)+10 \ \cdots\cdots\ \bigcirc$$
이때 $x^2+4x-6=0$에서 $x^2+4x=6$이므로 $\bigcirc$에 대입하면
$$(\text{주어진 식})=(6-5)(6-21)+10$$
$$=1\times(-15)+10=-5$$

94
$x\neq0$이므로 $x^2-5x+1=0$의 양변을 x로 나누면
$$x-5+\frac{1}{x}=0\text{에서 } x+\frac{1}{x}=5$$
$$\left(x-\frac{1}{x}\right)^2=\left(x+\frac{1}{x}\right)^2-4$$
$$=5^2-4=21$$

이므로
$$x-\frac{1}{x}=\pm\sqrt{21}$$
그런데 $0<x<1$에서 $x<\frac{1}{x}$, 즉 $x-\frac{1}{x}<0$이므로
$$x-\frac{1}{x}=-\sqrt{21}$$
$$\therefore\ x^2-\frac{1}{x^2}=\left(x+\frac{1}{x}\right)\left(x-\frac{1}{x}\right)$$
$$=5\times(-\sqrt{21})=-5\sqrt{21}$$

95
$$x^2y-xy^2-x+y=xy(x-y)-(x-y)$$
$$=(x-y)(xy-1)$$
$$=(-4)\times(xy-1)=12$$
이므로 $xy-1=-3$ $\therefore\ xy=-2$
따라서 $x-y=-4$, $xy=-2$이므로
$$x^2+y^2=(x-y)^2+2xy$$
$$=(-4)^2+2\times(-2)$$
$$=16-4=12$$

96
$a^2-b^2=(a+b)(a-b)$이므로
$$(a+b)(a-b)=11$$
이때 a, b는 자연수이므로 $a-b<a+b$
또, $a+b>0$이므로 $a-b>0$
$$\therefore\ a-b=1,\ a+b=11$$
위의 두 식을 연립하여 풀면
$$a=6,\ b=5$$
$$\therefore\ 2a-b=2\times6-5=7$$

97
$$f(x)=1-\frac{1}{x^2}=\left(1-\frac{1}{x}\right)\left(1+\frac{1}{x}\right)\text{이므로}$$
$$f(2)=1-\frac{1}{2^2}=\left(1-\frac{1}{2}\right)\left(1+\frac{1}{2}\right)=\frac{1}{2}\times\frac{3}{2}$$
$$f(3)=1-\frac{1}{3^2}=\left(1-\frac{1}{3}\right)\left(1+\frac{1}{3}\right)=\frac{2}{3}\times\frac{4}{3}$$
$$\vdots$$
$$f(2013)=1-\frac{1}{2013^2}$$
$$=\left(1-\frac{1}{2013}\right)\left(1+\frac{1}{2013}\right)$$
$$=\frac{2012}{2013}\times\frac{2014}{2013}$$
$$\therefore\ f(2)\times f(3)\times\cdots\times f(2013)$$
$$=\left(\frac{1}{2}\times\frac{3}{2}\right)\times\left(\frac{2}{3}\times\frac{4}{3}\right)\times\cdots\times\left(\frac{2012}{2013}\times\frac{2014}{2013}\right)$$
$$=\frac{1}{2}\times\frac{2014}{2013}$$
$$=\frac{1007}{2013}$$

98
$$\frac{b^2-(c-a)^2}{a^2-(b+c)^2}=\frac{(b+c-a)\{b-(c-a)\}}{(a+b+c)\{a-(b+c)\}}$$
$$=\frac{(b+c-a)(b-c+a)}{(a+b+c)(a-b-c)}$$
$$=\frac{-(a-b-c)(b-c+a)}{(a+b+c)(a-b-c)}$$
$$=\frac{-(b-c+a)}{a+b+c}$$
$$=\frac{-a-b+c}{a+b+c}$$

$$\frac{c^2-(a-b)^2}{b^2-(c+a)^2}=\frac{(c+a-b)\{c-(a-b)\}}{(b+c+a)\{b-(c+a)\}}$$
$$=\frac{(c+a-b)(c-a+b)}{(b+c+a)(b-c-a)}$$
$$=\frac{-(b-c-a)(c-a+b)}{(a+b+c)(b-c-a)}$$
$$=\frac{-(c-a+b)}{a+b+c}$$
$$=\frac{a-b-c}{a+b+c}$$

$$\frac{a^2-(b-c)^2}{c^2-(a+b)^2}=\frac{(a+b-c)\{a-(b-c)\}}{(c+a+b)\{c-(a+b)\}}$$
$$=\frac{(a+b-c)(a-b+c)}{(c+a+b)(c-a-b)}$$
$$=\frac{-(c-a-b)(a-b+c)}{(a+b+c)(c-a-b)}$$
$$=\frac{-(a-b+c)}{a+b+c}$$
$$=\frac{-a+b-c}{a+b+c}$$

$\therefore$ (주어진 식)
$$=\frac{-a-b+c}{a+b+c}+\frac{a-b-c}{a+b+c}+\frac{-a+b-c}{a+b+c}$$
$$=\frac{-a-b+c+a-b-c-a+b-c}{a+b+c}$$
$$=\frac{-a-b-c}{a+b+c}$$
$$=\frac{-(a+b+c)}{a+b+c}$$
$$=-1$$

99 주어진 모든 직사각형의 넓이의 합은
$$2\times(x\times x)+5\times(x\times1)+3\times(1\times1)$$
$$=2x^2+5x+3$$
이 식을 인수분해하면
$$2x^2+5x+3=(x+1)(2x+3)$$

$$\begin{matrix}1 & & 1 & \rightarrow & 2 \\ 2 & \times & 3 & \rightarrow & \underline{3}\,(+ \\ & & & & 5\end{matrix}$$

이므로 새로운 직사각형의 가로와 세로의 길이는
$x+1,\ 2x+3$이다.

따라서 구하는 둘레의 길이는
$$2\times\{(x+1)+(2x+3)\}=2(3x+4)$$
$$=6x+8$$

100 (남은 도형의 넓이)$=2x^2-7x+5-(x-1)^2$
$$=2x^2-7x+5-(x^2-2x+1)$$
$$=x^2-5x+4$$
$$=(x-1)(x-4)$$

101 도형 ㈎의 넓이는
$$(2x-3)^2-4^2=(2x-3+4)(2x-3-4)$$
$$=(2x+1)(2x-7)$$
이때 두 도형의 넓이가 같고 도형 ㈏의 가로의 길이
가 $2x-7$이므로 세로의 길이는 $2x+1$이다.

102 토끼장의 넓이 $3x^2-5x+2$를 인수분해하면
$$3x^2-5x+2=(x-1)(3x-2)$$

$$\begin{matrix}1 & & -1 & \rightarrow & -3 \\ 3 & \times & -2 & \rightarrow & \underline{-2}\,(+ \\ & & & & -5\end{matrix}$$

이므로 직사각형 모양의 토끼장의 가로와 세로의 길
이는 $3x-2,\ x-1$이다.
이때 토끼장의 세로의 길이가 $x-a$이므로
$a=1$ ($\because a$는 정수)
따라서 토끼장의 가로의 길이는 $3x-2$, 세로의 길이
는 $x-1$이므로 필요한 철조망의 길이는
$l=$ (가로의 길이)$+2\times$ (세로의 길이)
$$=(3x-2)+2\times(x-1)$$
$$=3x-2+2x-2$$
$$=5x-4$$

103 목장의 넓이는
$$4x^2-y^2-2y-1=4x^2-(y^2+2y+1)$$
$$=(2x)^2-(y+1)^2$$
$$=(2x+y+1)\{2x-(y+1)\}$$
$$=(2x+y+1)(2x-y-1)$$
이고, 목장의 세로의 길이가 $2x-y-1$이므로 가로
의 길이는 $2x+y+1$이다.
따라서 목장의 둘레의 길이는
$$2\times\{(2x+y+1)+(2x-y-1)\}=2\times4x$$
$$=8x$$

104 길의 넓이는 한 변의 길이가 $2x-7$인 정사각형의 넓이에서 한 변의 길이가 $x+2$인 정사각형의 넓이를 뺀 것이므로

$$
\begin{aligned}
(\text{길의 넓이}) &= (2x-7)^2 - (x+2)^2 \\
&= (2x-7+x+2)\{2x-7-(x+2)\} \\
&= (3x-5)(x-9)
\end{aligned}
$$

105 (1) $S = (\text{반지름의 길이가 } r+a \text{인 원의 넓이})$
$\qquad\qquad - (\text{반지름의 길이가 } r \text{인 원의 넓이})$

$$
\begin{aligned}
&= \pi(r+a)^2 - \pi r^2 \\
&= \pi(r^2 + 2ar + a^2 - r^2) \\
&= \pi(2ar + a^2) \\
&= a\pi(2r+a)
\end{aligned}
$$

(2) 길의 한가운데를 지나는 원 모양의 선의 길이는 반지름의 길이가 $r+\dfrac{1}{2}a$인 원의 둘레의 길이와 같으므로

$$
l = 2\pi\left(r + \frac{1}{2}a\right) = \pi(2r+a)
$$

(3) (1), (2)에서 $S = a\pi(2r+a)$, $l = \pi(2r+a)$이므로
$$
S = a\{\pi(2r+a)\} = al
$$

106 작은 원의 반지름의 길이가 r cm이므로 큰 원의 반지름의 길이는 $(2r+1)$ cm이다.

따라서 어두운 부분의 넓이는 $\pi(2r+1)^2 - \pi r^2$이므로

$$
\begin{aligned}
\pi(2r+1)^2 - \pi r^2 &= \pi(2r+1+r)(2r+1-r) \\
&= \pi(3r+1)(r+1) \ (\text{cm}^2)
\end{aligned}
$$

107 직육면체의 부피는

$$
\begin{aligned}
x^3 - x^2 - x + 1 &= x^2(x-1) - (x-1) \\
&= (x-1)(x^2-1) \\
&= (x-1)(x+1)(x-1) \\
&= (x-1)^2(x+1)
\end{aligned}
$$

이고, 직육면체의 높이가 $x+1$이므로 밑면은 한 변

의 길이가 $x-1$인 정사각형이다.
$\therefore$ (직육면체의 겉넓이)

$$
\begin{aligned}
&= (\text{밑넓이}) \times 2 + (\text{옆넓이}) \\
&= (x-1)^2 \times 2 + 4(x-1)(x+1) \\
&= 2(x^2 - 2x + 1) + 4(x^2 - 1) \\
&= 2x^2 - 4x + 2 + 4x^2 - 4 \\
&= 6x^2 - 4x - 2
\end{aligned}
$$

108 전체 쇠구슬의 부피는

$$
\begin{aligned}
2x^3 - 3x^2 - 2x &= x(2x^2 - 3x - 2) \\
&= x(x-2)(2x+1)
\end{aligned}
$$

따라서 만들 수 있는 작은 쇠구슬의 개수는

$$
\begin{aligned}
\frac{(\text{전체 쇠구슬의 부피})}{(\text{작은 쇠구슬 1개의 부피})} &= \frac{x(x-2)(2x+1)}{x-2} \\
&= x(2x+1) \\
&= 2x^2 + x
\end{aligned}
$$

109 직각삼각형 ABC에서 $\overline{AC}$를 회전축으로 하여 1회전 시키면 밑면의 반지름의 길이가 $x-y$, 높이가 $x+y$인 원뿔이 되므로 그 부피는

$$
V_1 = \frac{1}{3}\pi(x-y)^2(x+y)
$$

$\overline{BC}$를 회전축으로 하여 1회전 시키면 밑면의 반지름의 길이가 $x+y$, 높이가 $x-y$인 원뿔이 되므로 그 부피는 $V_2 = \dfrac{1}{3}\pi(x+y)^2(x-y)$

$$
\begin{aligned}
\therefore V_2 - V_1 &= \frac{1}{3}\pi(x+y)^2(x-y) - \frac{1}{3}\pi(x-y)^2(x+y) \\
&= \frac{1}{3}\pi(x+y)(x-y)\{(x+y)-(x-y)\} \\
&= \frac{1}{3}\pi(x+y)(x-y) \times 2y \\
&= \frac{2}{3}\pi(x+y)(x-y)y
\end{aligned}
$$

$$
\begin{aligned}
\therefore \frac{V_2 - V_1}{\pi y} &= \frac{1}{\pi y} \times \frac{2}{3}\pi(x+y)(x-y)y \\
&= \frac{2}{3}(x+y)(x-y)
\end{aligned}
$$

단원 종합 문제

01 ③	02 ⑤	03 ④	04 ④	05 ⑤	06 8	07 ①	08 ②
09 ④	10 ②	11 -32	12 3	13 -3	14 $\dfrac{1}{2}$	15 $\dfrac{\sqrt{5}}{5}$	16 ②, ⑤
17 ③, ⑤	18 ④	19 ③	20 $x-2y$	21 ③	22 ⑤	23 ③	24 ①
25 ②	26 ③	27 ②	28 ④	29 ⑤	30 ②		

01

① $(-a-6)^2=(a+6)^2$
$\qquad =a^2+2\times a\times 6+6^2$
$\qquad =a^2+12a+36$

② $\left(2x-\dfrac{1}{x}\right)^2=(2x)^2-2\times 2x\times\dfrac{1}{x}+\left(\dfrac{1}{x}\right)^2$
$\qquad =4x^2-4+\dfrac{1}{x^2}$

③ $(x-4y)(-x-4y)=-(x-4y)(x+4y)$
$\qquad =-\{x^2-(4y)^2\}$
$\qquad =-x^2+16y^2$

④ $(a-7b)(a+3b)=a^2+(3-7)ab-21b^2$
$\qquad =a^2-4ab-21b^2$

⑤ $(3x-y)(4x+2y)=12x^2+(6-4)xy-2y^2$
$\qquad =12x^2+2xy-2y^2$

02

$(ax-5y)(x+by-1)$을 전개하였을 때, xy항이 나오는 부분만 전개하면
$ax\times by-5y\times x=abxy-5xy=(ab-5)xy$
$ab-5=1$ $\quad\therefore ab=6$
x항이 나오는 부분만 전개하면
$ax\times(-1)=-ax$
$-a=-3$ $\quad\therefore a=3$
따라서 $ab=6$에서 $a=3$을 대입하면
$3b=6$ $\quad\therefore b=2$
$\therefore a+b=3+2=5$

03

(어두운 부분의 넓이)
$=P+Q$
$=(5a-3b)(4a-2b)$
$\qquad +3b\times 2b$
$=20a^2-22ab+6b^2+6b^2$
$=20a^2-22ab+12b^2$

04

새로 만든 직사각형의 가로, 세로의 길이는 각각 $x+5$, $x+4$이므로 넓이는
$(x+5)(x+4)=x^2+9x+20$
따라서 $a=1$, $b=9$, $c=20$이므로
$a-b+c=1-9+20=12$

05

$(1-x+y)(1+x-y)=\{1-(x-y)\}\{1+(x-y)\}$
에서
$x-y=X$로 치환하면
$\{1-(x-y)\}\{1+(x-y)\}$
$=(1-X)(1+X)$
$=1-X^2$
$=1-(x-y)^2$ $\Big)X=x-y$를 대입
$=1-(x^2-2xy+y^2)$
$=1-x^2+2xy-y^2$
따라서 다항식 A는 $x^2-2xy+y^2$이다.

06

연속한 두 홀수를 $2n-1$, $2n+1$(n은 자연수)로 놓으면
두 수의 제곱의 차는
$(2n+1)^2-(2n-1)^2$
$=4n^2+4n+1-(4n^2-4n+1)$
$=8n$
이므로 8의 배수이다.
$\therefore k=8$

07

$\ll 4,\ -x\gg\times\ll -1,\ 2\gg$
$=(4-x\sqrt{3})\times(-1+2\sqrt{3})$
$=-4+(8+x)\sqrt{3}-2x\times 3$
$=-4-6x+(8+x)\sqrt{3}$
이것이 유리수가 되려면 $8+x=0$이어야 하므로
$x=-8$

08 $(x-1)(x+1)(x^2+1)(x^4+1)(x^8+1)$
$=\{(x-1)(x+1)\}(x^2+1)(x^4+1)(x^8+1)$
$=\{(x^2-1)(x^2+1)\}(x^4+1)(x^8+1)$
$=\{(x^4-1)(x^4+1)\}(x^8+1)$
$=(x^8-1)(x^8+1)$
$=x^{16}-1$

09 ㄱ. $x^2+y^2=(x+y)^2-2xy$
$\qquad\qquad\ =(\sqrt{7})^2-2\times1$
$\qquad\qquad\ =7-2=5$

ㄴ. $(x-y)^2=(x+y)^2-4xy$
$\qquad\qquad\quad =(\sqrt{7})^2-4\times1$
$\qquad\qquad\quad =7-4=3$

ㄷ. ㄴ에서 $(x-y)^2=3$이므로 $x-y=\pm\sqrt{3}$
이때 $x>y$에서 $x-y>0$이므로 $x-y=\sqrt{3}$

ㄹ. $\dfrac{y}{x}+\dfrac{x}{y}=\dfrac{y^2+x^2}{xy}=\dfrac{5}{1}=5$

따라서 보기 중 옳지 않은 것은 ㄷ, ㄹ이다.

10 $\dfrac{7}{3+\sqrt{2}}=\dfrac{7(3-\sqrt{2})}{(3+\sqrt{2})(3-\sqrt{2})}$
$\qquad\qquad =\dfrac{7(3-\sqrt{2})}{9-2}=3-\sqrt{2}$

이고, $1<\sqrt{2}<2$에서 $-2<-\sqrt{2}<-1$이므로
$1<3-\sqrt{2}<2$이다.
따라서 $3-\sqrt{2}$의 정수 부분은 1이고,
소수 부분은 $a=(3-\sqrt{2})-1=2-\sqrt{2}$
$a=2-\sqrt{2}$에서 $a-2=-\sqrt{2}$
이 식의 양변을 제곱하면
$(a-2)^2=(-\sqrt{2})^2$
$a^2-4a+4=2$, $a^2-4a=-2$
$\therefore 2a^2-8a+5=2(a^2-4a)+5$
$\qquad\qquad\qquad\ =2\times(-2)+5$
$\qquad\qquad\qquad\ =-4+5=1$

11 세 모서리의 길이가 각각 $x-4y$, $2x+y$, $3x-1$인
직육면체의 겉넓이는
$2\{(\overbrace{x-4y)(2x+y})+(2x+y)(\overbrace{3x-1})+$
$\qquad\qquad\qquad\qquad\qquad (\overbrace{3x-1)(x-4y})\}$
이 식을 전개하였을 때, xy항이 나오는 부분만 전개
하면
$2\{x\times y-4y\times 2x+y\times 3x+3x\times(-4y)\}$
$=2(xy-8xy+3xy-12xy)$

$=2(-16xy)$
$=-32xy$
따라서 xy의 계수는 -32이다.

12 $x+2=A$로 치환하면
$(x+2)^2-6(x+2)+9=A^2-6A+9$
$\qquad\qquad\qquad\qquad\quad =(A-3)^2$
$\qquad\qquad\qquad\qquad\quad =(x+2-3)^2$
$\qquad\qquad\qquad\qquad\quad =(x-1)^2$
$\qquad\qquad\qquad\qquad\quad =(1-\sqrt{3}-1)^2$
$\qquad\qquad\qquad\qquad\quad =(-\sqrt{3})^2$
$\qquad\qquad\qquad\qquad\quad =3$

13 현정이가 $(x+2)(3x-1)$을 전개하는 데 -1을
p로 잘못 보았다면 잘못 보고 전개한 식은
$(x+2)(3x+p)=3x^2+(p+6)x+2p$
$\qquad\qquad\qquad\quad =3x^2+2x+a$
이고 $p+6=2$, $2p=a$이므로
$p=-4$
$a=2p=2\times(-4)=-8$
은정이가 $(x-3)(x+7)$을 전개하는 데 -3을 q로
잘못 보았다면 잘못 보고 전개한 식은
$(x+q)(x+7)=x^2+(7+q)x+7q$
$\qquad\qquad\qquad =x^2+bx-14$
이고 $7+q=b$, $7q=-14$이므로 $q=-2$
$b=7+q=7+(-2)=5$
$\therefore a+b=-8+5=-3$

14 $1-\dfrac{1}{1-\dfrac{1}{1-\sqrt{2}}}=1-\dfrac{1}{1-\dfrac{1}{\dfrac{1+\sqrt{2}}{(1-\sqrt{2})(1+\sqrt{2})}}}$
$\qquad\qquad\qquad\quad =1-\dfrac{1}{1-\dfrac{1}{\dfrac{1+\sqrt{2}}{1-2}}}$
$\qquad\qquad\qquad\quad =1-\dfrac{1}{2+\sqrt{2}}$
$\qquad\qquad\qquad\quad =1-\dfrac{2-\sqrt{2}}{(2+\sqrt{2})(2-\sqrt{2})}$
$\qquad\qquad\qquad\quad =1-\dfrac{2-\sqrt{2}}{2}$
$\qquad\qquad\qquad\quad =\dfrac{\sqrt{2}}{2}$

따라서 $a=0$, $b=\dfrac{1}{2}$이므로
$a+b=0+\dfrac{1}{2}=\dfrac{1}{2}$

15

$m^2=3+\sqrt{5}$, $n^2=3-\sqrt{5}$이므로

$m^2+n^2=3+\sqrt{5}+3-\sqrt{5}=6$

$(mn)^2=m^2n^2=(3+\sqrt{5})(3-\sqrt{5})=9-5=4$

에서 $mn=2$ $(\because m>0,\ n>0)$

이때 $(m+n)^2=6+2\times2=10$

$\therefore m+n=\sqrt{10}$ $(\because m>0,\ n>0)$

또 $(m-n)^2=6-2\times2=2$

$\therefore m-n=\sqrt{2}$ $(\because m>n)$

$\therefore \dfrac{m-n}{m+n}=\dfrac{\sqrt{2}}{\sqrt{10}}=\dfrac{1}{\sqrt{5}}=\dfrac{\sqrt{5}}{5}$

16

$x-4y=A$로 치환하면

$(x-4y)(x-4y+3)-4$

$=A(A+3)-4$

$=A^2+3A-4$

$=(A+4)(A-1)$

$=(x-4y+4)(x-4y-1)$

따라서 주어진 식의 인수를 모두 고르면 ②, ⑤이다.

17

① $4a^2-36a+81=(2a)^2-2\times2a\times9+9^2$

　　　　　　　　　　$=(2a-9)^2$

② $9b^2-66b+121=(3b)^2-2\times3b\times11+11^2$

　　　　　　　　　　　$=(3b-11)^2$

③ $25x^2-49=(5x)^2-7^2$

　　　　　　$=(5x+7)(5x-7)$

④ $x^2-xy+\dfrac{1}{4}y^2=x^2-2\times x\times\dfrac{1}{2}y+\left(\dfrac{1}{2}y\right)^2$

　　　　　　　　　$=\left(x-\dfrac{1}{2}y\right)^2$

⑤ $\dfrac{1}{9}x^2+x+9$는 더 이상 인수분해되지 않는다.

따라서 완전제곱식으로 인수분해할 수 없는 것은 ③, ⑤이다.

18

$3x+2=X$, $2x-1=Y$로 치환하면

$(3x+2)^2-(2x-1)^2$

$=X^2-Y^2$

$=(X+Y)(X-Y)$

$=(3x+2+2x-1)\{3x+2-(2x-1)\}$

$=(5x+1)(x+3)=(ax+1)(bx+3)$

이므로 $a=5$, $b=1$

$\therefore a+b=5+1=6$

19

$x^2-3x-28=x^2+(4-7)x+4\times(-7)$

　　　　　　　$=(x+4)(x-7)$

$x^2+2x-8=x^2+(4-2)x+4\times(-2)$

　　　　　$=(x+4)(x-2)$

이므로 두 다항식의 공통인수는 $x+4$

$\therefore A=x+4$

$\therefore Ax+2x^2=(x+4)x+2x^2$

　　　　　$=x^2+4x+2x^2$

　　　　　$=3x^2+4x=x(3x+4)$

20

$(x-5y)(3x+y)+21y^2$

$=3x^2-14xy-5y^2+21y^2$

$=3x^2-14xy+16y^2=(x-2y)(3x-8y)$

$\begin{array}{ccc} 1 & \diagdown\ -2 & \to\ -6 \\ 3 & \diagup\ -8 & \to\ \underline{\ -8\ }(+ \\ & & -14 \end{array}$

$x^2-xy-2y^2=x^2+(1-2)xy+y\times(-2y)$

　　　　　　　$=(x+y)(x-2y)$

따라서 두 다항식의 공통인수는 $x-2y$이다.

21

$x-2=A$로 치환하면

$3(x-2)^2-2(x-2)-8$

$=3A^2-2A-8$

$=(A-2)(3A+4)$

$=(x-2-2)\{3(x-2)+4\}$

$=(x-4)(3x-2)$

$=(x-4)(ax+b)$

이므로 $a=3$, $b=-2$

$\therefore a+b=3+(-2)=1$

22

$(a-b)(2a-3b)-2a+2b$

$=(a-b)(2a-3b)-2(a-b)$

$=(a-b)(2a-3b-2)$

23

$-2x^2-5x(y-2x)+3(2x-y)^2$

$=-2x^2+5x(2x-y)+3(2x-y)^2$

$2x-y=A$로 치환하면

(주어진 식) $=-2x^2+5Ax+3A^2$

　　　　　　$=-(2x^2-5Ax-3A^2)$

　　　　　　$=-(2x+A)(x-3A)$

　　　　　　$=-(2x+2x-y)\{x-3(2x-y)\}$

　　　　　　$=-(4x-y)(-5x+3y)$

　　　　　　$=(4x-y)(5x-3y)$

　　　　　　$=(ax-by)(cx-dy)$

이때 $a > c$이므로 $a=5$, $b=3$, $c=4$, $d=1$

$\therefore a+b+c+d=5+3+4+1=13$

24 $x(x+2)(x-3)(x-5)+24$

$=\{x(x-3)\}\{(x+2)(x-5)\}+24$

$=(x^2-3x)(x^2-3x-10)+24$

$x^2-3x=X$로 치환하면

(주어진 식)$=X(X-10)+24$

$\qquad\qquad =X^2-10X+24$

$\qquad\qquad =(X-4)(X-6)$

$\qquad\qquad =(x^2-3x-4)(x^2-3x-6)$

$\qquad\qquad =(x+1)(x-4)(x^2-3x-6)$

$\qquad\qquad =A(x-4)(B-6)$

이므로 $A=x+1$, $B=x^2-3x$

$\therefore A+B=(x+1)+(x^2-3x)$

$\qquad\qquad =x^2-2x+1$

25 $\ll 3,\ 1 \gg=(x-3)(x-1)=x^2-4x+3$

$\ll 2,\ -3 \gg=(x-2)(x+3)=x^2+x-6$

$\therefore \ll 3,\ 1 \gg -2\ll 2,\ -3 \gg +1$

$=x^2-4x+3-2(x^2+x-6)+1$

$=x^2-4x+3-2x^2-2x+12+1$

$=-x^2-6x+16$

$=-(x^2+6x-16)$

$=-\{x^2+(8-2)x+8\times(-2)\}$

$=-(x-2)(x+8)$

26 $2x^2+kx-3=(2x+a)(x+b)$에서

$2x^2+kx-3=2x^2+(a+2b)x+ab$이므로

$ab=-3$, $k=a+2b$

이때 a, b는 정수이므로

$a=1$, $b=-3$일 때, $k=1+2\times(-3)=-5$

$a=3$, $b=-1$일 때, $k=3+2\times(-1)=1$

$a=-1$, $b=3$일 때, $k=-1+2\times 3=5$

$a=-3$, $b=1$일 때, $k=-3+2\times 1=-1$

따라서 k의 값이 될 수 없는 것은 ③이다.

27 $ac-bc-bd+ad=c(a-b)+d(a-b)$

$\qquad\qquad\qquad\qquad =(a-b)(c+d)$

$\qquad\qquad\qquad\qquad =(a-b)\times(-3)=-12$

$\therefore a-b=4$

28 $6x^2-x-15$를 인수분해하면

$6x^2-x-15=(2x+3)(3x-5)$

이므로 직사각형의 가로와 세로의 길이는 $2x+3$, $3x-5$이다.

따라서 구하는 둘레의 길이는

$2(2x+3+3x-5)=2(5x-2)=10x-4$

29 처음 주어진 이차식을 x^2+ax+b라 하자.

민서는 상수항은 바르게 보았으므로

$(x-4)(x-12)=x^2-16x+48$

에서 $b=48$

민제는 x의 계수는 바르게 보았으므로

$(x-5)(x-9)=x^2-14x+45$

에서 $a=-14$

따라서 처음 주어진 이차식은 $x^2-14x+48$이므로

$x^2-14x+48=(x-6)(x-8)$

30 나연이가 잘못 본 이차식은

$x^2+bx-12=(x-2)(x+6)$

$\qquad\qquad\qquad =x^2+4x-12$

이므로 $b=4$

희영이가 잘못 본 이차식은

$x^2+ax+c=(x+4)(x-5)$

$\qquad\qquad\qquad =x^2-x-20$

이므로

$a=-1$, $c=-20$

$\therefore a+b+c=-1+4+(-20)$

$\qquad\qquad\quad =-17$

1 이차방정식
주제별 실력다지기

01 ③, ④	**02** ②	**03** ④	**04** ①	**05** -13	**06** ⑤	**07** ②
08 $x=-5$ 또는 $x=1$	**09** ①	**10** ②	**11** ⑤	**12** 풀이 참조	**13** ⑤	**14** 14
15 ⑤	**16** -4	**17** ④	**18** -40	**19** -1		

20 (가) 4 (나) b'^2-ac (다) $\dfrac{-b'\pm\sqrt{b'^2-ac}}{a}$ **21** 3 **22** ② **23** 10 **24** $8\sqrt{7}$ **25** 4

26 (1) $x=\dfrac{1}{2}$ 또는 $x=\dfrac{2}{5}$ (2) $x=-\dfrac{1}{2}$ 또는 $x=3$ (3) $x=5$(중근) **27** ② **28** ④ **29** $\dfrac{2\sqrt{13}}{9}$

30 ④	**31** 24	**32** ④	**33** ③, ⑤	**34** ⑤	**35** 8	**36** ⑤

37 ②

38 ⑤ **39** ② **40** $x=\dfrac{1}{2}$ 또는 $x=2$ **41** $x=\dfrac{5\pm\sqrt{7}}{2}$ **42** ① **43** ⑤

44 $\dfrac{1}{3}$, 4 **45** $-\dfrac{1}{2}$, 5 **46** -16 **47** ④ **48** ① **49** ② **50** ⑤ **51** ③

52 -3, 4 **53** 11 **54** ② **55** 5 **56** ⑤ **57** $x=\dfrac{-3\pm\sqrt{5}}{4}$ **58** $x=1\pm\sqrt{7}$

59 ④ **60** -7 **61** $x=-8$, $x=-\dfrac{1}{2}$ **62** $\dfrac{11}{2}$ **63** ④ **64** ㄱ, ㄷ, ㅁ **65** ③

66 ② **67** ⑤ **68** 24 **69** ② **70** $a=-9$일 때 $x=-\dfrac{2}{3}$(중근), $a=4$일 때 $x=\dfrac{3}{2}$(중근)

71 7 **72** $b=c$인 이등변삼각형 **73** (1) $k<1$ (2) 1 (3) $k>1$ **74** ② **75** ④ **76** ①

77 ④ **78** ④ **79** -7 **80** 서로 다른 2개 **81** ① **82** ③

01
① $2x^2+x-1=2x^2+5$에서 $x-6=0$이므로 일차방정식이다.

② $4x-1=0$이므로 일차방정식이다.

⑤ $\dfrac{1}{2}x^2+\dfrac{1}{2}x-1=\dfrac{1}{2}x^2-2x$에서 $\dfrac{5}{2}x-1=0$이므로 일차방정식이다.

02 $ax^2+3x-8=7x^2-bx+c$를 정리하면
$(a-7)x^2+(3+b)x-8-c=0$
이것이 이차방정식이 되려면 이차항의 계수가 0이 아니어야 하므로
$a-7\neq0$ ∴ $a\neq7$

03 $-2(2x-5)(x+9)=0$에서
$2x-5=0$ 또는 $x+9=0$

04 $2x^2+3x+a=0$에 $x=1$을 대입하면 등식이 성립하므로
$2\times1^2+3\times1+a=0$, $2+3+a=0$
∴ $a=-5$

05 $x^2+ax+b=0$에 $x=-5$, $x=3$을 각각 대입하면
$(-5)^2+a\times(-5)+b=0$에서
$-5a+b=-25$ ...... ㉠
$3^2+a\times3+b=0$에서
$3a+b=-9$ ...... ㉡
㉠, ㉡을 연립하여 풀면
$a=2$, $b=-15$
∴ $a+b=2+(-15)=-13$

06 $(2x+1)(3x+1)=(x-1)^2$에서
$6x^2+5x+1=x^2-2x+1$
$5x^2+7x=0$, $x(5x+7)=0$
∴ $x=0$ 또는 $x=-\dfrac{7}{5}$
따라서 $a=0$, $b=-\dfrac{7}{5}$이므로
$a-b=0-\left(-\dfrac{7}{5}\right)=\dfrac{7}{5}$

07 $(x+1)^2=(x+3)(2x-1)$에서
$x^2+2x+1=2x^2+5x-3$

$x^2+3x-4=0$, $(x+4)(x-1)=0$

$\therefore x=-4$ 또는 $x=1$

이때 $p>q$이므로 $p=1$, $q=-4$

$\therefore 5p-2q=5\times1-2\times(-4)=13$

08 $2x^2-3x-20=0$에서 $(2x+5)(x-4)=0$

$\therefore x=-\dfrac{5}{2}$ 또는 $x=4$

이때 p는 정수이므로 $p=4$

$3x^2+14x-5=0$에서 $(x+5)(3x-1)=0$

$\therefore x=-5$ 또는 $x=\dfrac{1}{3}$

이때 q는 정수이므로 $q=-5$

따라서 $x^2+4x-5=0$에서 $(x+5)(x-1)=0$

$\therefore x=-5$ 또는 $x=1$

09 $3x^2-11x+6=0$에서 $(3x-2)(x-3)=0$

$\therefore x=\dfrac{2}{3}$ 또는 $x=3$

$2x^2-3x-9=0$에서 $(2x+3)(x-3)=0$

$\therefore x=-\dfrac{3}{2}$ 또는 $x=3$

따라서 두 이차방정식의 공통인 근은 $x=3$이다.

10 $4x^2-3=0$에서 $4x^2=3$

$x^2=\dfrac{3}{4}$ $\quad\therefore x=\pm\dfrac{\sqrt{3}}{2}$

두 근 중 큰 근은 $x=\dfrac{\sqrt{3}}{2}$이므로 $a=\dfrac{\sqrt{3}}{2}$

$3x^2-36=0$에서 $3x^2=36$

$x^2=12$ $\quad\therefore x=\pm\sqrt{12}=\pm2\sqrt{3}$

두 근 중 작은 근은 $x=-2\sqrt{3}$이므로 $b=-2\sqrt{3}$

$\therefore 2a+b=2\times\dfrac{\sqrt{3}}{2}+(-2\sqrt{3})$

$\qquad\qquad=\sqrt{3}-2\sqrt{3}=-\sqrt{3}$

11 $(x-p)^2=a-1$에서 $a-1>0$이면 서로 다른 두 근을 갖고, $a-1=0$이면 중근을 갖는다.

따라서 주어진 이차방정식이 해를 가질 조건은

$a-1\geq0$에서 $a\geq1$이다.

12 (1) $x^2-6x+2=0$에서 $x^2-6x=-2$

$x^2-6x+\boxed{9}=-2+\boxed{9}$

$(x-\boxed{3})^2=\boxed{7}$, $x-\boxed{3}=\boxed{\pm\sqrt{7}}$

$\therefore x=\boxed{3\pm\sqrt{7}}$

(2) $2x^2+8x-3=0$에서 $2x^2+8x=3$

$x^2+4x=\boxed{\dfrac{3}{2}}$

$x^2+4x+\boxed{4}=\dfrac{3}{2}+\boxed{4}$

$(x+\boxed{2})^2=\boxed{\dfrac{11}{2}}$, $x+\boxed{2}=\boxed{\pm\dfrac{\sqrt{22}}{2}}$

$\therefore x=\boxed{-2\pm\dfrac{\sqrt{22}}{2}}$

13 $x^2-6x+3=0$에서 $x^2-6x=-3$

$x^2-6x+9=-3+9$

$(x-3)^2=6$

따라서 $a=3$, $b=6$이므로

$a+b=3+6=9$

14 $2x^2+3x-1=0$에서 $2x^2+3x=1$

$x^2+\dfrac{3}{2}x=\dfrac{1}{2}$

$x^2+\dfrac{3}{2}x+\left(\dfrac{3}{4}\right)^2=\dfrac{1}{2}+\left(\dfrac{3}{4}\right)^2$

$\left(x+\dfrac{3}{4}\right)^2=\dfrac{17}{16}$

$x+\dfrac{3}{4}=\pm\dfrac{\sqrt{17}}{4}$ $\quad\therefore x=\dfrac{-3\pm\sqrt{17}}{4}$

따라서 $a=-3$, $b=17$이므로

$a+b=-3+17=14$

15 $ax^2+bx+c=0\,(a\neq0)$의 양변을 a로 나누면

$x^2+\dfrac{b}{a}x+\dfrac{c}{a}=0$

상수항을 우변으로 이항하면

$x^2+\dfrac{b}{a}x=\boxed{-\dfrac{c}{a}}$

좌변을 완전제곱식으로 만들기 위해 양변에 $\left(\dfrac{b}{2a}\right)^2$

을 더하면

$x^2+\dfrac{b}{a}x+\boxed{\left(\dfrac{b}{2a}\right)^2}=\boxed{-\dfrac{c}{a}}+\boxed{\left(\dfrac{b}{2a}\right)^2}$

$\left(x+\boxed{\dfrac{b}{2a}}\right)^2=\boxed{\dfrac{b^2-4ac}{4a^2}}$

$x+\dfrac{b}{2a}=\pm\dfrac{\boxed{\sqrt{b^2-4ac}}}{2a}$

$\therefore x=\boxed{\dfrac{-b\pm\sqrt{b^2-4ac}}{2a}}$

$\therefore$ ① $-\dfrac{c}{a}$ ② $\left(\dfrac{b}{2a}\right)^2$ ③ $\dfrac{b}{2a}$

④ b^2-4ac

⑤ $\dfrac{-b\pm\sqrt{b^2-4ac}}{2a}$

따라서 ①~⑤에 들어갈 식으로 옳지 않은 것은 ⑤ 이다.

16 $2x^2-3x+p=0$에서 근의 공식을 이용하면
$$x=\frac{-(-3)\pm\sqrt{(-3)^2-4\times 2\times p}}{2\times 2}$$
$$=\frac{3\pm\sqrt{9-8p}}{4}=\frac{q\pm\sqrt{65}}{4}$$
이므로 $q=3$, $9-8p=65$에서 $p=-7$
$$\therefore p+q=-7+3=-4$$

17 $x^2+mx-3=0$에서 근의 공식을 이용하면
$$x=\frac{-m\pm\sqrt{m^2-4\times 1\times(-3)}}{2\times 1}$$
$$=\frac{-m\pm\sqrt{m^2+12}}{2}=\frac{-1\pm\sqrt{n}}{2}$$
이므로 $m=1$, $n=m^2+12=1+12=13$
$$\therefore n-m=13-1=12$$

18 $2x^2+ax-5=0$에서 근의 공식을 이용하면
$$x=\frac{-a\pm\sqrt{a^2-4\times 2\times(-5)}}{2\times 2}$$
$$=\frac{-a\pm\sqrt{a^2+40}}{4}=\frac{-1\pm\sqrt{b}}{4}$$
이므로 $a=1$, $b=a^2+40=1+40=41$
$$\therefore a-b=1-41=-40$$

19 $x^2+3x-2=0$에서 근의 공식을 이용하면
$$x=\frac{-3\pm\sqrt{3^2-4\times 1\times(-2)}}{2\times 1}=\frac{-3\pm\sqrt{17}}{2}$$
이 중 작은 근은 $p=\dfrac{-3-\sqrt{17}}{2}$
$x^2-x-4=0$에서 근의 공식을 이용하면
$$x=\frac{-(-1)\pm\sqrt{(-1)^2-4\times 1\times(-4)}}{2\times 1}=\frac{1\pm\sqrt{17}}{2}$$
이 중 큰 근은 $q=\dfrac{1+\sqrt{17}}{2}$
$$\therefore p+q=\frac{-3-\sqrt{17}}{2}+\frac{1+\sqrt{17}}{2}=-1$$

20 $ax^2+2b'x+c=0\,(a\neq 0)$에서 근의 공식을 이용하면
$$x=\frac{-2b'\pm\sqrt{(2b')^2-4ac}}{2a}$$
$$=\frac{-2b'\pm\sqrt{4b'^2-4ac}}{2a}$$
$$=\frac{-2b'\pm\sqrt{\boxed{4}\times b'^2-ac}}{2a}$$
$$=\frac{-2b'\pm\sqrt{\boxed{b'^2-ac}}}{2a}$$

따라서 분자, 분모를 각각 2로 나누면
$$x=\boxed{\frac{-b'\pm\sqrt{b'^2-ac}}{a}}$$
$$\therefore \text{(가) } 4 \quad \text{(나) } b'^2-ac \quad \text{(다) } \frac{-b'\pm\sqrt{b'^2-ac}}{a}$$

21 $2x^2-4x+a=0$에서 짝수 공식을 이용하면
$$x=\frac{-(-2)\pm\sqrt{(-2)^2-2\times a}}{2}$$
$$=\frac{2\pm\sqrt{4-2a}}{2}=\frac{b\pm\sqrt{2}}{2}$$
이므로 $b=2$, $4-2a=2$에서 $a=1$
$$\therefore a+b=1+2=3$$

22 ㄱ. $x=\dfrac{2\pm\sqrt{10}}{2}$　　ㄴ. $x=-2$ (중근)
ㄷ. $x=-1\pm\sqrt{6}$　　ㄹ. $x=-3$ 또는 $x=2$
따라서 ㄱ, ㄷ은 유리수의 범위에서 해를 갖지 않는다.

23 $x^2-6x+4=0$에서 짝수 공식을 이용하면
$$x=\frac{-(-3)\pm\sqrt{(-3)^2-1\times 4}}{1}=3\pm\sqrt{5}=3\pm\sqrt{a}$$
이므로 $a=5$
$x^2-7x+k=0$의 한 근이 5이므로 $x=5$를 대입하면
$25-35+k=0$　　$\therefore k=10$

24 $x^2-4x-3=0$에서 짝수 공식을 이용하면
$$x=\frac{-(-2)\pm\sqrt{(-2)^2-1\times(-3)}}{1}=2\pm\sqrt{7}$$
이때 두 근이 m, n이고, $m>n$이므로
$m=2+\sqrt{7}$, $n=2-\sqrt{7}$
$$\therefore m^2-n^2=(m+n)(m-n)$$
$$=(2+\sqrt{7}+2-\sqrt{7})\{2+\sqrt{7}-(2-\sqrt{7})\}$$
$$=4\times 2\sqrt{7}=8\sqrt{7}$$

25 $(2x-5)\bigstar(x+1)=(2x-5)^2-(2x-5)(x+1)$
$$=2x^2-17x+30$$
이므로 $2x^2-17x+30=6-x$에서
$x^2-8x+12=0$
$(x-2)(x-6)=0$
$\therefore x=2$ 또는 $x=6$
따라서 두 근의 차는
$6-2=4$

26 (1) $x^2-0.9x+0.2=0$의 양변에 10을 곱하면

$\qquad 10x^2-9x+2=0$

$\qquad (2x-1)(5x-2)=0$

$\qquad \therefore x=\dfrac{1}{2}$ 또는 $x=\dfrac{2}{5}$

(2) $\dfrac{2}{15}x^2-\dfrac{1}{3}x=\dfrac{1}{5}$의 양변에 15를 곱하여 정리하면

$\qquad 2x^2-5x-3=0$

$\qquad (2x+1)(x-3)=0$

$\qquad \therefore x=-\dfrac{1}{2}$ 또는 $x=3$

(3) $x-3=t$로 치환하면 주어진 식은

$\qquad t^2=4t-4$

$\qquad t^2-4t+4=0$

$\qquad (t-2)^2=0 \qquad \therefore t=2$ (중근)

따라서 $x-3=2$이므로

$\qquad x=5$ (중근)

27 $-\dfrac{1}{2}x^2-\dfrac{1}{3}x+\dfrac{1}{4}=0$의 양변에 12를 곱하면

$\qquad -6x^2-4x+3=0,\ 6x^2+4x-3=0$

$\qquad \therefore x=\dfrac{-2\pm\sqrt{2^2-6\times(-3)}}{6}=\dfrac{-2\pm\sqrt{22}}{6}$

따라서 두 근 중 작은 근은 $a=\dfrac{-2-\sqrt{22}}{6}$이므로

$\qquad 6a+2=6\times\dfrac{-2-\sqrt{22}}{6}+2$

$\qquad\qquad =-2-\sqrt{22}+2=-\sqrt{22}$

28 $\dfrac{1}{3}x^2-\dfrac{1}{2}x-\dfrac{1}{6}=0$의 양변에 6을 곱하면

$\qquad 2x^2-3x-1=0$

$\qquad \therefore x=\dfrac{-(-3)\pm\sqrt{(-3)^2-4\times 2\times(-1)}}{2\times 2}$

$\qquad\qquad =\dfrac{3\pm\sqrt{17}}{4}$

따라서 두 근 중 큰 근은 $a=\dfrac{3+\sqrt{17}}{4}$이므로

$\qquad \dfrac{1}{a}=\dfrac{4}{3+\sqrt{17}}=\dfrac{4(3-\sqrt{17})}{(3+\sqrt{17})(3-\sqrt{17})}$

$\qquad\quad =\dfrac{4(3-\sqrt{17})}{-8}=\dfrac{-3+\sqrt{17}}{2}$

29 $1.5x^2-\dfrac{2}{3}x-\dfrac{1}{6}=0$의 양변에 6을 곱하면

$\qquad 9x^2-4x-1=0$

$\qquad \therefore x=\dfrac{-(-2)\pm\sqrt{(-2)^2-9\times(-1)}}{9}=\dfrac{2\pm\sqrt{13}}{9}$

이때 $a>\beta$이므로

$\qquad a=\dfrac{2+\sqrt{13}}{9},\ \beta=\dfrac{2-\sqrt{13}}{9}$

$\qquad \therefore a-\beta=\dfrac{2+\sqrt{13}}{9}-\dfrac{2-\sqrt{13}}{9}=\dfrac{2\sqrt{13}}{9}$

30 $-x^2=\dfrac{(x+2)(x-1)}{3}$의 양변에 3을 곱하면

$\qquad -3x^2=x^2+x-2,\ 4x^2+x-2=0$

$\qquad \therefore x=\dfrac{-1\pm\sqrt{1^2-4\times 4\times(-2)}}{2\times 4}$

$\qquad\qquad =\dfrac{-1\pm\sqrt{33}}{8}=\dfrac{a\pm\sqrt{b}}{8}$

따라서 $a=-1,\ b=33$이므로

$\qquad a+b=-1+33=32$

31 $-x(x-7)=9-x$에서 $x^2-8x+9=0$이므로

$\qquad x=\dfrac{-(-4)\pm\sqrt{(-4)^2-1\times 9}}{1}=4\pm\sqrt{7}=a\pm\sqrt{b}$

$\qquad \therefore a=4,\ b=7$

$\qquad \dfrac{x^2+5}{3}-x=\dfrac{4}{3}(x-1)$의 양변에 3을 곱하면

$\qquad x^2+5-3x=4(x-1),\ x^2-7x+9=0$이므로

$\qquad x=\dfrac{-(-7)\pm\sqrt{(-7)^2-4\times 1\times 9}}{2\times 1}$

$\qquad\quad =\dfrac{7\pm\sqrt{13}}{2}=\dfrac{b\pm\sqrt{c}}{2}$

$\qquad \therefore b=7,\ c=13$

$\qquad \therefore a+b+c=4+7+13=24$

32 $0.3(x^2-1)=\dfrac{2}{5}(x+3)$의 양변에 10을 곱하면

$\qquad 3(x^2-1)=4(x+3),\ 3x^2-4x-15=0$

$\qquad (3x+5)(x-3)=0 \qquad \therefore x=-\dfrac{5}{3}$ 또는 $x=3$

이때 $a>\beta$이므로 $a=3,\ \beta=-\dfrac{5}{3}$

$\qquad \therefore a-3\beta=3-3\times\left(-\dfrac{5}{3}\right)=8$

33 $2(x-1)^2-9(x-1)=-10$에서 $x-1=t$로 치환하면

$\qquad 2t^2-9t=-10,\ 2t^2-9t+10=0$

$\qquad (2t-5)(t-2)=0 \qquad \therefore t=\dfrac{5}{2}$ 또는 $t=2$

따라서 $x-1=\dfrac{5}{2}$ 또는 $x-1=2$이므로

$\qquad x=\dfrac{7}{2}$ 또는 $x=3$

34 $(2x+1)^2-7(2x+1)+10=0$에서 $2x+1=X$로 치환하면

$X^2-7X+10=0,\ (X-2)(X-5)=0$

$\therefore X=2$ 또는 $X=5$

따라서 $2x+1=2$ 또는 $2x+1=5$이므로

$x=\dfrac{1}{2}$ 또는 $x=2$

$3(x+3)^2-14(x+3)-5=0$에서 $x+3=Y$로 치환

하면

$3Y^2-14Y-5=0,\ (3Y+1)(Y-5)=0$

$\therefore Y=-\dfrac{1}{3}$ 또는 $Y=5$

따라서 $x+3=-\dfrac{1}{3}$ 또는 $x+3=5$이므로

$x=-\dfrac{10}{3}$ 또는 $x=2$

이때 두 이차방정식의 공통인 근은 $x=2$이다.

35 $\dfrac{6}{x^2}-\dfrac{5}{x}+1=0$에서 $\dfrac{1}{x}=t$로 치환하면

$6t^2-5t+1=0,\ (2t-1)(3t-1)=0$

$\therefore t=\dfrac{1}{2}$ 또는 $t=\dfrac{1}{3}$

따라서 $\dfrac{1}{x}=\dfrac{1}{2}$ 또는 $\dfrac{1}{x}=\dfrac{1}{3}$이므로

$x=2$ 또는 $x=3$

따라서 $\alpha=3,\ \beta=2$이므로

$2\alpha+\beta=2\times3+2=8$

36 주어진 식에서 $x-2y=t$로 치환하면

$t(t-2)-24=0,\ t^2-2t-24=0$

$(t+4)(t-6)=0$　　$\therefore t=-4$ 또는 $t=6$

이때 $x>2y$이므로 $x-2y>0$에서 $t>0$

$\therefore t=6$

따라서 $x-2y=6$이므로

$2x-4y=2(x-2y)=2\times6=12$

37 주어진 식에서 $2x-3y=t$로 치환하면

$t(t-2)-15=0,\ t^2-2t-15=0$

$(t+3)(t-5)=0$

$\therefore t=-3\left(\because x<\dfrac{3}{2}y\text{이므로 }2x-3y<0\text{에서 }t<0\right)$

$\therefore 2x-3y=-3$

38 $(a^2-2ab+b^2)-4(a-b)-45=0$

$(a-b)^2-4(a-b)-45=0$

$a-b=t$로 치환하면

$t^2-4t-45=0,\ (t+5)(t-9)=0$

$\therefore t=9\ (\because a>b\text{이므로 }a-b>0\text{에서 }t>0)$

$\therefore a-b=9$

39 $(x-5)\triangle(x+3)=(x-5)(x+3)-(x-5)$

$\qquad\qquad\qquad =x^2-2x-15-x+5$

$\qquad\qquad\qquad =x^2-3x-10$

즉, $x^2-3x-10=8$이므로

$x^2-3x-18=0,\ (x+3)(x-6)=0$

$\therefore x=-3$ 또는 $x=6$

40 $(2x-1)\circ(x-2)$

$=\{(2x-1)-2\}\{(x-2)+1\}-2(2x-1)(x-2)$

$=(2x-3)(x-1)-2(2x^2-5x+2)$

$=2x^2-5x+3-4x^2+10x-4$

$=-2x^2+5x-1$

즉, $-2x^2+5x-1=1$이므로

$2x^2-5x+2=0$

$(2x-1)(x-2)=0$

$\therefore x=\dfrac{1}{2}$ 또는 $x=2$

41 $(2x-3)\circledcirc(x+2)=(2x-3)-(x+2)=x-5$

$\therefore \{(2x-3)\circledcirc(x+2)\}\triangle(2x-1)$

$\quad =(x-5)\triangle(2x-1)$

$\quad =(x-5)(2x-1)-(x-5)+2x-1$

$\quad =2x^2-11x+5-x+5+2x-1$

$\quad =2x^2-10x+9$

따라서 $2x^2-10x+9=0$이므로

$x=\dfrac{-(-5)\pm\sqrt{(-5)^2-2\times9}}{2}=\dfrac{5\pm\sqrt{7}}{2}$

42 $N(x+3)=(x+3)(x+3-1)$

$\qquad\qquad =(x+3)(x+2)$

$\qquad\qquad =x^2+5x+6$

즉, $x^2+5x+6=5$이므로 $x^2+5x+1=0$

$\therefore x=\dfrac{-5\pm\sqrt{5^2-4\times1\times1}}{2\times1}=\dfrac{-5\pm\sqrt{21}}{2}$

따라서 모든 x의 값의 합은

$\dfrac{-5+\sqrt{21}}{2}+\dfrac{-5-\sqrt{21}}{2}=-5$

43 $f(a-1)=(a-1)^2-3(a-1)+5$

$\qquad\qquad =a^2-5a+9$

즉, $a^2-5a+9=4$이므로 $a^2-5a+5=0$

$\therefore a=\dfrac{-(-5)\pm\sqrt{(-5)^2-4\times1\times5}}{2\times1}=\dfrac{5\pm\sqrt{5}}{2}$

이때 $a>3$이므로 $a=\dfrac{5+\sqrt{5}}{2}$

다른 풀이 $f(a-1)=(a-1)^2-3(a-1)+5$이므로
$(a-1)^2-3(a-1)+5=4$에서
$(a-1)^2-3(a-1)+1=0$
$a-1=t$로 치환하면
$t^2-3t+1=0$ $\quad \therefore t=\dfrac{3\pm\sqrt{5}}{2}$
이때 $a>3$이므로 $a-1>2$에서 $t>2$
$\therefore t=\dfrac{3+\sqrt{5}}{2}$
따라서 $a-1=\dfrac{3+\sqrt{5}}{2}$이므로
$a=\dfrac{3+\sqrt{5}}{2}+1=\dfrac{5+\sqrt{5}}{2}$

44 $F(x-1, x)$
$=f(x-1)-2f(x)$
$=3(x-1)^2-(x-1)+5-2(3x^2-x+5)$
$=3x^2-6x+3-x+1+5-6x^2+2x-10$
$=-3x^2-5x-1$
즉, $-3x^2-5x-1=3-18x$이므로
$3x^2-13x+4=0$, $(3x-1)(x-4)=0$
$\therefore x=\dfrac{1}{3}$ 또는 $x=4$

45 $f(x)=ax^2+bx+c\,(a\neq0)$로 놓으면
$f(0)=-5$이므로 $c=-5$
$\therefore f(x)=ax^2+bx-5$
$f(x+1)-f(x)$
$=a(x+1)^2+b(x+1)-5-(ax^2+bx-5)$
$=ax^2+2ax+a+bx+b-5-ax^2-bx+5$
$=2ax+a+b$
즉, $2ax+a+b=4x-7$에서
$2a=4$, $a+b=-7$이므로 $a=2$, $b=-9$
따라서 $f(x)=2x^2-9x-5$이므로 $f(x)=0$을 만족
하는 x의 값은 $2x^2-9x-5=0$에서
$(2x+1)(x-5)=0$ $\quad \therefore x=-\dfrac{1}{2}$ 또는 $x=5$

46 주어진 이차방정식의 두 근이 m, n이므로
$x^2-3x+7=0$에 $x=m$, $x=n$을 각각 대입하면
$m^2-3m+7=0$에서 $m^2-3m=-7$
$n^2-3n+7=0$에서 $n^2-3n=-7$
$\therefore (m^2-3m+9)(n^2-3n-1)$
$\quad =(-7+9)(-7-1)$
$\quad =2\times(-8)=-16$

47 주어진 이차방정식의 두 근이 α, β이므로
$x^2-5x+1=0$에 $x=\alpha$, $x=\beta$를 각각 대입하면
$\alpha^2-5\alpha+1=0$에서 $\alpha^2-5\alpha=-1$
$\beta^2-5\beta+1=0$에서 $\beta^2-5\beta=-1$
$\therefore (\alpha^2-5\alpha+2)(\beta^2-5\beta-3)=(-1+2)(-1-3)$
$\qquad\qquad\qquad\qquad\qquad =-4$

48 $x^2+4x-3=0$에 $x=\alpha$를 대입하면
$\alpha^2+4\alpha-3=0$에서 $\alpha^2+4\alpha=3$
$\therefore 3\alpha^2+12\alpha-5=3(\alpha^2+4\alpha)-5$
$\qquad\qquad\qquad =3\times3-5=4$

49 $2x^2-5x-13=0$에 $x=\alpha$를 대입하면
$2\alpha^2-5\alpha-13=0$, $2\alpha^2-5\alpha=13$
$\therefore 4\alpha^2-10\alpha=2(2\alpha^2-5\alpha)=2\times13=26$

50 $3x^2-2x-1=0$에 $x=a$를 대입하면
$3a^2-2a-1=0$에서 $3a^2-2a=1$
$x^2+2x-15=0$에 $x=b$를 대입하면
$b^2+2b-15=0$에서 $b^2+2b=15$
$\therefore 3a^2+2b^2-2a+4b=(3a^2-2a)+2(b^2+2b)$
$\qquad\qquad\qquad\qquad =1+2\times15=31$

51 $x^2+6x+1=0$에 $x=\alpha$를 대입하면
$\alpha^2+6\alpha+1=0$
$\alpha\neq0$이므로 양변을 α로 나누면
$\alpha+6+\dfrac{1}{\alpha}=0$에서 $\alpha+\dfrac{1}{\alpha}=-6$
$\therefore \alpha^2+\dfrac{1}{\alpha^2}=\left(\alpha+\dfrac{1}{\alpha}\right)^2-2=(-6)^2-2=34$

52 $x^2-kx+1=0$에 $x=\alpha$를 대입하면 $\alpha^2-k\alpha+1=0$
$\alpha\neq0$이므로 양변을 α로 나누면
$\alpha-k+\dfrac{1}{\alpha}=0$에서 $\alpha+\dfrac{1}{\alpha}=k$
따라서 $\alpha+\dfrac{1}{\alpha}=k^2-12$에서
$k=k^2-12$, $k^2-k-12=0$
$(k+3)(k-4)=0$
$\therefore k=-3$ 또는 $k=4$

53 $x^2-ax+a+5=0$에 $x=3$을 대입하면
$3^2-a\times3+a+5=0$, $-2a+14=0$
$\therefore a=7$

즉, 주어진 이차방정식은

$x^2-7x+12=0$, $(x-3)(x-4)=0$

∴ $x=3$ 또는 $x=4$

따라서 다른 한 근은 $x=4$이고 구하는 합은

$7+4=11$

54 $(a+1)x^2+(a^2-2)x+3=0$에 $x=3$을 대입하면

$(a+1)\times 3^2+(a^2-2)\times 3+3=0$

$9a+9+3a^2-6+3=0$

$a^2+3a+2=0$, $(a+1)(a+2)=0$

∴ $a=-1$ 또는 $a=-2$

그런데 주어진 식이 이차방정식이므로

$a+1\neq 0$ ∴ $a\neq -1$

따라서 $a=-2$이므로 $a=-2$를 주어진 이차방정식에 대입하면

$-x^2+2x+3=0$, $x^2-2x-3=0$

$(x+1)(x-3)=0$ ∴ $x=-1$ 또는 $x=3$

따라서 다른 한 근은 -1이다.

55 $(x-1)(x+2)=2(x+5)$에서

$x^2+x-2=2x+10$

$x^2-x-12=0$, $(x+3)(x-4)=0$

∴ $x=-3$ 또는 $x=4$

즉, $x=-3$이 이차방정식 $x^2+ax+6=0$의 한 근이므로 $x=-3$을 대입하면

$(-3)^2+a\times(-3)+6=0$

$9-3a+6=0$ ∴ $a=5$

56 $x^2-2kx+3k-1=0$에 $x=2$를 대입하면

$2^2-2k\times 2+3k-1=0$

$4-4k+3k-1=0$ ∴ $k=3$

주어진 이차방정식에 $k=3$을 대입하면

$x^2-6x+8=0$, $(x-2)(x-4)=0$

∴ $x=2$ 또는 $x=4$

따라서 다른 한 근은 4이므로 $m=4$

∴ $k+m=3+4=7$

57 $2x^2+3x-k=0$에 $x=-2$를 대입하면

$2\times(-2)^2+3\times(-2)-k=0$, $8-6-k=0$

$2-k=0$ ∴ $k=2$

$4x^2+6x-1+k=0$에 $k=2$를 대입하면

$4x^2+6x+1=0$

∴ $x=\dfrac{-3\pm\sqrt{3^2-4\times 1}}{4}=\dfrac{-3\pm\sqrt{5}}{4}$

58 $2x^2+4x-a=0$에 $x=-3$을 대입하면

$2\times(-3)^2+4\times(-3)-a=0$

$18-12-a=0$ ∴ $a=6$

$x^2-(a-4)x-a=0$에 $a=6$을 대입하면

$x^2-2x-6=0$

∴ $x=\dfrac{-(-1)\pm\sqrt{(-1)^2-1\times(-6)}}{1}=1\pm\sqrt{7}$

59 $5x^2+ax-27=0$에 $x=-3$을 대입하면

$5\times(-3)^2+a\times(-3)-27=0$

$-3a+18=0$ ∴ $a=6$

$bx^2+2x-21=0$에 $x=-3$을 대입하면

$b\times(-3)^2+2\times(-3)-21=0$

$9b-27=0$ ∴ $b=3$

∴ $a-b=6-3=3$

60 $x^2-10x+24=0$에서 $(x-4)(x-6)=0$

∴ $x=4$ 또는 $x=6$

$2x^2-x-28=0$에서 $(2x+7)(x-4)=0$

∴ $x=-\dfrac{7}{2}$ 또는 $x=4$

즉, 두 이차방정식의 공통인 근은 $x=4$이다.

따라서 $x=4$가 이차방정식 $x^2+kx+12=0$의 한 근이므로

$4^2+k\times 4+12=0$, $4k+28=0$

∴ $k=-7$

61 $x=5$가 두 이차방정식 $x^2+3x-a=0$,

$2x^2-bx-5=0$의 공통인 근이므로

$x^2+3x-a=0$에 $x=5$를 대입하면

$5^2+3\times 5-a=0$, $25+15-a=0$ ∴ $a=40$

$x^2+3x-a=0$에 $a=40$을 대입하면

$x^2+3x-40=0$, $(x+8)(x-5)=0$

∴ $x=-8$ 또는 $x=5$

$2x^2-bx-5=0$에 $x=5$를 대입하면

$2\times 5^2-b\times 5-5=0$, $50-5b-5=0$ ∴ $b=9$

$2x^2-bx-5=0$에 $b=9$를 대입하면

$2x^2-9x-5=0$, $(2x+1)(x-5)=0$

∴ $x=-\dfrac{1}{2}$ 또는 $x=5$

따라서 두 이차방정식의 나머지 근은

$x=-8$, $x=-\dfrac{1}{2}$이다.

62 $x=-\dfrac{1}{2}$이 두 이차방정식 $4x^2-ax-3=0$,

$2x^2-7x+b=0$의 공통인 근이므로

$4x^2-ax-3=0$에 $x=-\dfrac{1}{2}$을 대입하면

$4\times\left(-\dfrac{1}{2}\right)^2-a\times\left(-\dfrac{1}{2}\right)-3=0$

$1+\dfrac{1}{2}a-3=0$ $\therefore a=4$

$4x^2-ax-3=0$에 $a=4$를 대입하면

$4x^2-4x-3=0,\ (2x+1)(2x-3)=0$

$\therefore x=-\dfrac{1}{2}$ 또는 $x=\dfrac{3}{2}$

$2x^2-7x+b=0$에 $x=-\dfrac{1}{2}$을 대입하면

$2\times\left(-\dfrac{1}{2}\right)^2-7\times\left(-\dfrac{1}{2}\right)+b=0$

$\dfrac{1}{2}+\dfrac{7}{2}+b=0$ $\therefore b=-4$

$2x^2-7x+b=0$에 $b=-4$를 대입하면

$2x^2-7x-4=0,\ (2x+1)(x-4)=0$

$\therefore x=-\dfrac{1}{2}$ 또는 $x=4$

$\therefore c+d=\dfrac{3}{2}+4=\dfrac{11}{2}$

63 $4x^2-12x+9=0$에서 $(2x-3)^2=0$이므로

$x=\dfrac{3}{2}$ (중근) $\therefore b=\dfrac{3}{2}$

따라서 두 이차방정식 $4x^2-12x+9=0$,

$2x^2+ax-3=0$의 공통인 근이 $x=\dfrac{3}{2}$이므로

$2x^2+ax-3=0$에 $x=\dfrac{3}{2}$을 대입하면

$2\times\left(\dfrac{3}{2}\right)^2+a\times\dfrac{3}{2}-3=0$

$\dfrac{9}{2}+\dfrac{3}{2}a-3=0,\ \dfrac{3}{2}a=-\dfrac{3}{2}$ $\therefore a=-1$

$\therefore a+2b=-1+2\times\dfrac{3}{2}=2$

64 이차방정식이 (완전제곱식)$=0$의 꼴로 변형되는 것을 찾는다.

ㄱ. $x^2-x+\left(\dfrac{1}{2}\right)^2=0,\ \left(x-\dfrac{1}{2}\right)^2=0$

    $\therefore x=\dfrac{1}{2}$ (중근)

ㄴ. $x+2=\pm3$ $\therefore x=1$ 또는 $x=-5$

ㄷ. $x^2=0$ $\therefore x=0$ (중근)

ㄹ. $x^2+x-4+2x=0$에서 $x^2+3x-4=0$

    $(x+4)(x-1)=0$ $\therefore x=-4$ 또는 $x=1$

ㅁ. $(2x)^2+2\times2x\times\dfrac{1}{4}+\left(\dfrac{1}{4}\right)^2=0$에서

    $\left(2x+\dfrac{1}{4}\right)^2=0$ $\therefore x=-\dfrac{1}{8}$ (중근)

ㅂ. $(-3x-8)^2=-1$에서 $-1<0$이므로 근이 없다.

따라서 보기 중 근이 1개인 이차방정식은 ㄱ, ㄷ, ㅁ이다.

65 이차방정식 $3x^2-12x+5-k=0$이 중근을 가지므로

$(-6)^2-3(5-k)=0$에서 $21+3k=0$

$\therefore k=-7$

66 근이 1개이므로 이차방정식

$-2x^2+4kx+k^2-9=0$이 중근을 갖는다.

즉, $(2k)^2-(-2)\times(k^2-9)=0$

$4k^2+2k^2-18=0,\ 6k^2=18$

$k^2=3$ $\therefore k=\pm\sqrt{3}$

67 $2x^2-12(x-1)+a=0$이 $(x+b)^2=0$으로 나타내어지므로 중근을 갖는다.

즉, $2x^2-12x+12+a=0$에서 $x^2-6x+6+\dfrac{a}{2}=0$

이 중근을 가지므로

$(-3)^2-1\times\left(6+\dfrac{a}{2}\right)=0,\ 9-6-\dfrac{a}{2}=0$

$\dfrac{a}{2}=3$ $\therefore a=6$

따라서 주어진 이차방정식은 $x^2-6x+9=0$이므로

$(x-3)^2=0$ $\therefore b=-3$

$\therefore a+b=6+(-3)=3$

68 $3x^2+ax+b=0$이 $x=4$를 중근으로 가지므로 이 이차방정식을 $3(x-4)^2=0$으로 놓으면

$3x^2+ax+b=3(x-4)^2$

$\qquad\qquad\ =3(x^2-8x+16)$

$\qquad\qquad\ =3x^2-24x+48$

따라서 $a=-24,\ b=48$이므로

$a+b=-24+48=24$

69 이차방정식 $4x^2+mx+1=0$이 중근을 가지므로

$m^2-4\times4\times1=0,\ m^2-16=0,\ m^2=16$

$\therefore m=\pm4$

그런데 $m>0$이므로 $m=4$

$m=4$를 $(m-3)x^2+5x+1=0$에 대입하면

$x^2+5x+1=0$

근의 공식을 이용하면

$x=\dfrac{-5\pm\sqrt{5^2-4\times1\times1}}{2\times1}=\dfrac{-5\pm\sqrt{21}}{2}$

따라서 구하는 두 근의 차는

$\dfrac{-5+\sqrt{21}}{2}-\dfrac{-5-\sqrt{21}}{2}=\dfrac{2\sqrt{21}}{2}=\sqrt{21}$

70 이차방정식 $ax^2-12x+a+5=0$이 중근을 가지므로

$(-6)^2-a\times(a+5)=0$

$36-a^2-5a=0,\ a^2+5a-36=0$

$(a+9)(a-4)=0$

$\therefore a=-9$ 또는 $a=4$

$a=-9$일 때, 주어진 이차방정식은

$-9x^2-12x-4=0$

즉 $9x^2+12x+4=0$이므로

$(3x+2)^2=0$ $\therefore x=-\dfrac{2}{3}$ (중근)

$a=4$일 때, 주어진 이차방정식은

$4x^2-12x+9=0$이므로

$(2x-3)^2=0$ $\therefore x=\dfrac{3}{2}$ (중근)

따라서 주어진 이차방정식이 중근을 갖기 위한 a의 값과 그 때의 중근은

$a=-9$일 때 $x=-\dfrac{2}{3}$ (중근),

$a=4$일 때 $x=\dfrac{3}{2}$ (중근)이다.

71 근이 1개이므로 $x^2+6x+k=0$이 중근을 갖는다. 즉,

$3^2-1\times k=0,\ 9-k=0$ $\therefore k=9$

$x^2-6x-16=0$에서 $(x+2)(x-8)=0$

$\therefore x=-2$ 또는 $x=8$

$2x^2-x-k-1=0$에 $k=9$를 대입하면

$2x^2-x-10=0,\ (2x-5)(x+2)=0$

$\therefore x=\dfrac{5}{2}$ 또는 $x=-2$

따라서 공통인 근이 -2이므로 $a=-2$

$\therefore k+a=9+(-2)=7$

72 이차방정식 $(a-b)x^2+2(a-c)x+(a-b)=0$이 중근을 가지므로

$(a-c)^2-(a-b)\times(a-b)=0$

$(a-c)^2-(a-b)^2=0$

$(a-c+a-b)\{a-c-(a-b)\}=0$

$(2a-b-c)(b-c)=0$

$\therefore b+c=2a$ 또는 $b=c$

그런데 $b+c\neq2a$이므로 $b=c$

따라서 $a,\ b,\ c$를 세 변의 길이로 하는 삼각형은 $b=c$인 이등변삼각형이다.

73 이차방정식 $x^2-2x+k=0$에 대하여

(1) 서로 다른 두 근을 가지므로

$(-1)^2-1\times k>0$

$1-k>0$ $\therefore k<1$

(2) 중근을 가지므로

$(-1)^2-1\times k=0$

$1-k=0$ $\therefore k=1$

(3) 근을 갖지 않으므로

$(-1)^2-1\times k<0$

$1-k<0$ $\therefore k>1$

74 $x^2-5x-2=0$에서 $(-5)^2-4\times1\times(-2)=33>0$ 이므로 서로 다른 두 근을 갖는다.

$\therefore p=2$

$4x^2-12x+9=0$에서 $(-6)^2-4\times9=0$이므로 중근을 갖는다.

$\therefore q=1$

$\therefore p-q=2-1=1$

75 이차방정식 $x^2+2x+3k-1=0$이 근을 갖는 경우는 서로 다른 두 근 또는 중근을 가질 때이므로

$1^2-1\times(3k-1)\geq0,\ 1-3k+1\geq0$

$-3k\geq-2$ $\therefore k\leq\dfrac{2}{3}$

76 $4x^2+4mx+m^2+3m-6=0$이 근을 갖지 않으므로

$(2m)^2-4\times(m^2+3m-6)<0$

$-12m+24<0$ $\therefore m>2$

77 $kx^2-(2k-1)x+k+1=0$이 근을 갖지 않는다. 즉, $(2k-1)^2-4\times k(k+1)<0$

$4k^2-4k+1-4k^2-4k<0$

$-8k+1<0,\ -8k<-1$ $\therefore k>\dfrac{1}{8}$

78 $x^2-6x+2k=0$이 서로 다른 두 근을 가지므로

$(-3)^2-1\times2k>0$, $9-2k>0$

$-2k>-9$ $\qquad\therefore k<\dfrac{9}{2}$

79 $\left(x-\dfrac{1}{2}\right)^2=1-4m$이 서로 다른 두 근을 가지므로

$1-4m>0$, $-4m>-1$

$\therefore m<\dfrac{1}{4}$ $\quad\cdots\cdots$ ㉠

$(m^2+1)x^2+2(m-3)x+2=0$이 중근을 가지므로

$(m-3)^2-(m^2+1)\times2=0$

$m^2-6m+9-2m^2-2=0$

$m^2+6m-7=0$, $(m+7)(m-1)=0$

$\therefore m=-7$ 또는 $m=1$

이때 ㉠에서 $m<\dfrac{1}{4}$이므로 구하는 m의 값은

$m=-7$

80 $x^2-ax+b=0$이 근을 가지므로

$(-a)^2-4\times1\times b\geq0$

$\therefore a^2-4b\geq0$ $\quad\cdots\cdots$ ㉠

$x^2+(a-2)x+b-a=0$에서

$(a-2)^2-4\times1\times(b-a)=a^2-4a+4-4b+4a$

$\qquad\qquad\qquad\qquad\qquad=a^2-4b+4\geq4$ ($\because$ ㉠)

따라서 $x^2+(a-2)x+b-a=0$은 서로 다른 2개의 근을 가진다.

81 $x^2-6x+9=0$에서 $(x-3)^2=0$이므로

$x=3$ (중근)

이때 두 이차방정식의 공통인 근은 없고, 근을 모두 나열하면 -1, 3, 5이므로 $x^2+ax+b=0$의 두 근이 -1 또는 5이다.

즉, $x=-1$, $x=5$를 각각 대입하여 정리하면

$(-1)^2+a\times(-1)+b=0$, $1-a+b=0$

$\therefore a-b=1$ $\qquad\cdots\cdots$ ㉠

$5^2+a\times5+b=0$, $25+5a+b=0$

$\therefore 5a+b=-25$ $\qquad\cdots\cdots$ ㉡

㉠, ㉡을 연립하여 풀면

$a=-4$, $b=-5$

$\therefore a+b=-4+(-5)=-9$

82 두 이차방정식 $x^2-ax-6=0$, $2x^2+bx+c=0$의 공통인 근이 $x=-2$이므로

$x^2-ax-6=0$에 $x=-2$를 대입하면

$(-2)^2-a\times(-2)-6=0$

$4+2a-6=0$ $\quad\therefore a=1$

$x^2-ax-6=0$에 $a=1$을 대입하면

$x^2-x-6=0$, $(x+2)(x-3)=0$

$\therefore x=-2$ 또는 $x=3$

즉, $2x^2+bx+c=0$의 두 근이 -2, $\dfrac{1}{2}$이므로

$2x^2+bx+c=0$에 $x=-2$를 대입하면

$2\times(-2)^2+b\times(-2)+c=0$, $8-2b+c=0$

$\therefore 2b-c=8$ $\qquad\cdots\cdots$ ㉠

$2x^2+bx+c=0$에 $x=\dfrac{1}{2}$을 대입하면

$2\times\left(\dfrac{1}{2}\right)^2+b\times\dfrac{1}{2}+c=0$, $\dfrac{1}{2}+\dfrac{1}{2}b+c=0$

$\therefore b+2c=-1$ $\qquad\cdots\cdots$ ㉡

㉠, ㉡을 연립하여 풀면

$b=3$, $c=-2$

$\therefore a+b+c=1+3+(-2)=2$

2 이차방정식의 활용
주제별 **실력다지기**

01 (1) 7 (2) -5 (3) $-\dfrac{7}{5}$ (4) 59 **02** ④   **03** ⑤   **04** 16 **05** ⑤   **06** ⑤

07 ②   **08** ④   **09** ⑤   **10** $x=-1\pm\sqrt{2}$ **11** $2\sqrt{15}$ **12** $x^2+6x+5=0$

13 $x^2+13x+30=0$ **14** ④   **15** ①   **16** 다른 한 근 : $2+\sqrt{2}$, 모든 계수와 상수항의 합 : -3

17 ①   **18** ①   **19** ③   **20** ④   **21** $k=-\dfrac{4}{3}$, 두 근 : $-1,\ 6$ **22** ④

23 ③   **24** ④   **25** (1) $x^2-x-12=0$ (2) $x=-3$ 또는 $x=4$ **26** ②

27 $x=\dfrac{5}{2}$ 또는 $x=1$ **28** ①, ④   **29** ①   **30** ③   **31** ④   **32** ②   **33** ②

34 17 **35** ③   **36** 195 **37** $x=\pm2$ **38** ①   **39** $-3\le x<-2$ **40** ⑤

41 ③   **42** $10\,\%$ **43** $10\,\%$ **44** ①   **45** ②   **46** (1) 3초 또는 5초 (2) 8초

47 5초   **48** $3\,\mathrm{m}$ **49** 3 **50** 2 **51** $21\,\mathrm{cm}^2$ **52** ②   **53** ③   **54** ⑤

55 ③   **56** $3\,\mathrm{cm}$ **57** $x^2-6x+6=0$

---

01 주어진 이차방정식은 x^2의 계수가 1이고 두 근이 α, β이므로

$(x-\alpha)(x-\beta)=x^2-(\alpha+\beta)x+\alpha\beta=0$

즉, $x^2-(\alpha+\beta)x+\alpha\beta=x^2-7x-5$

(1) $\alpha+\beta=7$

(2) $\alpha\beta=-5$

(3) $\dfrac{1}{\alpha}+\dfrac{1}{\beta}=\dfrac{\alpha+\beta}{\alpha\beta}=\dfrac{7}{-5}=-\dfrac{7}{5}$

(4) $\alpha^2+\beta^2=(\alpha+\beta)^2-2\alpha\beta=7^2-2\times(-5)=59$

02 주어진 이차방정식은 x^2의 계수가 1이고 두 근이 α, β이므로

$(x-\alpha)(x-\beta)=x^2-(\alpha+\beta)x+\alpha\beta=0$

즉, $x^2-(\alpha+\beta)x+\alpha\beta=x^2+x-3$에서

① $\alpha+\beta=-1$

② $\alpha\beta=-3$

③ $\alpha^2+\beta^2=(\alpha+\beta)^2-2\alpha\beta$
           $=(-1)^2-2\times(-3)=7$

④ $\dfrac{1}{\alpha}+\dfrac{1}{\beta}=\dfrac{\alpha+\beta}{\alpha\beta}=\dfrac{-1}{-3}=\dfrac{1}{3}$

⑤ $(\alpha+1)(\beta+1)=\alpha\beta+(\alpha+\beta)+1$
               $=-3-1+1=-3$

03 주어진 이차방정식은 x^2의 계수가 1이고 두 근이 α, β이므로

$(x-\alpha)(x-\beta)=x^2-(\alpha+\beta)x+\alpha\beta=0$

즉, $x^2-(\alpha+\beta)x+\alpha\beta=x^2-x-5$에서

$\alpha+\beta=1$, $\alpha\beta=-5$

$\therefore\ \alpha^2-\alpha\beta+\beta^2=(\alpha+\beta)^2-3\alpha\beta$
                 $=1+15=16$

04 주어진 이차방정식은 x^2의 계수가 1이고 두 근이 α, β이므로

$(x-\alpha)(x-\beta)=x^2-(\alpha+\beta)x+\alpha\beta=0$

즉, $x^2-(\alpha+\beta)x+\alpha\beta=x^2-5x+2$에서

$\alpha+\beta=5$, $\alpha\beta=2$

$\alpha^2+\beta^2-\dfrac{2}{\alpha}-\dfrac{2}{\beta}=(\alpha+\beta)^2-2\alpha\beta-\dfrac{2(\alpha+\beta)}{\alpha\beta}$
                      $=5^2-2\times2-\dfrac{2\times5}{2}=16$

05 주어진 이차방정식은 x^2의 계수가 4이고 두 근이 α, β이므로

$4(x-\alpha)(x-\beta)=4x^2-4(\alpha+\beta)x+4\alpha\beta=0$

즉, $4x^2-4(\alpha+\beta)x+4\alpha\beta=4x^2-8x+1$에서

$-4(\alpha+\beta)=-8$ $\therefore\ \alpha+\beta=2$

$4\alpha\beta=1$ $\therefore\ \alpha\beta=\dfrac{1}{4}$

$\therefore\ \dfrac{\beta}{\alpha}+\dfrac{\alpha}{\beta}=\dfrac{\alpha^2+\beta^2}{\alpha\beta}=\dfrac{(\alpha+\beta)^2-2\alpha\beta}{\alpha\beta}$

             $=\dfrac{2^2-2\times\dfrac{1}{4}}{\dfrac{1}{4}}=\dfrac{\dfrac{7}{2}}{\dfrac{1}{4}}=14$

06 주어진 이차방정식은 x^2의 계수가 1이고 두 근이 α, β이므로

$(x-\alpha)(x-\beta)=x^2-(\alpha+\beta)x+\alpha\beta=0$

즉, $x^2-(\alpha+\beta)x+\alpha\beta=x^2-4x-3$에서

$\alpha+\beta=4$, $\alpha\beta=-3$

$$\dfrac{\beta}{\alpha+1}+\dfrac{\alpha}{\beta+1}=\dfrac{\beta(\beta+1)+\alpha(\alpha+1)}{(\alpha+1)(\beta+1)}$$

$$=\dfrac{\alpha^2+\beta^2+(\alpha+\beta)}{\alpha\beta+(\alpha+\beta)+1}$$

$$=\dfrac{(\alpha+\beta)^2-2\alpha\beta+(\alpha+\beta)}{\alpha\beta+(\alpha+\beta)+1}$$

$$=\dfrac{4^2-2\times(-3)+4}{-3+4+1}=\dfrac{26}{2}=13$$

07 $x^2+5=3(x+1)^2$에서 $x^2+5=3(x^2+2x+1)$

$x^2+5=3x^2+6x+3$, $2x^2+6x-2=0$

$x^2+3x-1=0$

이 이차방정식의 두 근을 α, β라 하면

$(x-\alpha)(x-\beta)=x^2-(\alpha+\beta)x+\alpha\beta=0$

즉, $x^2+3x-1=x^2-(\alpha+\beta)x+\alpha\beta$에서

$\alpha+\beta=-3$, $\alpha\beta=-1$

(두 근의 합 p)$=-3$, (두 근의 곱 q)$=-1$

$\therefore p-q=-3-(-1)=-2$

08 $(2x+1)(x+8)=x-15$에서

$2x^2+17x+8=x-15$, $2x^2-16x+7=0$

이 이차방정식의 x^2의 계수는 2이고 두 근을 α, β라 하면

$2(x-\alpha)(x-\beta)=2x^2-2(\alpha+\beta)x+2\alpha\beta=0$

즉, $2x^2-16x+7=2x^2-2(\alpha+\beta)x+2\alpha\beta$에서

$2(\alpha+\beta)=16$ $\therefore \alpha+\beta=8$

$2\alpha\beta=7$ $\therefore \alpha\beta=\dfrac{7}{2}$

(두 근의 합 a)$=8$, (두 근의 곱 b)$=\dfrac{7}{2}$

$\therefore a-2b=8-2\times\dfrac{7}{2}=1$

09 이차방정식 $2x^2+ax-b=0$의 두 근을 α, β라 하면 이차항의 계수는 2이므로

$2(x-\alpha)(x-\beta)=2x^2-2(\alpha+\beta)x+2\alpha\beta=0$

즉, $2x^2+ax-b=2x^2-2(\alpha+\beta)x+2\alpha\beta$에서

주어진 이차방정식의 두 근이 -4, $\dfrac{3}{2}$이므로

(두 근의 합)$=\alpha+\beta=-4+\dfrac{3}{2}=-\dfrac{5}{2}$

$\therefore a=-2(\alpha+\beta)=-2\times\left(-\dfrac{5}{2}\right)=5$

(두 근의 곱)$=\alpha\beta=-4\times\dfrac{3}{2}=-6$

$\therefore b=-2\alpha\beta=(-2)\times(-6)=12$

$\therefore b-a=12-5=7$

10 이차방정식 $ax^2+bx+c=0$의 두 근을 α, β라 하면 이차항의 계수가 a이므로

$a(x-\alpha)(x-\beta)=ax^2-a(\alpha+\beta)x+a\alpha\beta=0$

즉, $ax^2+bx+c=ax^2-a(\alpha+\beta)x+a\alpha\beta$

두 근의 합이 2이므로

$\alpha+\beta=2$에서 $b=-a(\alpha+\beta)=-2a$ ...... ㉠

두 근의 곱이 -1이므로

$\alpha\beta=-1$에서 $c=a\alpha\beta=-a$ ...... ㉡

㉠, ㉡을 이차방정식 $cx^2+bx+a=0$에 대입하면

$-ax^2-2ax+a=0$

$a\neq0$이므로 양변을 $-a$로 나누면

$x^2+2x-1=0$ $\therefore x=-1\pm\sqrt{2}$

11 주어진 이차방정식은 이차항의 계수가 1이고 두 근이 α, β이므로

$(x-\alpha)(x-\beta)=x^2-(\alpha+\beta)x+\alpha\beta=0$

즉, $x^2-7x+1=x^2-(\alpha+\beta)x+\alpha\beta$에서

$\alpha+\beta=7$, $\alpha\beta=1$

$(\sqrt{\alpha^2+\alpha}+\sqrt{\beta^2+\beta})^2$

$=\alpha^2+\beta^2+\alpha+\beta+2\sqrt{\alpha^2\beta^2+\alpha\beta(\alpha+\beta)+\alpha\beta}$

$=(\alpha+\beta)^2-2\alpha\beta+(\alpha+\beta)$

$\qquad\qquad+2\sqrt{(\alpha\beta)^2+\alpha\beta(\alpha+\beta)+\alpha\beta}$

$=7^2-2\times1+7+2\sqrt{1^2+1\times7+1}$

$=49-2+7+6=60$

이때 $\sqrt{\alpha^2+\alpha}+\sqrt{\beta^2+\beta}>0$이므로

$\sqrt{\alpha^2+\alpha}+\sqrt{\beta^2+\beta}=\sqrt{60}=2\sqrt{15}$

12 주어진 이차방정식의 이차항의 계수는 1이고 두 근이 α, β이므로

$(x-\alpha)(x-\beta)=x^2-(\alpha+\beta)x+\alpha\beta=0$

즉, $x^2+5x-1=x^2-(\alpha+\beta)x+\alpha\beta$에서

$\alpha+\beta=-5$, $\alpha\beta=-1$이므로

두 근이 -1, -5이고, x^2의 계수가 1인 이차방정식은

$(x+1)(x+5)=0$ $\therefore x^2+6x+5=0$

13 이차방정식 $3x^2+px+q=0$의 이차항의 계수는 3이고 두 근이 $\dfrac{2}{3}$, 1이므로

$3\left(x-\dfrac{2}{3}\right)(x-1)=3x^2-5x+2=0$

즉, $3x^2+px+q=3x^2-5x+2$에서

$p=-5$, $q=2$이므로 $p+q=-3$, $pq=-10$

따라서 -3, -10을 두 근으로 하고, x^2의 계수가 1

인 이차방정식은

$(x+3)(x+10)=0$ $\therefore x^2+13x+30=0$

14 계수와 상수항이 모두 유리수인 이차방정식의 한 근이 $3+\sqrt{2}$이면 다른 한 근은 $3-\sqrt{2}$이므로
구하는 이차방정식은

$\{x-(3+\sqrt{2}\,)\}\{x-(3-\sqrt{2}\,)\}=0$

$\therefore x^2-6x+7=0$

15 계수와 상수항이 모두 유리수인 이차방정식의 한 근이 $2+\sqrt{7}$이면 다른 한 근은 $2-\sqrt{7}$이므로

$\{x-(2+\sqrt{7})\}\{x-(2-\sqrt{7})\}=0$에서

$x^2-4x-3=0$

즉, $x^2+ax+b=x^2-4x-3$이므로

$a=-4,\ b=-3$

$\therefore a+b=(-4)+(-3)=-7$

다른 풀이 이차방정식 $x^2+ax+b=0$의 한 근이

$2+\sqrt{7}$이므로 $x=2+\sqrt{7}$를 대입하면

$(2+\sqrt{7})^2+a(2+\sqrt{7})+b=0$

$4+4\sqrt{7}+7+2a+a\sqrt{7}+b=0$

$11+2a+b+(a+4)\sqrt{7}=0$

이때 $a,\ b$가 유리수이므로

$11+2a+b=0,\ a+4=0$

따라서 $a=-4,\ b=-3$이므로 $a+b=-7$

16 계수와 상수항이 모두 유리수인 이차방정식의 한 근이 $2-\sqrt{2}$이면 다른 한 근은 $2+\sqrt{2}$이므로

x^2의 계수가 3인 이차방정식은

$3\{x-(2-\sqrt{2}\,)\}\{x-(2+\sqrt{2}\,)\}=0$에서

$3(x^2-4x+2)=0$

$\therefore 3x^2-12x+6=0$

따라서 구하는 다른 한 근은 $2+\sqrt{2}$이고, 모든 계수와 상수항의 합은 $3+(-12)+6=-3$

17 $2<\sqrt{5}<3$에서 $-3<-\sqrt{5}<-2$이므로

$1<4-\sqrt{5}<2$

$4-\sqrt{5}$의 정수 부분은 1이므로 소수 부분은

$(4-\sqrt{5})-1=3-\sqrt{5}$

따라서 이차방정식 $x^2+ax+b=0$의 한 근이 $3-\sqrt{5}$이면 다른 한 근은 $3+\sqrt{5}$이므로

$\{x-(3-\sqrt{5}\,)\}\{x-(3+\sqrt{5}\,)\}=0$에서

$x^2-6x+4=0$

$\therefore a=-6,\ b=4$

$\therefore a-b=-6-4=-10$

18 두 근의 비가 $1:2$이므로 두 근을 $a,\ 2a(a\ne0)$라 하면

$(x-a)(x-2a)=x^2-3ax+2a^2=0$

즉, $x^2-6x-2a=x^2-3ax+2a^2$에서

$-6=-3a$ $\therefore a=2$

$-2a=2a^2$에 $a=2$를 대입하면

$-2a=8$ $\therefore a=-4$

19 한 근이 다른 한 근의 2배이므로 두 근을 $a,\ 2a$ $(a>0)$라 하면

$(x-a)(x-2a)=x^2-3ax+2a^2=0$

즉, $x^2-kx+32=x^2-3ax+2a^2$에서

$32=2a^2,\ a^2=16$ $\therefore a=4\ (\because a>0)$

$-k=-3a$에 $a=4$를 대입하면

$-k=-12$ $\therefore k=12$

20 두 근의 비가 $2:3$이므로 두 근을 $2a,\ 3a(a>0)$라 하면

$(x-2a)(x-3a)=x^2-5ax+6a^2=0$

즉, $x^2-(k-1)x+24=x^2-5ax+6a^2$에서

$24=6a^2,\ a^2=4$ $\therefore a=2\ (\because a>0)$

$-(k-1)=-5a$에 $a=2$를 대입하면

$-(k-1)=-10,\ k-1=10$ $\therefore k=11$

21 두 근의 차가 7이므로 두 근을 $a,\ a+7$이라 하면

$(x-a)\{x-(a+7)\}=x^2-(2a+7)x+a(a+7)=0$

즉, $x^2-5x+3k-2=x^2-(2a+7)x+a(a+7)$에서

$-5=-(2a+7),\ 2a+7=5,\ 2a=-2$

$\therefore a=-1$

$3k-2=a(a+7)$에 $a=-1$을 대입하면

$3k-2=-6,\ 3k=-4$ $\therefore k=-\dfrac{4}{3}$

따라서 $k=-\dfrac{4}{3}$이고, 두 근은 $-1,\ 6$이다.

22 한 근이 다른 근보다 2만큼 크므로 두 근을 $a,$
$a+2(a<-2)$라 하면

$(x-a)\{x-(a+2)\}=x^2-2(a+1)x+a(a+2)=0$

즉, $x^2+mx+15=x^2-2(a+1)x+a(a+2)$에서

$15=a(a+2),\ a^2+2a-15=0,\ (a+5)(a-3)=0$

$\therefore a=-5\ (\because a<-2)$

$m=-2(a+1)$에 $a=-5$를 대입하면

$m=8$

23 두 근의 비가 3 : 1이므로 두 근을 3α, $\alpha\,(\alpha>0)$라 하면 $3\alpha-\alpha=4$ $\therefore\alpha=2$
따라서 주어진 이차방정식의 두 근은 6, 2이므로
$(x-6)(x-2)=x^2-8x+12=0$
즉, $x^2-2(m+2)x-n+1=x^2-8x+12$에서
$-2(m+2)=-8$, $m+2=4$ $\therefore m=2$
$-n+1=12$, $-n=11$ $\therefore n=-11$
$\therefore m+n=2+(-11)=-9$

24 $x^2-5x+m=2x+3$에서 $x^2-7x+m-3=0$
한 근이 다른 한 근의 2배보다 1만큼 크므로 두 근을
α, $2\alpha+1$이라 하면
$(x-\alpha)\{x-(2\alpha+1)\}$
$=x^2-(3\alpha+1)x+\alpha(2\alpha+1)=0$
즉, $x^2-7x+m-3=x^2-(3\alpha+1)x+\alpha(2\alpha+1)$에서
$-7=-(3\alpha+1)$, $3\alpha=6$ $\therefore\alpha=2$
$m-3=\alpha(2\alpha+1)$에 $\alpha=2$를 대입하면
$m-3=10$ $\therefore m=13$

25 (1) 희영이가 잘못 보고 푼 이차방정식은
$(x-2)(x+6)=0$, $x^2+4x-12=0$
나연이가 잘못 보고 푼 이차방정식은
$(x+4)(x-5)=0$, $x^2-x-20=0$
희영이는 이차항의 계수와 상수항을 바르게 보고,
나연이는 이차항의 계수와 일차항의 계수를 바르게 보았으므로 처음 이차방정식은 $x^2-x-12=0$
(2) $x^2-x-12=0$에서 $(x+3)(x-4)=0$
$\therefore x=-3$ 또는 $x=4$

26 수경이가 잘못 보고 푼 이차방정식은
$(x+2)(x-16)=0$, $x^2-14x-32=0$
민선이가 잘못 보고 푼 이차방정식은
$(x-2)^2=0$, $x^2-4x+4=0$
수경이는 이차항의 계수와 상수항을 바르게 보고, 민선이는 이차항의 계수와 일차항의 계수를 바르게 보았으므로 처음 이차방정식은 $x^2-4x-32=0$
$(x+4)(x-8)=0$ $\therefore x=-4$ 또는 $x=8$

27 선영이가 잘못 보고 푼 이차방정식은
$2\left(x-\dfrac{1}{2}\right)(x-5)=0$, $2x^2-11x+5=0$
지영이가 잘못 보고 푼 이차방정식은
$2\left(x-\dfrac{3}{2}\right)(x-2)=0$, $2x^2-7x+6=0$

선영이는 이차항의 계수와 상수항을 바르게 보고, 지영이는 이차항의 계수와 일차항의 계수를 바르게 보았으므로 처음 이차방정식은 $2x^2-7x+5=0$
$(2x-5)(x-1)=0$ $\therefore x=\dfrac{5}{2}$ 또는 $x=1$

28 은정이가 잘못 보고 푼 이차방정식은
$(x+5)(x-6)=0$, $x^2-x-30=0$
은정이는 일차항의 계수를 잘못 보고 풀었으므로 처음 이차방정식은 $x^2+x-30=0$
$(x+6)(x-5)=0$ $\therefore x=-6$ 또는 $x=5$

29 현정이가 잘못 보고 푼 이차방정식은
$(x+1)(x-4)=0$, $x^2-3x-4=0$
현정이는 일차항의 계수와 상수항을 모두 1씩 크게 보고 풀었으므로 처음 이차방정식은 $x^2-4x-5=0$
$(x+1)(x-5)=0$ $\therefore x=-1$ 또는 $x=5$

30 연속하는 세 자연수를 $x-1$, x, $x+1\,(x>1)$이라 하면
$(x+1)^2=(x-1)^2+x^2-45$에서
$x^2-4x-45=0$
$(x+5)(x-9)=0$
$\therefore x=-5$ 또는 $x=9$
이때 $x>1$이므로 $x=9$
따라서 구하는 세 자연수는 8, 9, 10이므로 가장 작은 자연수는 8이다.

31 연속하는 두 홀수를 α, $\alpha+2\,(\alpha$는 홀수)라 하면
$(\alpha+2)^2-\alpha^2=16$에서
$4\alpha=12$ $\therefore\alpha=3$
따라서 주어진 이차방정식의 두 근은 3, 5이므로
$(x-3)(x-5)=x^2-8x+15=0$
즉, $x^2+mx+n=x^2-8x+15$에서
$m=-8$, $n=15$
$\therefore m+n=-8+15=7$

32 연속하는 두 짝수를 x, $x+2\,(x$는 짝수)라 하면
$2x^2=(x+2)^2+8$에서
$x^2-4x-12=0$, $(x+2)(x-6)=0$
$\therefore x=-2$ 또는 $x=6$
그런데 x는 짝수이므로 $x=6$

따라서 두 짝수는 6, 8이므로 구하는 합은
$6+8=14$

다른 풀이 연속하는 두 짝수를 $2x$, $2x+2$ (x는 자연수)라 하면
$2 \times (2x)^2 = (2x+2)^2 + 8$
$8x^2 = 4x^2 + 8x + 12$, $x^2 - 2x - 3 = 0$
$(x+1)(x-3) = 0$
$\therefore x = -1$ 또는 $x = 3$
그런데 x는 자연수이므로 $x = 3$
따라서 두 짝수는 6, 8이므로 구하는 합은 14이다.

33 연속하는 세 홀수를 $x-2$, x, $x+2$ (x는 3 이상의 홀수)라 하면
$(x-2)^2 + x^2 + (x+2)^2 = 83$에서
$x^2 - 4x + 4 + x^2 + x^2 + 4x + 4 = 83$
$3x^2 = 75$, $x^2 = 25$
$\therefore x = -5$ 또는 $x = 5$
그런데 x는 3 이상의 홀수이므로 $x = 5$
따라서 세 홀수는 3, 5, 7이므로 그 합은
$3 + 5 + 7 = 15$

34 $\dfrac{n(n+1)}{2} = 153$에서
$n^2 + n - 306 = 0$, $(n+18)(n-17) = 0$
$\therefore n = -18$ 또는 $n = 17$
그런데 n은 자연수이므로 $n = 17$
따라서 구하는 수는 17이다.

35 $\dfrac{n(n-3)}{2} = 104$에서
$n^2 - 3n - 208 = 0$, $(n+13)(n-16) = 0$
$\therefore n = -13$ 또는 $n = 16$
그런데 $n > 3$이므로 $n = 16$
따라서 구하는 다각형은 16각형이다.

36 어떤 자연수를 x라 하면 x보다 3만큼 작은 수는 $x-3$이므로
$x(x-3) = 180$에서
$x^2 - 3x - 180 = 0$, $(x+12)(x-15) = 0$
$\therefore x = -12$ 또는 $x = 15$
그런데 x는 자연수이므로 $x = 15$
따라서 어떤 자연수는 15이고, 15보다 2만큼 작은 수는 $15 - 2 = 13$이므로 원래 두 수의 곱은

$15 \times 13 = 195$

37 $|x|^2 = x^2$이므로 주어진 이차방정식은
$|x|^2 - |x| - 2 = 0$과 같다.
$|x| = t$ ($t > 0$)로 치환하면
$t^2 - t - 2 = 0$, $(t+1)(t-2) = 0$
$\therefore t = -1$ 또는 $t = 2$
그런데 $t > 0$이므로 $t = 2$
따라서 $|x| = 2$이므로 $x = \pm 2$

다른 풀이 $x \geq 0$일 때와 $x < 0$일 때로 나누어 풀면 다음과 같다.

(ⅰ) $x \geq 0$일 때, $|x| = x$이므로 주어진 이차방정식은
$x^2 - x = 2$, $x^2 - x - 2 = 0$
$(x+1)(x-2) = 0$ $\therefore x = -1$ 또는 $x = 2$
그런데 $x \geq 0$이므로 $x = 2$

(ⅱ) $x < 0$일 때, $|x| = -x$이므로 주어진 이차방정식은 $x^2 - (-x) = 2$, $x^2 + x - 2 = 0$
$(x+2)(x-1) = 0$ $\therefore x = -2$ 또는 $x = 1$
그런데 $x < 0$이므로 $x = -2$
따라서 (ⅰ), (ⅱ)에서 $x = -2$ 또는 $x = 2$

38 $<x> = t$로 치환하면 주어진 이차방정식은
$t^2 + 3t - 28 = 0$, $(t+7)(t-4) = 0$
$\therefore t = -7$ 또는 $t = 4$
그런데 $<x>$의 값은 자연수이므로
$t = 4$, 즉 $<x> = 4$
소수를 작은 것부터 나열하면 2, 3, 5, 7, 11, …이므로 자연수 x 이하의 소수가 4개이려면 x는 7 이상 11 미만이어야 한다.
따라서 자연수 x가 될 수 있는 것은 7, 8, 9, 10이다.

39 $2[x]^2 + [x] - 15 = 0$에서 $[x] = t$로 치환하면
$2t^2 + t - 15 = 0$, $(2t-5)(t+3) = 0$
$\therefore t = \dfrac{5}{2}$ 또는 $t = -3$
그런데 t는 정수이므로 $t = -3$
따라서 $[x] = -3$이므로 구하는 x의 값의 범위는
$-3 \leq x < -2$

40 학생 수를 x명이라 하면 한 학생이 받는 볼펜의 수는 $(x-4)$개이므로
$x(x-4) = 165$에서 $x^2 - 4x - 165 = 0$
$(x+11)(x-15) = 0$

$\therefore x=-11$ 또는 $x=15$

그런데 $x-4>0$, 즉 $x>4$이므로 $x=15$

따라서 구하는 학생 수는 15명이다.

41 동생의 나이를 x살이라 하면 오빠의 나이는 $(x+2)$
살이므로

$(x+2)^2=16x+32$에서

$x^2-12x-28=0$, $(x+2)(x-14)=0$

$\therefore x=-2$ 또는 $x=14$

그런데 x는 자연수이므로 $x=14$

따라서 동생은 14살, 오빠는 16살이므로 그 합은

$14+16=30$(살)

42 1000원에서 $x\%$ 인상한 아이스크림의 가격은

$1000\left(1+\dfrac{x}{100}\right)=1000+10x$(원)

이때의 판매량은 500개에서 $2x\%$ 감소하므로

$500\left(1-\dfrac{2x}{100}\right)=500-10x$(개)

(총 판매액)$=$(가격)$\times$(판매량)이므로

$440000=(1000+10x)(500-10x)$에서

$x^2+50x-600=0$

$(x+60)(x-10)=0$

$\therefore x=-60$ 또는 $x=10$

그런데 $x>0$이므로 $x=10$

따라서 10 % 인상해야 한다.

43 가격을 인상하기 전의 영화표의 가격을 a원, 영화를
보러 오는 관객의 수를 b명이라 하면 가격을 인상하
기 전 영화표의 총 판매액은 ab원이다.

영화표의 가격을 $x\%$만큼 인상했을 때의 가격은

$a\left(1+\dfrac{x}{100}\right)$원

이고, 이때의 영화를 보러 오는 관객의 수는

$b\left(1-\dfrac{0.5x}{100}\right)$명

이므로 가격을 $x\%$만큼 인상했을 때 영화표의 총 판
매액은

$a\left(1+\dfrac{x}{100}\right)\times b\left(1-\dfrac{0.5x}{100}\right)$

$=ab\left(1+\dfrac{x}{100}\right)\left(1-\dfrac{0.5x}{100}\right)$

이것이 인상하기 전의 총 판매액에서 4.5 %만큼 증
가한 것이려면

$ab\left(1+\dfrac{x}{100}\right)\left(1-\dfrac{0.5x}{100}\right)=ab\left(1+\dfrac{4.5}{100}\right)$에서

$\left(1+\dfrac{x}{100}\right)\left(1-\dfrac{0.5x}{100}\right)=1+\dfrac{4.5}{100}$

$(100+x)(1000-5x)=100000+4500$

$-5x^2+500x=4500$

$x^2-100x+900=0$, $(x-10)(x-90)=0$

$\therefore x=10$ 또는 $x=90$

그런데 영화표의 가격 인상률은 50 % 미만이므로

$x=10$

따라서 영화표의 가격을 10 % 인상해야 한다.

44 $h=245$일 때이므로

$245=-5t^2+30t+200$에서

$t^2-6t+9=0$, $(t-3)^2=0$

$\therefore t=3$

따라서 지면으로부터 폭죽의 높이가 245 m가 되는
때에는 폭죽을 쏘아 올린 지 3초 후이다.

45 $-2t^2+25t+50=100$에서

$2t^2-25t+50=0$, $(t-10)(2t-5)=0$

$\therefore t=2.5$ 또는 $t=10$

따라서 처음으로 높이가 100 m가 될 때에는 공을 쏘
아 올린 지 2.5초 후이다.

46 (1) $h=75$일 때이므로 $75=-5t^2+40t$에서

$t^2-8t+15=0$, $(t-3)(t-5)=0$

$\therefore t=3$ 또는 $t=5$

따라서 공의 높이가 75 m가 되는 것은 공을 쏘아
올린 지 3초 후 또는 5초 후이다.

(2) 공이 지면에 떨어지는 것은 $h=0$일 때이므로

$0=-5t^2+40t$에서

$t^2-8t=0$, $t(t-8)=0$

$\therefore t=0$ 또는 $t=8$

그런데 $t>0$이므로 $t=8$

따라서 공이 다시 지면에 떨어지는 것은 공을 쏘
아 올린 지 8초 후이다.

47 지면에 떨어지면 높이가 0 m이므로

$25t-5t^2=0$, $5t(t-5)=0$

$\therefore t=5$ ($\because t>0$)

따라서 물이 다시 지면에 떨어지는 것은 물을 쏘아 올린 지 5초 후이다.

48 폭이 x m인 길을 오른쪽 그림과 같이 보기 쉽게 옮겨 그릴 수 있다.

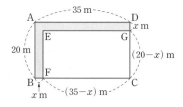

이때 길의 넓이는
□ABCD의 넓이에서 □EFCG의 넓이를 뺀 것과 같으므로

(길의 넓이) $= 35 \times 20 - (35-x)(20-x)$
$= -x^2 + 55x$

이것이 156 m²이므로

$-x^2 + 55x = 156$에서 $x^2 - 55x + 156 = 0$
$(x-3)(x-52) = 0$ ∴ $x=3$ 또는 $x=52$

그런데 $20-x>0$에서 $x<20$이므로 $x=3$
따라서 구하는 길의 폭은 3 m이다.

다른 풀이 오른쪽 그림에서
(길의 넓이)

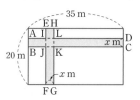

$= □ABCD + □EFGH - □IJKL$
$= x \times 35 + x \times 20 - x \times x$
$= -x^2 + 55x$

이것이 156 m²이므로 $-x^2 + 55x = 156$
$x^2 - 55x + 156 = 0$, $(x-3)(x-52) = 0$
∴ $x=3$ 또는 $x=52$
그런데 $x<20$이므로 $x=3$
따라서 구하는 길의 폭은 3 m이다.

49 폭이 각각 일정한 길을 오른쪽 그림과 같이 보기 쉽게 옮겨 그릴 수 있다.

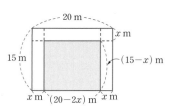

남은 땅의 넓이는
어두운 부분의 넓이와 같으므로
$168 = (20-2x)(15-x)$에서
$x^2 - 25x + 66 = 0$
$(x-3)(x-22) = 0$
∴ $x=3$ 또는 $x=22$
그런데 $20-2x>0$에서 $x<10$이므로
$x=3$

50 폭이 일정한 길을 오른쪽 그림과 같이 보기 쉽게 옮겨 그릴 수 있다. 이때 A, B 두 부분의 넓이의 합은

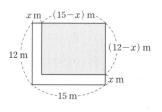

어두운 부분의 넓이와 같으므로
$50 + 80 = (12-x)(15-x)$에서
$x^2 - 27x + 50 = 0$, $(x-2)(x-25) = 0$
∴ $x=2$ 또는 $x=25$
그런데 $12-x>0$에서 $x<12$이므로 $x=2$

51 처음 직사각형의 세로의 길이를 x cm라 하면 가로의 길이는 $(x+4)$ cm이므로 이 직사각형의 넓이는
$x(x+4) = x^2 + 4x$ (cm²)
처음 직사각형의 가로와 세로의 길이를 각각 3 cm만큼 줄여서 만든 직사각형의 가로와 세로의 길이는 각각 $(x+1)$ cm, $(x-3)$ cm이므로 이 직사각형의 넓이는
$(x+1)(x-3) = x^2 - 2x - 3$ (cm²)
나중에 만든 직사각형의 넓이는 처음 직사각형의 넓이의 $\dfrac{1}{2}$보다 9 cm²만큼 작으므로
$x^2 - 2x - 3 = \dfrac{1}{2}(x^2 + 4x) - 9$에서
$2x^2 - 4x - 6 = x^2 + 4x - 18$
$x^2 - 8x + 12 = 0$, $(x-2)(x-6) = 0$
∴ $x=2$ 또는 $x=6$
그런데 $x-3>0$이므로 $x>3$
∴ $x=6$
따라서 나중에 만든 직사각형의 가로의 길이는
$x+1 = 6+1 = 7$ (cm), 세로의 길이는
$x-3 = 6-3 = 3$ (cm)이므로 구하는 넓이는
$7 \times 3 = 21$ (cm²)

52 길이가 30 cm인 끈으로 만든 직사각형의 가로의 길이를 x cm, 세로의 길이를 y cm라 하면 이 직사각형의 둘레의 길이가 30 cm이므로
$2(x+y) = 30$, $x+y = 15$
∴ $y = 15-x$
이때 직사각형의 넓이는 54 cm²이므로
$xy = x(15-x) = -x^2 + 15x = 54$에서
$x^2 - 15x + 54 = 0$
$(x-6)(x-9) = 0$ ∴ $x=6$ 또는 $x=9$

$x=6$일 때, $y=15-6=9$

$x=9$일 때, $y=15-9=6$

이므로 직사각형의 가로와 세로의 길이는 9 cm,
6 cm이다.

따라서 두 변의 길이의 차는

$9-6=3$ (cm)

53 주어진 그림에서 큰 정사각형 ㈎의 한 변의 길이는
x cm이므로 작은 정사각형 ㈏의 한 변의 길이는
$(10-x)$ cm이다. 이때 ㈎의 넓이는 x^2 cm², ㈏의
넓이는 $(10-x)^2$ cm²이고, 두 정사각형의 넓이의
합이 58 cm²이므로

$x^2+(10-x)^2=58$에서

$x^2-10x+21=0$, $(x-3)(x-7)=0$

$\therefore x=3$ 또는 $x=7$

그런데 정사각형 ㈎의 한 변의 길이는 정사각형 ㈏의
한 변의 길이보다 크므로 $5<x<10$

$\therefore x=7$

따라서 정사각형 ㈎의 한 변의 길이는 7 cm이다.

54 처음 원의 반지름의 길이를 x cm라 하면 그 넓이는
$x^2\pi$ cm²이고, 반지름의 길이를 3 cm만큼 늘인 원의
넓이는 $(x+3)^2\pi$ cm²이다. 이때 늘어난 부분의 넓
이는

$\{(x+3)^2\pi-x^2\pi\}$ cm²

이고 이것이 처음 원의 넓이의 3배이므로

$(x+3)^2\pi-x^2\pi=x^2\pi\times3$에서

$3x^2-6x-9=0$, $x^2-2x-3=0$

$(x+1)(x-3)=0$

$\therefore x=-1$ 또는 $x=3$

그런데 $x>0$이므로 $x=3$

따라서 처음 원의 반지름의 길이는 3 cm이다.

55 주어진 직사각형
의 가로의 길이
를 x cm라 하면
세로의 길이는

$(x-1)$ cm이므

로 만들어진 직육면체에서 밑면인 직사각형의 가로
의 길이는 $(x-6)$ cm,
세로의 길이는
$(x-1)-6=x-7$ (cm)

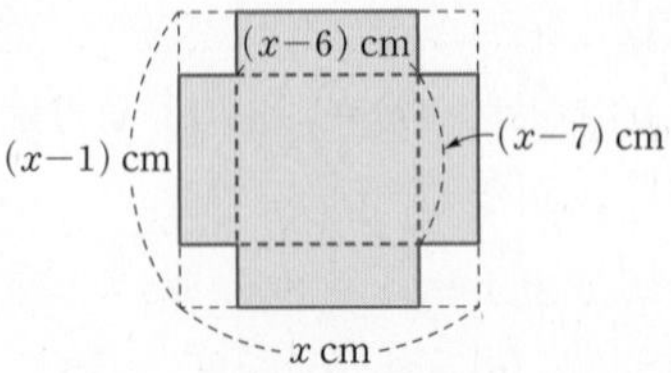

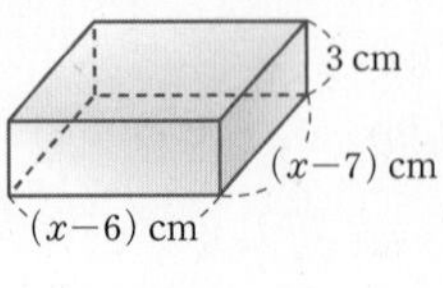

이다. 이때 직육면체의 높이는 3 cm이므로

(직육면체의 부피)$=3(x-6)(x-7)=216$에서

$x^2-13x-30=0$

$(x+2)(x-15)=0$

$\therefore x=-2$ 또는 $x=15$

그런데 $x>0$이므로 $x=15$

따라서 처음 직사각형의 가로의 길이는 15 cm이다.

56 오른쪽 그림의 △ABC와
△DBE에서

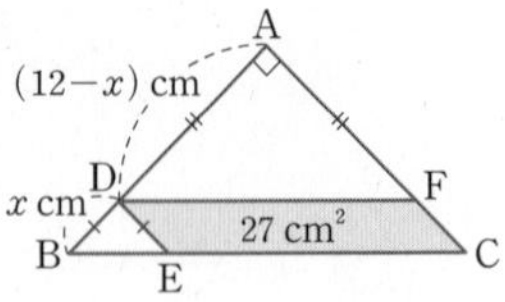

∠ACB= ∠DEB

(동위각)

∠B는 공통

$\therefore$ △ABC∽△DBE (AA닮음)

따라서 ∠BDE= ∠A=90°이고, △DBE는
$\overline{BD}=\overline{DE}$인 이등변삼각형이다.

$\overline{BD}=\overline{DE}=x$ cm라 하면 □DECF가 평행사변형
이므로 $\overline{CF}=\overline{DE}=x$ cm

$\therefore \overline{AD}=\overline{AF}=(12-x)$ cm

△ABC=△ADF+△DBE+□DECF이므로

$\dfrac{1}{2}\times12\times12$

$=\left\{\dfrac{1}{2}\times(12-x)\times(12-x)\right\}+\left(\dfrac{1}{2}\times x\times x\right)+27$

에서 $x^2-12x+27=0$

$(x-3)(x-9)=0$

$\therefore x=3$ 또는 $x=9$

그런데 $\overline{AD}>\overline{DB}$에서 $12-x>x$이므로 $x<6$

$\therefore x=3$

$\therefore \overline{BD}=3$ cm

57 두 정육면체 A, B의 한 모서리의 길이를 각각 a, b
라 하면 정육면체 A의 모든 모서리의 길이의 합은
$12a$, 겉넓이는 $6a^2$이고, 정육면체 B의 모든 모서리
의 길이의 합은 $12b$, 겉넓이는 $6b^2$이다.

이때 두 정육면체 A, B의 모든 모서리의 길이의 합
이 72이므로

$12a+12b=72$, 즉 $a+b=6$ ······ ㉠

두 정육면체 A, B의 겉넓이의 합이 144이므로

$6a^2+6b^2=144$, 즉 $a^2+b^2=24$ ······ ㉡

㉠, ㉡에서

$a^2+b^2=(a+b)^2-2ab$, $24=6^2-2ab$

$\therefore ab=6$

따라서 두 정육면체 A, B 각각의 한 모서리의 길이 a, b를 두 근으로 하고, 이차항의 계수가 1인 이차방

정식은

$x^2-(a+b)x+ab=0$에서 $x^2-6x+6=0$

본문 129~132쪽

단원 종합 문제

01 ⑤　　**02** ①　　**03** $x=1$ 또는 $x=\sqrt{3}+1$　**04** ④　　**05** $\dfrac{9}{2}$　　**06** ④　　**07** ②, ④

08 ④　　**09** 30　　**10** 근이 2개 : ㄱ, ㅂ　근이 1개(중근) : ㄴ, ㄷ　근이 0개 : ㄹ, ㅁ　　**11** ③

12 ②　　**13** ③, ⑤　　**14** 2　　**15** ③　　**16** ②　　**17** ③　　**18** ⑤

19 $x=-6$ 또는 $x=1$　　**20** ②　　**21** 2초 또는 15초　　**22** ③　　**23** ②

24 7, 12, 15, 16

---

01 $6x(ax-3)=5-2x^2$에서

$6ax^2-18x=5-2x^2$, $(6a+2)x^2-18x-5=0$

이것이 이차방정식이 되려면 $6a+2\neq0$이어야 하므로

$6a\neq-2$　　∴ $a\neq-\dfrac{1}{3}$

02 $x^2-3x+m=0$에서

$x=\dfrac{3\pm\sqrt{9-4m}}{12}=\dfrac{n\pm\sqrt{21}}{2}$

따라서 $n=3$, $9-4m=21$에서 $m=-3$이므로

$mn=(-3)\times3=-9$

03 x^2의 계수를 유리화하기 위해 양변에 $\sqrt{3}+1$을 곱하면

$(\sqrt{3}-1)(\sqrt{3}+1)x^2-(\sqrt{3}+1)^2x+2(\sqrt{3}+1)=0$

$2x^2-(4+2\sqrt{3})x+2(\sqrt{3}+1)=0$

$x^2-(2+\sqrt{3})x+(\sqrt{3}+1)=0$

$(x-1)\{x-(\sqrt{3}+1)\}=0$

∴ $x=1$ 또는 $x=\sqrt{3}+1$

04 $x^2-4x+1=0$의 두 근이 α, β이므로 $x=\alpha$, $x=\beta$를 각각 대입하면

$\alpha^2-4\alpha+1=0$에서 $\alpha^2-4\alpha=-1$

$\beta^2-4\beta+1=0$에서 $\beta^2-4\beta=-1$

∴ $(\alpha^2-4\alpha+2)(\beta^2-4\beta-3)$

$=(-1+2)\times(-1-3)=-4$

05 $(2x-1)^2-3(2x-1)=18$에서

$2x-1=t$로 치환하면

$t^2-3t=18$에서 $t^2-3t-18=0$

$(t+3)(t-6)=0$　　∴ $t=-3$ 또는 $t=6$

즉, $2x-1=-3$ 또는 $2x-1=6$이므로

$x=-1$ 또는 $x=\dfrac{7}{2}$

이때 $\alpha>\beta$이므로 $\alpha=\dfrac{7}{2}$, $\beta=-1$

∴ $\alpha-\beta=\dfrac{7}{2}-(-1)=\dfrac{9}{2}$

06 $a+3b=t$로 치환하면

$t(t-4)+4=0$, $t^2-4t+4=0$,

$(t-2)^2=0$　　∴ $t=2$

∴ $a+3b=2$

07 주어진 약속에 의해

$\left(\dfrac{1}{2}x-2\right)*(x+3)$

$=2\left(\dfrac{1}{2}x-2\right)-\left(\dfrac{1}{2}x-2\right)(x+3)$

$=x-4-\left(\dfrac{1}{2}x^2-\dfrac{1}{2}x-6\right)$

$=-\dfrac{1}{2}x^2+\dfrac{3}{2}x+2$

따라서 $-\dfrac{1}{2}x^2+\dfrac{3}{2}x+2=3$에서

$-x^2+3x+4=6$, $x^2-3x+2=0$

$(x-1)(x-2)=0$　　∴ $x=1$ 또는 $x=2$

08 $x^2-2x-1=0$에서

$$x=\frac{-(-1)\pm\sqrt{(-1)^2-1\times(-1)}}{1}$$

$$=1\pm\sqrt{2}$$

주어진 두 이차방정식의 공통인 근이 양수이므로
$x=1+\sqrt{2}$가 공통인 근이다.

따라서 $x=1+\sqrt{2}$를 $x^2-x-k=0$에 대입하면

$(1+\sqrt{2})^2-(1+\sqrt{2})-k=0$

$1+2\sqrt{2}+2-1-\sqrt{2}-k=0$

$2+\sqrt{2}-k=0$

$\therefore k=2+\sqrt{2}$

09 $x^2-9=0$에서

$x^2=9$ $\therefore x=\pm3$

$2x^2-3x-27=0$에서 $(x+3)(2x-9)=0$

$\therefore x=-3$ 또는 $x=\dfrac{9}{2}$

주어진 세 이차방정식의 공통인 근은 $x=-3$이므로
$x^2-7x-k=0$에 대입하면

$(-3)^2-7\times(-3)-k=0$

$9+21-k=0$

$\therefore k=30$

10 각 이차방정식을 $ax^2+bx+c=0$이라 하자.

ㄱ. $b^2-4ac=(-7)^2-4\times6\times1=25>0$

  $\therefore$ 2개

ㄴ. $b^2-4ac=12^2-4\times(-9)\times(-4)=0$

  $\therefore$ 1개 (중근)

ㄷ. 주어진 이차방정식의 양변에 4를 곱하면

  $x^2-6x+9=0$에서

  $b^2-4ac=(-6)^2-4\times1\times9=0$

  $\therefore$ 1개 (중근)

ㄹ. $b^2-4ac=(-1)^2-4\times2\times4=-31<0$

  $\therefore$ 0개

ㅁ. $b^2-4ac=(-5)^2-4\times2\times7=-31<0$

  $\therefore$ 0개

ㅂ. $(x-1)^2=\dfrac{1}{3}>0$ $\therefore$ 2개

따라서 근이 2개인 것은 ㄱ, ㅂ, 근이 1개(중근)인
것은 ㄴ, ㄷ, 근이 0개인 것은 ㄹ, ㅁ이다.

11 b^2-4ac의 부호를 판별한다.

ㄱ. $b^2<4ac$이면 $b^2-4ac<0$이므로 근이 존재하지
않는다.

ㄴ. $b^2\geq4ac$이면 $b^2-4ac\geq0$

  이때 $b^2-4ac>0$이면 서로 다른 두 근,

  $b^2-4ac=0$이면 중근을 가지므로

  $b^2\geq4ac$이면 서로 다른 두 근 또는 중근을 갖는다.

ㄷ. $ac<0$이면 $-4ac>0$이고, $b^2-4ac>0$이므로
  $ac<0$이면 서로 다른 두 근을 갖는다.

따라서 보기 중 옳은 것은 ㄱ, ㄷ이다.

12 $2x^2-8x+m=0$이 중근을 가지므로

$(-4)^2-2\times m=0$ $\therefore m=8$

따라서 $(m-5)x^2-4x-1=0$에 $m=8$을 대입하면

$3x^2-4x-1=0$이므로

$$x=\frac{-(-2)\pm\sqrt{(-2)^2-3\times(-1)}}{3}$$

$$=\frac{2\pm\sqrt{7}}{3}$$

13 $4x^2-2mx+m=0$이 중근을 가지려면

$(-m)^2-4\times m=0$에서

$m^2-4m=0$, $m(m-4)=0$

$\therefore m=0$ 또는 $m=4$

14 $(x+2)^2=1-a$가 중근을 가지려면 $1-a=0$이어야
하므로 $a=1$

$(x-b)(x-4+b)=0$에서

$x=b$ 또는 $x=4-b$

이므로 중근을 가지려면 $b=4-b$

$\therefore b=2$

$\therefore ab=1\times2=2$

15 $5x^2-8x+2a-3=0$은 서로 다른 두 근을 가지므로

$(-4)^2-5\times(2a-3)>0$, $10a<31$

$\therefore a<\dfrac{31}{10}$

따라서 자연수 a의 값 중 가장 큰 수는 3이다.

16 계수와 상수항이 모두 유리수인 이차방정식의 한 근
이 $5+2\sqrt{3}$이므로 다른 한 근은 $5-2\sqrt{3}$이다.

$2\{x-(5+2\sqrt{3})\}\{x-(5-2\sqrt{3})\}$

$=2(x^2-10x-13)$

$=2x^2-20x-26=0$

즉, $2x^2-(k+1)x+26=2x^2-20x-26$에서

$-(k+1)=-20,\ k+1=20$

$\therefore k=19$

17 이차방정식의 두 근을 α, β라 하면 x^2의 계수가 2이므로

$2(x-\alpha)(x-\beta)=2x^2-2(\alpha+\beta)x+2\alpha\beta=0$

이때 한 근이 $-2+\sqrt{6}$이므로 다른 한 근은 $-2-\sqrt{6}$

$2\{x-(-2+\sqrt{6})\}\{x-(-2-\sqrt{6})\}=0$

$\therefore 2x^2+8x-4=0$

18 주어진 이차방정식의 두 근을 3α, 4α라 하면 이차항의 계수가 2이므로

$2(x-3\alpha)(x-4\alpha)=2x^2-14\alpha x+24\alpha^2=0$

즉, $2x^2-7x+m=2x^2-14\alpha x+24\alpha^2$에서

$7=14\alpha$ $\therefore \alpha=\dfrac{1}{2}$

$\therefore m=24\alpha^2=24\times\left(\dfrac{1}{2}\right)^2=6$

19 나연이가 잘못 보고 푼 이차방정식은

$(x+2)(x-3)=x^2-x-6=0$

현정이가 잘못 보고 푼 이차방정식은

$(x+2)(x+3)=x^2+5x+6=0$

나연이는 이차항의 계수와 상수항을 바르게 보고, 현정이는 이차항의 계수와 일차항의 계수를 바르게 보았으므로 처음 이차방정식은 $x^2+5x-6=0$

$(x+6)(x-1)=0$

$\therefore x=-6$ 또는 $x=1$

20 폭이 일정한 길을 오른쪽 그림과 같이 옮겨 그릴 수 있다. 길을 제외한 땅의 넓이는 직사각형의 넓이와 같으므로

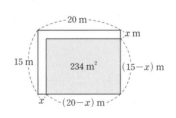

$234=(20-x)(15-x),\ x^2-35x+66=0$

$(x-33)(x-2)=0$ $\therefore x=2$ 또는 $x=33$

그런데 $0<x<15$이므로

$x=2$

21 점 P는 매초 2 cm씩 움직이므로 x초 후에 점 P가 움직인 거리는

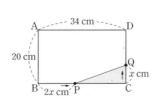

$2x$ cm, 점 Q는 매초 1 cm씩 움직이므로 x초 후에 점 Q가 움직인 거리는 x cm이다.

$\overline{PC}=(34-2x)$cm, $\overline{CQ}=x$ cm이므로

$\triangle PCQ=\dfrac{1}{2}(34-2x)x=-x^2+17x$

이때 $\triangle PCQ$의 넓이가 30 cm^{2}이므로

$-x^2+17x=30$에서

$x^2-17x+30=0,\ (x-2)(x-15)=0$

$\therefore x=2$ 또는 $x=15$

따라서 $\triangle PCQ$의 넓이가 30 cm^{2}가 되는 것은 2초 또는 15초 후이다.

22 x절편이 a이므로 $y=-ax+a+2$에 $x=a$, $y=0$을 대입하면

$0=-a^2+a+2,\ a^2-a-2=0,\ (a+1)(a-2)=0$

$\therefore a=-1$ 또는 $a=2$

그런데 주어진 그래프에서 $-a>0$이므로 $a<0$

$\therefore a=-1$

즉, 주어진 일차함수는

$y=-(-1)x+(-1)+2=x+1$이고,

y절편은 $y=0+1=1$이다.

23 $h=240$인 경우이므로

$240=70t-5t^2$에서

$t^2-14t+48=0,\ (t-6)(t-8)=0$

$\therefore t=6$ 또는 $t=8$

따라서 지면으로부터 물체의 높이가 240 m가 되는 것은 물체를 쏘아 올린 지 6초 후 또는 8초 후이다.

24 $x^2-8x+n=0$에서

$x=\dfrac{-(-4)\pm\sqrt{(-4)^2-1\times n}}{1}$

$=4\pm\sqrt{16-n}$

그런데 해가 정수이므로 중근을 가지거나 근호 안의 수 $16-n$이 완전제곱수이어야 한다.

따라서 $16-n=0$ 또는 $16-n=1$ 또는 $16-n=4$ 또는 $16-n=9$이므로

$n=16$ 또는 $n=15$ 또는 $n=12$ 또는 $n=7$

1 이차함수의 그래프
주제별 실력다지기

본문 138~167쪽

01 ②　　　**02** ③　　　**03** ㄴ, ㄹ　　　**04** ③　　　**05** ④　　　**06** ③　　　**07** ①　　　**08** $\dfrac{3}{2}$

09 ④　　　**10** 2　　　**11** ②, ⑤　　　**12** ①, ③　　　**13** ④　　　**14** (1) $\dfrac{1}{5}<a<2$　(2) $-\dfrac{8}{3}<a<0$

15 ㄴ, ㄷ, ㅁ, ㄱ, ㅂ, ㄹ　　　**16** ㄱ, ㄷ　　　**17** ②　　　**18** $\dfrac{1}{2}$　　　**19** ④　　　**20** ③　　　**21** 5

22 ②, ⑤　　　**23** -11　　　**24** -12　　　**25** ②, ⑤　　　**26** 5　　　**27** ③　　　**28** ④　　　**29** ㄱ, ㄷ, ㄹ

30 ③, ④　　　**31** ⑤　　　**32** ④　　　**33** ③　　　**34** 식 : $y=-\dfrac{1}{3}(x-5)^2-6$, 꼭짓점 : $(5, -6)$, 축 : $x=5$

35 제1, 2사분면　　　**36** -9　　　**37** ③　　　**38** ②　　　**39** 1　　　**40** -1　　　**41** ③

42 ③　　　**43** ④　　　**44** ㄷ, ㅁ　　　**45** ②　　　**46** ⑤　　　**47** ①　　　**48** 제 1, 2사분면

49 ①, ③　　　**50** ③　　　**51** 9　　　**52** ③　　　**53** ④　　　**54** ①　　　**55** ①　　　**56** ④

57 ③　　　**58** $-3, \left(1, -\dfrac{5}{2}\right)$　　　**59** P$(2, 3)$, Q$(2, -2)$　　　**60** ②　　　**61** ⑤　　　**62** ⑤

63 ㄴ, ㄹ　　　**64** ③　　　**65** 제1사분면　　　**66** 모든 사분면　　　**67** ②　　　**68** 3

69 7　　　**70** 4　　　**71** 12　　　**72** $y=\dfrac{3}{2}(x-3)^2-4$ $\left($또는 $y=\dfrac{3}{2}x^2-9x+\dfrac{19}{2}\right)$　　　**73** ⑤

74 -4　　　**75** $y=-\dfrac{7}{9}(x+3)^2+8$ $\left($또는 $y=-\dfrac{7}{9}x^2-\dfrac{14}{3}x+1\right)$　　　**76** $y=(x-3)^2-9$ (또는 $y=x^2-6x$)

77 ④　　　**78** -1　　　**79** 27　　　**80** -4　　　**81** ③　　　**82** ⑤　　　**83** ⑤　　　**84** $\left(-\dfrac{1}{2}, \dfrac{9}{4}\right)$

85 $y=\dfrac{1}{2}x^2-\dfrac{3}{2}x-5$　　　**86** 8　　　**87** ⑤　　　**88** ⑤　　　**89** ①　　　**90** -3　　　**91** -15

92 ④　　　**93** -10　　　**94** -8　　　**95** ②　　　**96** $\dfrac{5}{3}$　　　**97** $\dfrac{5}{2}$　　　**98** ③　　　**99** -3

100 ④　　　**101** $y=-5(x+2)^2-7, (-2, -7)$　　　**102** $y=-\dfrac{1}{2}x^2-4x+5$　　　**103** ④　　　**104** 8

105 60　　　**106** ②　　　**107** $y=-5x+10$　　　**108** 2　　　**109** 8　　　**110** 48　　　**111** $y\geq-6$

112 8　　　**113** ④　　　**114** $a=-\dfrac{3}{2}$　**115** ⑤　　　**116** $-6\leq y\leq 3$　　　**117** -10　　　**118** $-3\leq y\leq 3$

119 0　　　**120** $-\dfrac{9}{2}$　　　**121** ④　　　**122** 4　　　**123** ⑤　　　**124** $0<k<\dfrac{2}{5}$　　　**125** ②

126 $\dfrac{17}{36}$　　　**127** ④　　　**128** ③, ⑤　　　**129** 2　　　**130** 4　　　**131** 1020 m　**132** ②　　　**133** 3초, 45 m

134 10초　　　**135** ④

---

01 ① $y=-x^2-4+x^2=-4$이므로 상수함수이다.

② $y=\dfrac{x^2}{2}-(3-x^2)=\dfrac{3}{2}x^2-3$이므로 이차함수이다.

③ $y=\dfrac{2}{x}+3$은 분수함수이다.

④ $y=-x(x+1)+x^2=-x^2-x+x^2=-x$이므로
　일차함수이다.

⑤ $2x^2+x=0$은 이차방정식이다.

따라서 이차함수인 것은 ②이다.

참고 ③ $y=\dfrac{2}{x}+3$과 같이 y가 변수 x에 대한 분수
식으로 나타나는 함수를 분수함수라 한다.

02 ① $y=x^3$이므로 삼차함수이다.

② $y=nx$이므로 일차함수이다.

③ 가로의 길이가 x cm이고, 둘레의 길이가 a cm이
　면 세로의 길이는
　$\dfrac{1}{2}(a-2x)=\dfrac{1}{2}a-x$ (cm)
　따라서 직사각형의 넓이 y cm²는
　$y=x\left(\dfrac{1}{2}a-x\right)=-x^2+\dfrac{1}{2}ax$
　이므로 이차함수이다.

④ $y=\dfrac{1}{2}\times(x+2x)\times 3=\dfrac{9}{2}x$이므로 일차함수이다.

⑤ $y=2\pi x$이므로 일차함수이다.
따라서 y가 x에 대한 이차함수인 것은 ③이다.

03 ㄱ. $y=4(x+3)=4x+12$ (일차함수)
　ㄴ. 반지름의 길이가 $3x$ cm인 원이므로 넓이는
　　　$y=\pi(3x)^2=9\pi x^2$ (이차함수)
　ㄷ. (거리)=(속력)×(시간)이므로
　　　$y=110x$ (일차함수)
　ㄹ. $y=\dfrac{1}{2}\times 4x\times(3x-2)=6x^2-4x$ (이차함수)
따라서 보기 중 이차함수인 것은 ㄴ, ㄹ이다.

04 $y=x^2-5x+6$의 그래프가 점 $(1,\,a)$를 지나므로
이 식에 $x=1$, $y=a$를 대입하면
$a=1^2-5\times 1+6=2$
또, 점 $(2a,\,b)$, 즉 $(4,\,b)$를 지나므로 $x=4$, $y=b$
를 대입하면
$b=4^2-5\times 4+6=2$
$\therefore ab=2\times 2=4$

05 $y=-3x^2$의 그래프가 점 $(a,\,-6a)$를 지나므로 이
식에 $x=a$, $y=-6a$를 대입하면
$-6a=-3a^2$, $3a^2-6a=0$
$3a(a-2)=0$
$\therefore a=0$ 또는 $a=2$
그런데 $a\neq 0$이므로 $a=2$

06 $y=-x^2+3x$의 그래프가 점 $(-1,\,a)$를 지나므로
이 식에 $x=-1$, $y=a$를 대입하면
$a=-(-1)^2+3\times(-1)$
　$=-1-3=-4$
또, 점 $(b,\,-4)$를 지나므로 $x=b$, $y=-4$를 대입
하면
$-4=-b^2+3b$, $b^2-3b-4=0$
$(b+1)(b-4)=0$
$\therefore b=-1$ 또는 $b=4$
그런데 $b<0$이므로 $b=-1$
$\therefore a+b=-4+(-1)=-5$

07 $f(-1)=5\times(-1)^2+k\times(-1)-1=6$에서
$5-k-1=6$
$\therefore k=-2$

따라서 $f(x)=5x^2-2x-1$이므로
$f(2)=5\times 2^2-2\times 2-1$
　　　$=20-4-1=15$

08 $f(a)=5a^2-\dfrac{3}{2}a+1=10$에서
$5a^2-\dfrac{3}{2}a-9=0$, $10a^2-3a-18=0$
$(5a+6)(2a-3)=0$
$\therefore a=-\dfrac{6}{5}$ 또는 $a=\dfrac{3}{2}$
그런데 a는 양수이므로 $a=\dfrac{3}{2}$

09 $f(-1)=2(-1-1)^2+k=5$에서
$8+k=5$　$\therefore k=-3$
따라서 $f(x)=2(x-1)^2-3$이므로
$f(-2)=2(-2-1)^2-3$
　　　　$=18-3=15$
$\therefore a=15$
$\therefore a+k=15+(-3)=12$

10 $g(x)=f(x+1)$
　　　$=(x+1)^2-3(x+1)+5$
　　　$=x^2+2x+1-3x-3+5$
　　　$=x^2-x+3$
따라서 $g(k)=5$에서
$k^2-k+3=5$, $k^2-k-2=0$
$(k+1)(k-2)=0$　　$\therefore k=-1$ 또는 $k=2$
그런데 $k>0$이므로 $k=2$

11 이차함수 $y=ax^2$의 그래프는
① $a<0$이면 위로 볼록한 포물선이다.
② $a>0$이면 아래로 볼록한 포물선이고, 꼭짓점이
　　$(0,\,0)$이므로 y의 값의 범위는 $y\geq 0$이다.
③ $a<0$이면 $x<0$에서 x의 값이 증가할 때 y의 값
　　도 증가한다.
④ a의 절댓값이 작을수록 그래프의 폭이 넓어진다.
⑤ $a=-\dfrac{1}{4}$이면 $y=-\dfrac{1}{4}x^2$이고 $x=4$일 때,
　　$y=-\dfrac{1}{4}\times 4^2=-4$이므로 그래프는 점 $(4,\,-4)$
　　를 지난다.
따라서 옳은 것은 ②, ⑤이다.

12 ① 그래프가 아래로 볼록한 이차함수는 x^2의 계수가 양수인 ㄴ, ㅁ, ㅂ이다.

② 주어진 모든 그래프는 꼭짓점의 좌표가 $(0, 0)$이 므로 대칭축이 y축이다.

따라서 각 그래프는 모두 y축에 대하여 대칭이다.

③ x^2의 계수의 절댓값이 다르므로 ㄱ과 ㄴ의 그래프 의 폭은 다르다.

④ x축에 대하여 서로 대칭인 이차함수는 ㄷ과 ㅂ, ㄹ과 ㅁ의 2쌍이다.

⑤ x^2의 계수의 절댓값이 작을수록 폭이 넓으므로 ㄴ의 폭이 가장 넓다.

따라서 옳지 않은 것은 ①, ③이다.

13 주어진 그래프에서 a, b, c는 아래로 볼록하므로 이 차항의 계수가 양수이다.

따라서 주어진 이차함수의 식에서 a, b, c에 해당하 는 것은 ㄴ, ㄷ, ㅁ이고, 이차항의 계수의 절댓값이 작을수록 그래프의 폭이 넓어지므로 $a-$ㅁ, $b-$ㄴ, $c-$ㄷ이다.

또, d, e, f는 위로 볼록하므로 이차항의 계수가 음 수이다.

따라서 주어진 이차함수의 식에서 d, e, f에 해당하 는 것은 ㄱ, ㄹ, ㅂ이고, 이차항의 계수의 절댓값이 작을수록 그래프의 폭이 넓어지므로 $d-$ㄹ, $e-$ㅂ, $f-$ㄱ이다.

그러므로 그래프와 그 식이 바르게 짝지어진 것은 ④ 이다.

14 (1) $y=ax^2$의 그래프가 아래로 볼록하므로 $a>0$

$y=ax^2$의 그래프는 $y=\dfrac{1}{5}x^2$의 그래프보다 폭이 좁고, $y=2x^2$의 그래프보다 폭이 넓으므로

$\dfrac{1}{5}<a<2$

(2) $y=ax^2$의 그래프가 위로 볼록하므로 $a<0$

$y=ax^2$의 그래프는 $y=-\dfrac{8}{3}x^2$의 그래프보다 폭 이 넓으므로 a의 절댓값은 $-\dfrac{8}{3}$의 절댓값보다 작 다.

$\therefore -\dfrac{8}{3}<a<0$

15 $y=ax^2$의 그래프에서 a의 절댓값이 클수록 폭이 좁 아진다.

따라서 절댓값이 큰 것부터 순서대로 나열하면 ㄴ, ㄷ, ㅁ, ㄱ, ㅂ, ㄹ이다.

16 $y=ax^2$의 그래프와 $y=dx^2$의 그래프가 x축에 대하 여 서로 대칭이므로 $a=-d$이다.

또, $y=bx^2$의 그래프와 $y=cx^2$의 그래프도 x축에 대 하여 서로 대칭이므로 $b=-c$이다.

ㄱ. $a+b+c+d=(-d)+(-c)+c+d=0$

ㄴ. $y=bx^2$의 그래프와 $y=cx^2$의 그래프는 폭이 같 으므로 $|b|=|c|$이고, $y=cx^2$의 그래프는 $y=dx^2$의 그래프보다 폭이 넓으므로 $|c|<|d|$ 이다.

$\therefore |b|<|d|$

ㄷ. $y=ax^2$과 $y=bx^2$의 그래프는 아래로 볼록하므 로 $a>0$, $b>0$

또, $y=cx^2$과 $y=dx^2$의 그래프는 위로 볼록하므 로 $c<0$, $d<0$

$\therefore abcd>0$

ㄹ. 그래프가 아래로 볼록하면서 폭이 가장 좁은 이 차함수의 식은 $y=ax^2$이므로 a, b, c, d 중 가장 큰 값은 a이다.

따라서 보기 중 옳은 것은 ㄱ, ㄷ이다.

17 꼭짓점의 좌표가 $(0, 0)$이므로 이차함수의 식을 $y=ax^2$ $(a\neq0)$으로 놓을 수 있다.

이 그래프가 점 $(1, -3)$을 지나므로 이 식에 $x=1$, $y=-3$을 대입하면

$-3=a\times1^2$ $\therefore a=-3$

따라서 이차함수의 식은 $y=-3x^2$이다.

이 그래프가 점 $(-5, k)$를 지나므로 이 식에

$x=-5$, $y=k$를 대입하면

$k=-3\times(-5)^2=-75$

18 점 $A(0, 8)$을 지나고 x축에 평행한 직선의 방정식 은 $y=8$이므로 $y=2x^2$에 $y=8$을 대입하면

$8=2x^2$, $x^2=4$

$\therefore x=\pm2$

따라서 $B(2, 8)$이고

$\overline{AB}=\overline{BC}$이므로 $C(4, 8)$이 다. 이때 점 C는 $y=ax^2$의

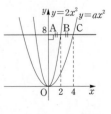

그래프 위의 점이므로 $y=ax^2$에 $x=4$, $y=8$을 대입 하면

$$8 = a \times 4^2 \qquad \therefore a = \frac{1}{2}$$

19 ① $y = 2x^2 - 5$의 그래프는 $y = 2x^2$의 그래프를 y축의 방향으로 -5만큼 평행이동한 것이다.

② 꼭짓점의 좌표는 $(0, -5)$이다.

③ 아래로 볼록한 포물선이고, 꼭짓점의 좌표가 $(0, -5)$이므로 y의 값의 범위는 $y \geq -5$이다.

④ 2의 절댓값이 -3의 절댓값보다 작으므로 $y = 2x^2 - 5$의 그래프는 $y = -3x^2$의 그래프보다 폭이 넓다.

⑤ $x > 0$일 때, x의 값이 증가하면 y의 값도 증가한다.

따라서 옳지 않은 것은 ④이다.

20 $y = 5x^2 + 2$의 그래프를 y축의 방향으로 m만큼 평행이동한 그래프의 식은

$$y = 5x^2 + 2 + m$$

이 그래프가 $y = nx^2 - 1$의 그래프와 일치하므로

$$5 = n, \ 2 + m = -1$$

따라서 $m = -3, \ n = 5$이므로

$$m + n = -3 + 5 = 2$$

21 $y = -3x^2$의 그래프를 y축의 방향으로 q만큼 평행이동한 그래프의 식은

$$y = -3x^2 + q$$

이 그래프가 점 $(-1, 2)$를 지나므로

이 식에 $x = -1, \ y = 2$를 대입하면

$$2 = -3 \times (-1)^2 + q, \ 2 = -3 + q$$

$$\therefore q = 5$$

22 이차함수 $y = \frac{1}{3}(x + 10)^2$의 그래프에서

① 꼭짓점의 좌표는 $(-10, 0)$이다.

③ 이차항의 계수가 양수이므로 아래로 볼록한 포물선이다.

④ x의 값이 증가할 때 y의 값도 증가하는 x의 값의 범위는 $x > -10$이다.

따라서 옳은 것은 ②, ⑤이다.

23 평행이동에 의해 그래프의 폭은 변하지 않으므로

$$a = -6$$

평행이동한 그래프의 꼭짓점의 좌표가 $(-5, 0)$이므로

$$p = -5$$

$$\therefore a + p = -6 + (-5) = -11$$

24 $y = -\frac{3}{4}x^2$의 그래프를 x축의 방향으로 5만큼 평행이동한 그래프의 식은

$$y = -\frac{3}{4}(x - 5)^2$$

이 그래프가 점 $(1, k)$를 지나므로

이 식에 $x = 1, \ y = k$를 대입하면

$$k = -\frac{3}{4}(1 - 5)^2 = -12$$

25 경계선을 포함한 어두운 부분에만 그래프가 그려지려면 이차함수의 식이 $y = a(x + 1)^2$의 꼴이고, 다음 조건을 만족해야 한다.

(i) $a > 0$일 때,

$y = (x + 1)^2$의 그래프보다 폭이 넓거나 같아야 하므로

$$a \leq 1 \qquad \therefore 0 < a \leq 1$$

(ii) $a < 0$일 때,

$y = -\frac{1}{3}(x + 1)^2$의 그래프보다 폭이 넓거나 같아야 하므로

$$a \geq -\frac{1}{3} \qquad \therefore -\frac{1}{3} \leq a < 0$$

① x^2의 계수가 1보다 크므로 조건을 만족하지 않는다.

② $y = \frac{1}{2}(x + 1)^2$에서 $0 < \frac{1}{2} \leq 1$이고, 꼭짓점의 좌표가 $(-1, 0)$이므로 어두운 부분에만 그래프가 그려진다.

③ x^2의 계수 $\frac{1}{3}$이 $0 < \frac{1}{3} \leq 1$이므로 조건을 만족하지만 꼭짓점의 좌표가 $(1, 0)$이므로 어둡지 않은 부분에도 그래프가 그려진다.

④ x^2의 계수가 $-\frac{1}{3}$보다 작으므로 조건을 만족하지 않는다.

⑤ $y = -\frac{1}{4}x^2 - \frac{1}{2}x - \frac{1}{4} = -\frac{1}{4}(x^2 + 2x + 1)$

$$= -\frac{1}{4}(x + 1)^2$$

에서 $-\frac{1}{3} \leq -\frac{1}{4} < 0$이고, 꼭짓점의 좌표가 $(-1, 0)$이므로 어두운 부분에만 그래프가 그려진다.

따라서 어두운 부분에만 그래프가 그려지는 이차함수의 식은 ②, ⑤이다.

26 $y=2(x-4)^2=2(x+1-5)^2$
이므로 $y=2(x-4)^2$의 그래프는 $y=2(x+1)^2$의 그래프를 x축의 방향으로 5만큼 평행이동한 것이다.
즉, $y=2(x+1)^2$의 그래프를 x축의 방향으로 5만큼 평행이동하면 점 A는 점 B로 이동하므로 $\overline{AB}$의 길이는 5이다.

27 $y=-3x^2$의 그래프를 평행이동하여 완전히 포개어지려면 x^2의 계수가 같아야 하므로 x^2의 계수가 -3이 아닌 것을 찾는다.
③ $y=3(2-x)^2+5=3(x-2)^2+5$는 x^2의 계수가 3이므로
$y=-3x^2$의 그래프를 평행이동하여 완전히 포개어지지 않는다.
④ $y=3(2-x)(2+x)=-3x^2+12$

28 ④ $p=q=0$인 경우에만 $y=a(x-p)^2+q$의 그래프와 $y=-ax^2$의 그래프가 x축에 대하여 대칭이다.

29 ㄱ. x^2의 계수의 절댓값이 같으면 그래프의 폭이 같으므로 이차함수 $y=a(x-p)^2+q$의 그래프와 이차함수 $y=-ax^2$의 그래프는 폭이 같다.
ㄴ. $a>0$이면 y의 값의 범위는 $y\geq q$이고,
$a<0$이면 y의 값의 범위는 $y\leq q$이다.
ㄷ. $a>0$, $q<0$이면 그래프는 오른쪽 그림과 같다.
따라서 x축과 항상 두 점에서 만난다.

ㄹ. $q=0$이면 꼭짓점이 $(p, 0)$으로 x축 위에 있으므로 x축과 오직 한 점에서 만난다.
따라서 보기 중 옳은 것은 ㄱ, ㄷ, ㄹ이다.

30 ① 축의 방정식은 $x=-2$이다.
② y의 값의 범위는 $y\leq 8$이다.
③ 꼭짓점의 좌표가 $(-2, 8)$이므로 이차함수의 식을 $y=a(x+2)^2+8$로 놓을 수 있다.
이때 점 $(0, 4)$를 지나므로 이 식에 $x=0$, $y=4$를 대입하면
$4=4a+8$ ∴ $a=-1$
따라서 그래프의 식은 $y=-(x+2)^2+8$이다.
④ 주어진 그래프의 식은 $y=-(x+2)^2+8$이고,
$y=x^2$과 이차항의 계수의 절댓값이 같으므로

$y=x^2$의 그래프와 폭이 같다.
⑤ $y=-x^2$의 그래프를 x축의 방향으로 -2만큼, y축의 방향으로 8만큼 평행이동한 것이다.
따라서 옳은 것은 ③, ④이다.

31 이차함수 $y=a(x-p)^2+q$에서 축의 방정식은 $x=p$이므로 주어진 이차함수의 그래프의 축의 방정식을 각각 구하면
① $y=-(x+1)^2$에서 $x=-1$
② $y=(2x+2)^2=4(x+1)^2$에서 $x=-1$
③ $y=3(x+1)^2-1$에서 $x=-1$
④ $y=\dfrac{1}{5}(-x-1)^2+6=\dfrac{1}{5}(x+1)^2+6$에서 $x=-1$
⑤ $y=-2(x-1)^2-4$에서 $x=1$
따라서 축의 방정식이 나머지 넷과 다른 하나는 ⑤이다.

32 이차함수 $y=3(x+2)^2-5$의 그래프의 축의 방정식은 $x=-2$이고, 아래로 볼록한 포물선이므로 x의 값이 증가할 때 y의 값도 증가하는 x의 값의 범위는 $x>-2$이다.

33 $y=-2x^2$의 그래프를 x축의 방향으로 1만큼, y축의 방향으로 7만큼 평행이동한 그래프의 식은
$y=-2(x-1)^2+7$
따라서 꼭짓점의 좌표는 $(1, 7)$이고, 위로 볼록한 포물선이다.
또, $x=0$일 때
$y=-2\times 1+7=5$, 즉
점 $(0, 5)$를 지나므로 그래프는 오른쪽 그림과 같다.
따라서 그래프는 모든 사분면을 지나므로 옳지 않은 것은 ③이다.

34 $y=-\dfrac{1}{3}x^2$의 그래프를 x축의 방향으로 5만큼, y축의 방향으로 -6만큼 평행이동한 그래프의 식은
$y=-\dfrac{1}{3}(x-5)^2-6$이다.
따라서 꼭짓점의 좌표는 $(5, -6)$, 축의 방정식은 $x=5$이다.

35 $y=\dfrac{2}{3}x^2$의 그래프를 x축의 방향으로 -4만큼, y축의 방향으로 1만큼 평행이동한 그래프의 식은

$y=\dfrac{2}{3}(x+4)^2+1$

따라서 평행이동한 그래프는 꼭짓점의 좌표가 $(-4,\ 1)$이고, 아래로 볼록한 포물선이므로 오른쪽 그림과 같다. 그러므로 그래프가 지나는 사분면은 제1, 2사분면이다.

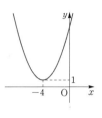

36 $y=-4x^2$의 그래프를 x축의 방향으로 3만큼, y축의 방향으로 -5만큼 평행이동한 그래프의 식은

$y=-4(x-3)^2-5$

이 그래프가 점 $(2,\ k)$를 지나므로

이 식에 $x=2,\ y=k$를 대입하면

$k=-4(2-3)^2-5=-9$

37 $y=a(x-4)^2+3$의 그래프가 점 $(2,\ -1)$을 지나므로 이 식에 $x=2,\ y=-1$을 대입하면

$-1=a(2-4)^2+3,\ 4a+3=-1$

$\therefore a=-1$

따라서 주어진 이차함수의 식은 $y=-(x-4)^2+3$이고 이 그래프가 점 $(0,\ b)$를 지나므로 이 식에 $x=0,\ y=b$를 대입하면

$b=-(0-4)^2+3=-16+3=-13$

$\therefore a-b=-1-(-13)=12$

38 $y=a(x+1)^2-q$의 그래프가 점 $(1,\ -2)$를 지나므로 이 식에 $x=1,\ y=-2$를 대입하면

$-2=a(1+1)^2-q$

$\therefore 4a-q=-2$ ...... ㉠

또, 점 $(0,\ 4)$를 지나므로 $x=0,\ y=4$를 대입하면

$4=a(0+1)^2-q$

$\therefore a-q=4$ ...... ㉡

㉠, ㉡을 연립하여 풀면

$a=-2,\ q=-6$

따라서 주어진 이차함수는 $y=-2(x+1)^2+6$이므로 이 그래프의 꼭짓점의 좌표는 $(-1,\ 6)$이다.

39 $y=a(x+p)^2+3$의 그래프에서 축의 방정식은

$x=-p$이므로

$-p=-2$ $\therefore p=2$

따라서 주어진 이차함수의 식은 $y=a(x+2)^2+3$이고, 이 그래프가 점 $(-1,\ 5)$를 지나므로

이 식에 $x=-1,\ y=5$를 대입하면

$5=a(-1+2)^2+3,\ a+3=5$

$\therefore a=2$

$\therefore \dfrac{a}{p}=\dfrac{2}{2}=1$

40 $y=-\dfrac{1}{2}(x-p)^2+5$의 그래프가 점 $(0,\ -3)$을 지나므로 이 식에 $x=0,\ y=-3$을 대입하면

$-3=-\dfrac{1}{2}(0-p)^2+5$

$-\dfrac{1}{2}p^2=-8$

$p^2=16$ $\therefore p=-4\ (\because p<0)$

따라서 이차함수의 식은 $y=-\dfrac{1}{2}(x+4)^2+5$이고

이 그래프가 점 $(-2,\ k)$를 지나므로

이 식에 $x=-2,\ y=k$를 대입하면

$k=-\dfrac{1}{2}(-2+4)^2+5=-2+5=3$

$\therefore p+k=-4+3=-1$

41 그래프의 모양이 아래로 볼록하므로 $a>0$이고, 꼭짓점이 제3사분면 위에 있으므로 $p<0,\ q<0$이다.

42 제1, 2, 4사분면은 지나고 제3사분면은 지나지 않으므로 이차함수 $y=a(x+p)^2+q$의 그래프는 오른쪽 그림과 같다.

따라서 그래프는 아래로 볼록하므로 $a>0$

또, 꼭짓점은 $(-p,\ q)$이고, 이것이 제4사분면 위에 있으므로 $-p>0,\ q<0$

$\therefore a>0,\ p<0,\ q<0$

43 주어진 그래프는 위로 볼록하므로 $a<0$

꼭짓점이 제4사분면 위에 있으므로 $p>0,\ q<0$

② $a<0,\ p>0$이므로 $a+p$는 양수일 수도 있고 음수일 수도 있다.

③ $p>0,\ q<0$이므로 $pq<0$

④ $p>0,\ q<0$이므로 $p-q>0$

⑤ $a<0,\ p>0,\ q<0$이므로 $apq>0$

따라서 항상 옳은 것은 ④이다.

44 제2, 3, 4사분면은 지나고 제1
사분면은 지나지 않으므로 이차
함수 $y=a(x-p)^2+q$의 그래
프는 오른쪽 그림과 같다.

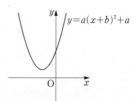

ㄱ. 그래프는 위로 볼록하므로
  $a<0$
ㄴ, ㄷ. 꼭짓점이 제2사분면 위에 있으므로 $p<0$,
  $q>0$
ㄹ. $a<0$, $q>0$이므로 $a-q<0$
ㅁ. $a<0$, $p<0$이므로 $ap>0$
  또, $q>0$이므로 $ap+q>0$
따라서 보기 중 옳은 것은 ㄷ, ㅁ이다.

45 주어진 그래프는 위로 볼록하므로 $a<0$
꼭짓점의 x좌표가 음수이고 꼭짓점이 x축 위에 있으
므로 $p<0$, $q=0$
따라서 $y=p(x+q)^2+a$의
그래프는 $p<0$이므로 위로
볼록한 포물선이다.

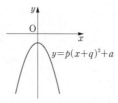

또, 꼭짓점은 $(-q,\ a)$이고
$-q=0$, $a<0$이므로 y축 위
에 있고 이때의 y좌표는 음수이다.
따라서 그 그래프는 위의 그림과 같으므로 제3, 4사
분면을 지난다.

46 이차함수 $y=a(x-p)^2+q$에

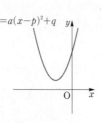

서 $a>0$이므로 그래프는 아래
로 볼록하고, $p<0$, $q>0$이므
로 꼭짓점은 제2사분면 위에
있다.
따라서 $y=a(x-p)^2+q$의 그래프는 위의 그림과
같으므로 그래프가 지나지 않는 사분면은 제3, 4사
분면이다.

47 $a<0$이므로 이차함수의 그래프는 위로 볼록하고
$p<0$, $q>0$이므로 꼭짓점 $(p,\ q)$는 제2사분면 위
에 있다.
따라서 $y=a(x-p)^2+q$의 그래프로 알맞은 것은
①이다.

48 주어진 일차함수 $y=ax+b$의 그래프의 기울기가 양
수이므로 $a>0$
또, y절편이 양수이므로 $b>0$
따라서 이차함수 $y=a(x+b)^2+a$의 그래프는 $a>0$

이므로 아래로 볼록하고, $-b<0$, $a>0$이므로 꼭짓
점 $(-b,\ a)$는 제2사분면 위에 있다.
따라서 $y=a(x+b)^2+a$
의 그래프는 오른쪽 그림
과 같고 제1, 2사분면을
지난다.

49 $y=ax^2+bx+c=a\left(x+\dfrac{b}{2a}\right)^2-\dfrac{b^2-4ac}{4a}$

① 꼭짓점의 좌표는 $\left(-\dfrac{b}{2a},\ -\dfrac{b^2-4ac}{4a}\right)$이므로
  a의 값이 변하면 꼭짓점의 좌표도 변한다.
② 이차함수 $y=-ax^2-bx-c$의 그래프와 x축에
  대하여 대칭이다.
③ $y=ax^2+bx+c$에 $x=0$을 대입하면 $y=c$
  ∴ $(0,\ c)$
④ 축의 방정식은 $x=-\dfrac{b}{2a}$이다.
⑤ $y=ax^2$의 그래프를 x축의 방향으로 $-\dfrac{b}{2a}$만큼,
  y축의 방향으로 $-\dfrac{b^2-4ac}{4a}$만큼 평행이동한 것
  이다.

50 $y=2x^2+12x+11$
$=2(x^2+\boxed{6x})+11$
$=2(x^2+\boxed{6x}+9-\boxed{9})+11$
$=2(x+3)^2+11+(\boxed{-18})$
$=2(x+3)^2+(\boxed{-7})$
따라서 꼭짓점의 좌표는 $\boxed{(-3,\ -7)}$이다.

51 $y=ax^2+6x+8$을 표준형으로 바꾸어도 a의 값은 변
하지 않으므로 $a=-3$
∴ $y=-3x^2+6x+8$
$=-3(x^2-2x+1-1)+8$
$=-3(x-1)^2+8+3$
$=-3(x-1)^2+11$
따라서 $p=1$, $q=11$이므로
$a+p+q=-3+1+11=9$

52 $y=\dfrac{1}{4}x^2+x+2$
$=\dfrac{1}{4}(x^2+4x+4-4)+2$
$=\dfrac{1}{4}(x+2)^2+2-1$
$=\dfrac{1}{4}(x+2)^2+1$

따라서 $a=\dfrac{1}{4}$, $p=-2$, $q=1$이므로

$$4a+p+q=4\times\dfrac{1}{4}+(-2)+1=0$$

53 $y=2x^2+ax+5=2\left(x+\dfrac{a}{4}\right)^2+5-\dfrac{a^2}{8}$이므로

$-\dfrac{a}{4}=-1$, $5-\dfrac{a^2}{8}=b$ $\therefore a=4$, $b=3$

$\therefore a-b=4-3=1$

54
$$\begin{aligned}y&=5x^2+10x-3\\&=5(x^2+2x+1-1)-3\\&=5(x+1)^2-3-5\\&=5(x+1)^2-8\end{aligned}$$

에서 축의 방정식은 $x=-1$이고 이차항의 계수가 양수이므로 그래프는 오른쪽 그림과 같이 아래로 볼록한 포물선이다.

따라서 x의 값이 증가할 때 y의 값은 감소하는 x의 값의 범위는 $x<-1$이다.

55
$$\begin{aligned}y&=-3x^2+6x+1\\&=-3(x^2-2x+1-1)+1\\&=-3(x-1)^2+1+3\\&=-3(x-1)^2+4\end{aligned}$$

따라서 $y=-3x^2+6x+1$의 그래프의 꼭짓점의 좌표는 $(1,4)$이고, x^2의 계수가 음수이므로 위로 볼록한 포물선이다. 또, y절편은 1이므로 이 이차함수의 그래프를 좌표평면에 나타내면 위의 그림과 같다.

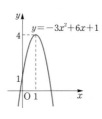

56 이차함수의 그래프가 x축과 한 점에서 만나려면 표준형으로 나타내었을 때, $y=a(x-p)^2(a\neq0)$의 꼴이어야 한다.

① $y=-x^2+2x$
$=-(x^2-2x+1-1)$
$=-(x-1)^2+1$

② $y=4x^2-4x-1$
$=4\left(x^2-x+\dfrac{1}{4}-\dfrac{1}{4}\right)-1$
$=4\left(x-\dfrac{1}{2}\right)^2-1-1$
$=4\left(x-\dfrac{1}{2}\right)^2-2$

③ $y=-2x^2-4x-1$
$=-2(x^2+2x+1-1)-1$
$=-2(x+1)^2-1+2$
$=-2(x+1)^2+1$

④ $y=2x^2-4x+2$
$=2(x^2-2x+1)$
$=2(x-1)^2$

⑤ $y=\dfrac{1}{2}x^2-x-\dfrac{1}{2}$
$=\dfrac{1}{2}(x^2-2x+1-1)-\dfrac{1}{2}$
$=\dfrac{1}{2}(x-1)^2-\dfrac{1}{2}-\dfrac{1}{2}$
$=\dfrac{1}{2}(x-1)^2-1$

따라서 x축과 한 점에서 만나는 이차함수는 ④이다.

57 각 이차함수의 그래프를 그리면 다음과 같다.

① $y=x^2-2x+6$
$=(x^2-2x+1-1)+6$
$=(x-1)^2+5$

이므로 꼭짓점의 좌표는 $(1,5)$이고 아래로 볼록하며 y절편은 6이다. 따라서 그 그래프는 오른쪽 그림과 같이 제1, 2사분면을 지난다.

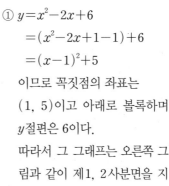

② $y=x^2-8$에서 꼭짓점의 좌표는 $(0,-8)$이고 아래로 볼록하며 y절편은 -8이다. 따라서 그 그래프는 오른쪽 그림과 같이 모든 사분면을 지난다.

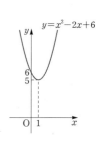

③ $y=3x^2-12x+7$
$=3(x^2-4x+4-4)+7$
$=3(x-2)^2-5$

이므로 꼭짓점의 좌표는 $(2,-5)$이고 아래로 볼록하며 y절편은 7이다.

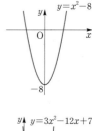

따라서 그 그래프는 오른쪽 그림과 같이 제1, 2, 4사분면을 지난다.

④ $y=-2x^2-4x+5$
$=-2(x^2+2x+1-1)+5$
$=-2(x+1)^2+7$

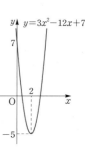

이므로 꼭짓점의 좌표는 $(-1, 7)$이고 위로 볼록하며 y절편은 5이다.

따라서 그 그래프는 오른쪽 그림과 같이 모든 사분면을 지난다.

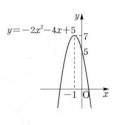

⑤ $y=-\dfrac{1}{2}(x-4)^2+9$에서 꼭짓점의 좌표는 $(4, 9)$이고 위로 볼록하며 y절편은 1이다.

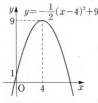

따라서 그 그래프는 오른쪽 그림과 같이 모든 사분면을 지난다.

그러므로 그래프가 제3사분면을 제외한 모든 사분면을 지나는 이차함수는 ③이다.

58 $y=-\dfrac{1}{2}x^2+x+k$의 그래프가 점 $(-2, -7)$을 지나므로 이 식에 $x=-2$, $y=-7$을 대입하면

$-7=-\dfrac{1}{2}\times(-2)^2+(-2)+k$

$-7=-2-2+k$

$\therefore k=-3$

따라서 주어진 이차함수의 식은

$y=-\dfrac{1}{2}x^2+x-3$

$\quad=-\dfrac{1}{2}(x^2-2x+1-1)-3$

$\quad=-\dfrac{1}{2}(x-1)^2-3+\dfrac{1}{2}$

$\quad=-\dfrac{1}{2}(x-1)^2-\dfrac{5}{2}$

그러므로 꼭짓점의 좌표는 $\left(1, -\dfrac{5}{2}\right)$이다.

59 두 점 P, Q의 x좌표를 k라 하면

P$(k, k^2-6k+11)$, Q$(k, -k^2+2k-2)$

주어진 조건에서 $\overline{PQ}=5$이므로

$k^2-6k+11-(-k^2+2k-2)=5$

$2k^2-8k+8=0$, $k^2-4k+4=0$

$(k-2)^2=0$ $\quad\therefore k=2$

따라서 점 P의 y좌표는

$k^2-6k+11=2^2-6\times2+11=3$

$\therefore$ P$(2, 3)$

또, 점 Q의 y좌표는

$-k^2+2k-2=-2^2+2\times2-2=-2$

$\therefore$ Q$(2, -2)$

60 주어진 이차함수 $y=ax^2+bx+c$의 그래프가 아래로 볼록하므로 $a>0$

축이 y축의 왼쪽에 있으므로 a, b의 부호는 같다.

$\therefore b>0$

y축과의 교점이 x축의 아래쪽에 있으므로 $c<0$

$\therefore a>0$, $b>0$, $c<0$

참고 이차함수 $y=ax^2+bx+c$의 그래프에서 축의 방정식은 $x=-\dfrac{b}{2a}$이므로 축이 y축의 왼쪽에 있으면 $-\dfrac{b}{2a}<0$, 즉 $\dfrac{b}{2a}>0$이므로 a, b의 부호는 같고, 축이 y축의 오른쪽에 있으면 $-\dfrac{b}{2a}>0$, 즉 $\dfrac{b}{2a}<0$이므로 a, b의 부호는 다르다.

61 주어진 이차함수 $y=ax^2+bx+c$의 그래프에서

① 위로 볼록하므로 $a<0$

② 축이 y축의 오른쪽에 위치하므로 a, b의 부호는 다르다.

$\quad\therefore b>0$

③ y축과의 교점이 x축의 위쪽에 위치하므로 $c>0$

④ $x=1$일 때, $y>0$이므로 $y=ax^2+bx+c$에 $x=1$을 대입하면 $y=a+b+c>0$

⑤ $x=-1$일 때, $y=0$이므로 $y=ax^2+bx+c$에 $x=-1$을 대입하면 $y=a-b+c=0$

따라서 옳지 않은 것은 ⑤이다.

62 ① 그래프가 아래로 볼록하므로 $a>0$이다.

② 대칭축이 y축의 왼쪽에 위치하므로 a, b의 부호는 같다. $\quad\therefore b>0$

③ y축과의 교점이 x축의 아래쪽에 위치하므로 $c<0$

④ $x=-1$일 때, $y<0$이므로 $y=ax^2+bx+c$에 $x=-1$을 대입하면 $y=a-b+c<0$

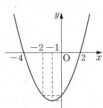

⑤ $x=-2$일 때, $y<0$이므로 $y=ax^2+bx+c$에 $x=-2$를 대입하면 $y=4a-2b+c<0$

따라서 옳지 않은 것은 ⑤이다.

63 ㄱ. 그래프가 아래로 볼록하므로 $a>0$이고, 축이 y축의 왼쪽에 위치하므로 a, b의 부호는 같다.
  $\therefore b>0$
  또, 그래프와 y축과의 교점이 x축의 아래쪽에 위치하므로 $c<0$

ㄴ. $x=1$일 때, $y>0$이므로
  $y=ax^2+bx+c$에 $x=1$을 대입하면
  $y=a+b+c>0$

ㄷ. $x=-1$일 때, $y<0$이므로
  $y=ax^2+bx+c$에 $x=-1$을 대입하면
  $y=a-b+c<0$

ㄹ. $x=-2$일 때, $y<0$이므로
  $y=ax^2+bx+c$에 $x=-2$를 대입하면
  $y=4a-2b+c<0$

따라서 옳지 않은 것은 ㄴ, ㄹ이다.

64 $y=ax^2+bx+c$에서 $a<0$이므로 그래프는 위로 볼록한 포물선이고, $b<0$에서 a, b의 부호가 같으므로 축이 y축의 왼쪽에 위치한다.

또, $c>0$이므로 y축과의 교점이 x축의 위쪽에 위치한다.
따라서 이차함수 $y=ax^2+bx+c$의 그래프는 위의 그림과 같다.

65 $y=ax^2+bx+c$에서 $a<0$이므로 그래프는 위로 볼록한 포물선이고, $c=0$이므로 y축과 원점에서 만난다. 또, 꼭짓점이 제2사분면에 있으므로 그래프는 오른쪽 그림과 같다.

따라서 이 그래프가 지나지 않는 사분면은 제1사분면이다.

66 $c\neq0$일 때, 이차함수 $y=ax^2+bx+c$의 그래프가 제1, 2, 4사분면은 지나고 제3사분면은 지나지 않는 경우는 오른쪽 그림과 같다. 이때 그래프는 아래로 볼록하므로 $a>0$
축이 y축의 오른쪽에 위치하므로 a, b의 부호는 다르다. $\therefore b<0$

또, y축과의 교점이 x축의 위쪽에 위치하므로 $c>0$
따라서 이차함수 $y=bx^2+cx+a$의 그래프는 $b<0$이므로 위로 볼록한 포물선이고, b, c의 부호가 다르므로 축은 y축의 오른쪽에 위치, $a>0$이므로 y축과의 교점은 x축의 위쪽에 위치한다.

그러므로 $y=bx^2+cx+a$의 그래프는 위의 그림과 같고, 모든 사분면을 지난다.

67 이차함수 $y=ax^2+bx+c$의 그래프가 모든 사분면을 지나므로
(i) $a>0$일 때,
  오른쪽 그림과 같이 그래프와 y축과의 교점이 x축의 아래쪽에 위치해야 한다.
  $\therefore c<0$

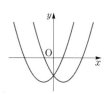

(ii) $a<0$일 때,
  오른쪽 그림과 같이 그래프와 y축과의 교점이 x축의 위쪽에 위치해야 한다.
  $\therefore c>0$

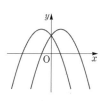

(i), (ii)에 의해 항상 옳은 것은 ② $ac<0$이다.

68 꼭짓점의 좌표가 $(3, -1)$이므로
$p=3$, $q=-1$
따라서 주어진 이차함수는
$y=a(x-3)^2-1$
이 이차함수의 그래프가 점 $(0, 8)$을 지나므로
이 식에 $x=0$, $y=8$을 대입하면
$8=9a-1$ $\therefore a=1$
$\therefore a+p+q=1+3+(-1)=3$

69 꼭짓점의 좌표가 $(2, 7)$이므로
$p=-2$, $q=7$
따라서 주어진 이차함수는
$y=a(x-2)^2+7$
이 이차함수의 그래프가 점 $(0, 5)$를 지나므로
이 식에 $x=0$, $y=5$를 대입하면
$5=4a+7$, $4a=-2$ $\therefore a=-\dfrac{1}{2}$
$\therefore apq=-\dfrac{1}{2}\times(-2)\times7=7$

70 평행이동에 의해 그래프의 폭은 변하지 않으므로
$a=2$
평행이동한 그래프의 꼭짓점의 좌표가 $(1, 1)$이므로
$p=1$, $q=1$
$\therefore a+p+q=2+1+1=4$

71 주어진 이차함수의 그래프의 꼭짓점의 좌표가
$(-2, -1)$이므로 구하는 이차함수의 식을
$y=a(x+2)^2-1$로 놓을 수 있다.
이 이차함수의 그래프가 점 $(0, 3)$을 지나므로
이 식에 $x=0$, $y=3$을 대입하면
$3=a(0+2)^2-1$, $4a-1=3$
$\therefore a=1$
따라서 구하는 이차함수의 식은 $y=(x+2)^2-1$, 즉
$y=x^2+4x+3$이므로
$a=1$, $b=4$, $c=3$
$\therefore abc=1\times4\times3=12$

72 $y=\dfrac{1}{3}x^2-2x-1$
$\quad=\dfrac{1}{3}(x^2-6x+9-9)-1$
$\quad=\dfrac{1}{3}(x-3)^2-1-3$
$\quad=\dfrac{1}{3}(x-3)^2-4$
이므로 꼭짓점의 좌표는 $(3, -4)$이다.
따라서 구하는 이차함수의 식을 $y=a(x-3)^2-4$
로 놓을 수 있다.
이 이차함수의 그래프가 점 $(1, 2)$를 지나므로
이 식에 $x=1$, $y=2$를 대입하면
$2=a(1-3)^2-4$, $4a-4=2$
$\therefore a=\dfrac{3}{2}$
따라서 구하는 이차함수의 식은
$y=\dfrac{3}{2}(x-3)^2-4\left(\text{또는 } y=\dfrac{3}{2}x^2-9x+\dfrac{19}{2}\right)$

73 꼭짓점의 좌표가 $(2, 5)$이므로 구하는 이차함수의
식을 $y=a(x-2)^2+5$로 놓을 수 있다.
이 이차함수의 그래프가 점 $(-1, -4)$를 지나므로
이 식에 $x=-1$, $y=-4$를 대입하면
$-4=a(-1-2)^2+5$, $9a+5=-4$ $\quad\therefore a=-1$
따라서 이차함수의 식은 $y=-(x-2)^2+5$이고 이

이차함수의 그래프가 점 $(4, k)$를 지나므로
이 식에 $x=4$, $y=k$를 대입하면
$k=-(4-2)^2+5=-4+5=1$

74 꼭짓점의 x좌표가 2이고 x축에 접하므로 이차함수
$y=ax^2+bx+c$의 그래프의 꼭짓점의 좌표는
$(2, 0)$이다.
따라서 주어진 이차함수의 식을
$y=a(x-2)^2$으로 놓을 수 있다.
이 이차함수의 그래프가 점 $(1, -4)$를 지나므로
이 식에 $x=1$, $y=-4$를 대입하면
$-4=a(1-2)^2$ $\quad\therefore a=-4$
따라서 구하는 이차함수의 식은
$y=-4(x-2)^2=-4x^2+16x-16$이므로
$a=-4$, $b=16$, $c=-16$
$\therefore a+b+c=-4+16+(-16)=-4$

75 주어진 그래프의 꼭짓점의 좌표가 $(0, 8)$이므로 이
차함수의 식을 $y=ax^2+8$로 놓을 수 있다.
이 이차함수의 그래프가 점 $(3, 1)$을 지나므로
이 식에 $x=3$, $y=1$을 대입하면
$1=9a+8$ $\quad\therefore a=-\dfrac{7}{9}$
따라서 주어진 그래프를 나타내는 이차함수의 식은
$y=-\dfrac{7}{9}x^2+8$이고, 이 그래프를 x축의 방향으로
-3만큼 평행이동한 그래프의 식은
$y=-\dfrac{7}{9}(x+3)^2+8\left(\text{또는 } y=-\dfrac{7}{9}x^2-\dfrac{14}{3}x+1\right)$

76 축의 방정식이 $x=3$이므로 구하는 이차함수의 식을
$y=a(x-3)^2+q$로 놓을 수 있다. 이 그래프가 두
점 $(0, 0)$, $(1, -5)$를 지나므로 각 점의 좌표를 대
입하면
$0=a(0-3)^2+q$에서 $9a+q=0$ $\quad\cdots\cdots$ ㉠
$-5=a(1-3)^2+q$에서 $4a+q=-5$ $\quad\cdots\cdots$ ㉡
㉠, ㉡을 연립하여 풀면
$a=1$, $q=-9$
따라서 구하는 이차함수의 식은
$y=(x-3)^2-9$ (또는 $y=x^2-6x$)

77 축의 방정식이 $x=5$이므로 이차함수의 식을
$y=a(x-5)^2+q$로 놓을 수 있다.
이 그래프가 두 점 $(3, 2)$, $(8, -3)$을 지나므로 각
점의 좌표를 대입하면
$2=a(3-5)^2+q$에서 $4a+q=2$ ······ ㉠
$-3=a(8-5)^2+q$에서 $9a+q=-3$ ······ ㉡
㉠, ㉡을 연립하여 풀면
$a=-1$, $q=6$
따라서 조건을 만족하는 이차함수의 식은
$y=-(x-5)^2+6$이므로 구하는 꼭짓점의 좌표는
$(5, 6)$이다.

78 축의 방정식이 $x=-3$이므로 주어진 이차함수의 식
을 $y=a(x+3)^2+q$로 놓을 수 있다. 이 이차함수의
그래프가 두 점 $(-4, 2)$, $(0, -6)$을 지나므로 각
점의 좌표를 대입하면
$2=a(-4+3)^2+q$에서 $a+q=2$ ······ ㉠
$-6=a(0+3)^2+q$에서 $9a+q=-6$ ······ ㉡
㉠, ㉡을 연립하여 풀면
$a=-1$, $q=3$
따라서 주어진 이차함수의 식은
$y=-(x+3)^2+3$, 즉 $y=-x^2-6x-6$
이므로 $a=-1$, $b=-6$, $c=-6$
$\therefore a-b+c=-1-(-6)+(-6)=-1$

79 축의 방정식이 $x=-4$이므로 구하는 이차함수의 식
을 $y=a(x+4)^2+q$로 놓을 수 있다.
이 이차함수의 그래프가 두 점 $(-2, -3)$,
$(-10, 13)$을 지나므로 각 점의 좌표를 대입하면
$-3=a(-2+4)^2+q$에서 $4a+q=-3$ ······ ㉠
$13=a(-10+4)^2+q$에서 $36a+q=13$ ······ ㉡
㉠, ㉡을 연립하여 풀면
$a=\dfrac{1}{2}$, $q=-5$
따라서 구하는 이차함수의 식은
$y=\dfrac{1}{2}(x+4)^2-5$ $\left($또는 $y=\dfrac{1}{2}x^2+4x+3\right)$
이 이차함수의 그래프가 점 $(4, k)$를 지나므로 이 식
에 $x=4$, $y=k$를 대입하면
$k=\dfrac{1}{2}(4+4)^2-5=32-5=27$

80 이차함수 $y=ax^2+bx+c$의 그래프가 세 점 $(3, 0)$,
$(2, -7)$, $(0, 9)$를 지나므로 각 점의 좌표를 대입
하면
$9a+3b+c=0$ ······ ㉠
$4a+2b+c=-7$ ······ ㉡
$c=9$ ······ ㉢
㉢을 ㉠, ㉡에 각각 대입하면
$9a+3b+9=0$에서 $3a+b=-3$ ······ ㉣
$4a+2b+9=-7$에서 $2a+b=-8$ ······ ㉤
㉣, ㉤을 연립하여 풀면
$a=5$, $b=-18$
$\therefore a+b+c=5+(-18)+9=-4$

81 이차함수 $y=ax^2+bx+c$의 그래프가 세 점
$(0, -15)$, $(-2, 21)$, $(1, -24)$를 지나므로 각 점
의 좌표를 대입하면
$c=-15$ ······ ㉠
$4a-2b+c=21$ ······ ㉡
$a+b+c=-24$ ······ ㉢
㉠을 각각 ㉡, ㉢에 대입하면
$4a-2b-15=21$
$\therefore 2a-b=18$ ······ ㉣
$a+b-15=-24$
$\therefore a+b=-9$ ······ ㉤
㉣, ㉤을 연립하여 풀면
$a=3$, $b=-12$
$\therefore a-b+c=3-(-12)+(-15)=0$

82 구하는 이차함수의 식을 $y=ax^2+bx+c$로 놓으면
그 그래프가 세 점 $A(2, -1)$, $B(-1, -4)$,
$C(0, 1)$을 지나므로 각 점의 좌표를 대입하면
$4a+2b+c=-1$ ······ ㉠
$a-b+c=-4$ ······ ㉡
$c=1$ ······ ㉢
㉢을 ㉠, ㉡에 각각 대입하면
$4a+2b+1=-1$에서 $2a+b=-1$ ······ ㉣
$a-b+1=-4$에서 $a-b=-5$ ······ ㉤
㉣, ㉤을 연립하여 풀면
$a=-2$, $b=3$
따라서 구하는 이차함수의 식은
$y=-2x^2+3x+1$

83 이차함수 $y=ax^2+bx+c$의 그래프가 세 점 $(-2, 0)$, $(0, 10)$, $(2, -4)$를 지나므로 각 점의 좌표를 대입하면

$4a-2b+c=0$ ...... ㉠

$c=10$ ...... ㉡

$4a+2b+c=-4$ ...... ㉢

㉡을 ㉠, ㉢에 각각 대입하면

$4a-2b+10=0$에서 $2a-b=-5$ ...... ㉣

$4a+2b+10=-4$에서 $2a+b=-7$ ...... ㉤

㉣, ㉤을 연립하여 풀면

$a=-3$, $b=-1$

따라서 주어진 이차함수의 식은 $y=-3x^2-x+10$이고, 이 그래프가 점 $(k, 0)$을 지나므로

$x=k$, $y=0$을 대입하면

$0=-3k^2-k+10$, $3k^2+k-10=0$

$(k+2)(3k-5)=0$

$\therefore k=-2$ 또는 $k=\dfrac{5}{3}$

그런데 $k>0$이므로 $k=\dfrac{5}{3}$

84 x축과 두 점 $(1, 0)$, $(-2, 0)$에서 만나므로 주어진 그래프를 나타내는 이차함수의 식을 $y=a(x-1)(x+2)$로 놓을 수 있다.

이 이차함수의 그래프가 점 $(2, -4)$를 지나므로

$x=2$, $y=-4$를 대입하면

$-4=a(2-1)(2+2)$, $4a=-4$ $\therefore a=-1$

따라서 주어진 이차함수의 식은

$y=-(x-1)(x+2)$, 즉 $y=-x^2-x+2$

이므로 구하는 꼭짓점의 좌표는

$y=-x^2-x+2$

$\quad =-\left(x^2+x+\dfrac{1}{4}-\dfrac{1}{4}\right)+2$

$\quad =-\left(x+\dfrac{1}{2}\right)^2+2+\dfrac{1}{4}$

$\quad =-\left(x+\dfrac{1}{2}\right)^2+\dfrac{9}{4}$

에서 $\left(-\dfrac{1}{2}, \dfrac{9}{4}\right)$이다.

85 주어진 그래프가 x축과 두 점 $(-2, 0)$, $(5, 0)$에서 만나므로 구하는 이차함수의 식을 $y=a(x+2)(x-5)$로 놓을 수 있다.

이 그래프가 점 $(0, -5)$를 지나므로 $x=0$, $y=-5$를 대입하면

$-5=a(0+2)(0-5)$, $-10a=-5$

$\therefore a=\dfrac{1}{2}$

따라서 구하는 이차함수의 식은

$y=\dfrac{1}{2}(x+2)(x-5)$, 즉 $y=\dfrac{1}{2}x^2-\dfrac{3}{2}x-5$

다른 풀이 구하는 이차함수의 식을 $y=a(x+2)(x-5)$로 놓으면 $y=ax^2-3ax-10a$ 이고, y절편이 -5이므로

$-10a=-5$ $\therefore a=\dfrac{1}{2}$

$\therefore y=\dfrac{1}{2}x^2-\dfrac{3}{2}x-5$

86 x축과 두 점 $(5, 0)$, $(-1, 0)$에서 만나므로 구하는 이차함수의 식을 $y=a(x-5)(x+1)$로 놓으면

$y=a(x-5)(x+1)$

$\quad =a(x^2-4x-5)$

$\quad =a(x^2-4x+4-4)-5a$

$\quad =a(x-2)^2-5a-4a$

$\quad =a(x-2)^2-9a$

꼭짓점의 y좌표가 9이므로

$-9a=9$ $\therefore a=-1$

따라서 구하는 이차함수의 식은

$y=-(x-5)(x+1)$, 즉 $y=-x^2+4x+5$

$\therefore a=-1$, $b=4$, $c=5$

$\therefore a+b+c=-1+4+5=8$

87 $y=-x^2-3x+18$에서 $y=0$일 때 x의 값은

$-x^2-3x+18=0$, $x^2+3x-18=0$

$(x+6)(x-3)=0$ $\therefore x=-6$ 또는 $x=3$

따라서 구하는 이차함수의 그래프는 x축과 두 점 $(-6, 0)$, $(3, 0)$에서 만나므로 그 식을 $y=a(x+6)(x-3)$으로 놓을 수 있다.

이 이차함수의 그래프가 점 $(0, -36)$을 지나므로 $x=0$, $y=-36$을 대입하면

$-36=a(0+6)(0-3)$, $-18a=-36$ $\therefore a=2$

그러므로 구하는 이차함수의 식은

$y=2(x+6)(x-3)$, 즉 $y=2x^2+6x-36$

다른 풀이 x축과 두 점 $(-6, 0)$, $(3, 0)$에서 만나므로 구하는 이차함수의 식을 $y=a(x+6)(x-3)$으로 놓으면 $y=ax^2+3ax-18a$이고 y절편이 -36이므로

$-18a=-36$ $\therefore a=2$

$\therefore y=2x^2+6x-36$

88
$$y=3x^2+12x$$
$$=3(x^2+4x+4-4)$$
$$=3(x+2)^2-12$$
이므로 x축의 방향으로 2만큼, y축의 방향으로 -7
만큼 평행이동한 그래프의 식은
$$y=3(x+2-2)^2-12-7=3x^2-19$$
따라서 $a=3$, $b=0$, $c=-19$이므로
$$a+b+c=3+0+(-19)=-16$$
다른 풀이 $y=3x^2+12x$의 그래프를 x축의 방향으
로 2만큼, y축의 방향으로 -7만큼 평행이동한 그래
프의 식은
$$y=3(x-2)^2+12(x-2)-7=3x^2-19$$
따라서 $a=3$, $b=0$, $c=-19$이므로
$$a+b+c=3+0+(-19)=-16$$

89 $y=2(x-5)^2+1$의 그래프를 x축의 방향으로 m만
큼, y축의 방향으로 2만큼 평행이동한 그래프의 식은
$$y=2(x-5-m)^2+1+2=2\{x-(5+m)\}^2+3$$
이 이차함수의 그래프의 꼭짓점의 좌표가 $(3, n)$이
므로
$$5+m=3, 3=n$$
따라서 $m=-2$, $n=3$이므로
$$m-n=-2-3=-5$$

90 $y=x^2-6x+5$
$$=(x^2-6x+9-9)+5$$
$$=(x-3)^2-4$$
의 그래프를 x축의 방향으로 m만큼, y축의 방향으
로 n만큼 평행이동한 그래프의 식은
$$y=(x-3-m)^2-4+n$$
이 식이
$$y=x^2+2x+6$$
$$=(x^2+2x+1-1)+6$$
$$=(x+1)^2+5$$
와 일치하므로
$$-3-m=1, -4+n=5$$
따라서 $m=-4$, $n=9$이므로
$$3m+n=3\times(-4)+9=-3$$
다른 풀이 $y=x^2-6x+5$의 x축의 방향으로 m만큼,
y축의 방향으로 n만큼 평행이동한 그래프의 식은
$$y-n=(x-m)^2-6(x-m)+5$$

전개하여 정리하면
$$y=x^2+(-2m-6)x+m^2+6m+n+5$$
이것이 $y=x^2+2x+6$과 같으므로
$$-2m-6=2, m^2+6m+n+5=6$$
따라서 $m=-4$, $n=9$이므로
$$3m+n=-3$$

91 $y=a(x-2)^2+5$의 그래프를 x축의 방향으로 p만큼,
y축의 방향으로 q만큼 평행이동한 그래프의 식은
$$y=a(x-2-p)^2+5+q$$
이것이 $y=-4(x+3)^2-1$과 같아야 하므로
$$a=-4, -2-p=3, 5+q=-1$$
따라서 $a=-4$, $p=-5$, $q=-6$이므로
$$a+p+q=-4+(-5)+(-6)=-15$$

92 $y=7(x-3)^2+6$의 그래프를 x축의 방향으로 p만큼,
y축의 방향으로 q만큼 평행이동한 그래프의 식은
$$y=7(x-3-p)^2+6+q$$
이 이차함수의 그래프의 꼭짓점의 좌표는
$(3+p, 6+q)$이고, 이것이 원점이므로
$$3+p=0, 6+q=0$$
따라서 $p=-3$, $q=-6$이므로
$$p-q=-3-(-6)=3$$

93 이차함수 $y=ax^2+bx+c$의 꼭짓점의 좌표를
(p, q)라 하면 이 점을 x축의 방향으로 -2만큼,
y축의 방향으로 2만큼 평행이동하면 $(p-2, q+2)$
이고, 이것이 $y=-x^2+4x-3$의 그래프의 꼭짓점
의 좌표와 일치해야 한다.
$$y=-x^2+4x-3$$
$$=-(x^2-4x+4-4)-3$$
$$=-(x-2)^2-3+4$$
$$=-(x-2)^2+1$$
에서 평행이동한 그래프의 꼭짓점의 좌표는 $(2, 1)$
이다.
따라서 $p-2=2$, $q+2=1$이므로
$$p=4, q=-1$$
또, 평행이동한 그래프의 모양과 폭은 변하지 않으
므로 $a=-1$
따라서 구하는 이차함수의 식은

$y=-(x-4)^2-1=-x^2+8x-17$이므로
$a=-1,\ b=8,\ c=-17$

$\therefore a+b+c=-1+8+(-17)=-10$

다른 풀이 1 주어진 평행이동을 반대로 생각하여
$y=-x^2+4x-3$의 그래프를 x축의 방향으로 2만큼, y축의 방향으로 -2만큼 평행이동하면
$y=ax^2+bx+c$의 그래프와 일치하게 된다.

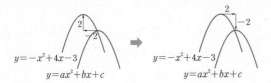

따라서 $y=-x^2+4x-3=-(x-2)^2+1$의 그래프를 x축의 방향으로 2만큼, y축의 방향으로 -2만큼 평행이동한 그래프의 식은
$y=-(x-2-2)^2+1-2=-x^2+8x-17$이다.

이것이 $y=ax^2+bx+c$와 일치하므로
$a=-1,\ b=8,\ c=-17$

$\therefore a+b+c=-10$

다른 풀이 2 $y=-x^2+4x-3$의 그래프를 x축의 방향으로 2만큼, y축의 방향으로 -2만큼 평행이동하면 $y=ax^2+bx+c$의 그래프와 일치하므로
$y=-x^2+4x-3$의 x 대신 $x-2$, y 대신 $y+2$를 대입하면
$y+2=-(x-2)^2+4(x-2)-3$

전개하여 정리하면
$y=-x^2+8x-17$

이것이 $y=ax^2+bx+c$와 일치하므로
$a=-1,\ b=8,\ c=-17$

$\therefore a+b+c=-10$

94 $y=-3(x+1)^2+5$의 그래프를 x축의 방향으로 2만큼, y축의 방향으로 -1만큼 평행이동한 그래프의 식은
$y=-3(x+1-2)^2+5-1=-3(x-1)^2+4$

이 그래프가 점 $(3,\ k)$를 지나므로
이 식에 $x=3,\ y=k$를 대입하면
$k=-3(3-1)^2+4$
　$=-3\times 4+4=-8$

95 $y=-2x^2+6x+k$
　$=-2\left(x-\dfrac{3}{2}\right)^2+k+\dfrac{9}{2}$

이므로 x축의 방향으로 -3만큼, y축의 방향으로 8만큼 평행이동한 그래프의 식은
$y=-2\left(x+\dfrac{3}{2}\right)^2+k+\dfrac{25}{2}$이다.

이 그래프가 점 $(-1,\ 13)$을 지나므로
이 식에 $x=-1,\ y=13$을 대입하면
$13=-2\left(-1+\dfrac{3}{2}\right)^2+k+\dfrac{25}{2}$　　$\therefore k=1$

96 $y=-3x^2+2x+k$
　$=-3\left(x^2-\dfrac{2}{3}x+\dfrac{1}{9}-\dfrac{1}{9}\right)+k$
　$=-3\left(x-\dfrac{1}{3}\right)^2+k+\dfrac{1}{3}$

의 그래프를 x축의 방향으로 1만큼, y축의 방향으로 -2만큼 평행이동한 그래프의 식은
$y=-3\left(x-\dfrac{1}{3}-1\right)^2+k+\dfrac{1}{3}-2$
　$=-3\left(x-\dfrac{4}{3}\right)^2+k-\dfrac{5}{3}$

이 이차함수의 그래프가 x축과 접하기 위해서는 꼭 짓점의 y좌표가 0이어야 하므로
$k-\dfrac{5}{3}=0$　　$\therefore k=\dfrac{5}{3}$

다른 풀이 $y=-3x^2+2x+k$의 x 대신 $x-1$, y 대신 $y+2$를 대입하면
$y+2=-3(x-1)^2+2(x-1)+k$

전개하여 정리하면
$y=-3x^2+8x-7+k$
　$=-3\left(x-\dfrac{4}{3}\right)^2+k-\dfrac{5}{3}$

이때 $k-\dfrac{5}{3}=0$이므로 $k=\dfrac{5}{3}$

97 $y=\dfrac{1}{2}(x-p)^2+2$의 그래프를 x축의 방향으로 1만큼 평행이동한 그래프의 식은
$y=\dfrac{1}{2}(x-p-1)^2+2$

이 그래프가 점 $(0,\ 4)$를 지나므로
이 식에 $x=0,\ y=4$를 대입하면
$4=\dfrac{1}{2}(0-p-1)^2+2,\ \dfrac{1}{2}(-p-1)^2=2$
$(p+1)^2=4,\ p+1=\pm 2$

$\therefore p=1$ 또는 $p=-3$

그런데 $p>0$이므로 $p=1$

따라서 주어진 이차함수는 $y=\dfrac{1}{2}(x-1)^2+2$이고,

이 그래프를 y축의 방향으로 -1만큼 평행이동한 그래프의 식은

$$y=\frac{1}{2}(x-1)^2+2-1$$
$$\quad=\frac{1}{2}(x-1)^2+1$$

이 그래프가 점 $(2, k)$를 지나므로

이 식에 $x=2$, $y=k$를 대입하면

$$k=\frac{1}{2}(2-1)^2+1=\frac{1}{2}+1=\frac{3}{2}$$

$$\therefore p+k=1+\frac{3}{2}=\frac{5}{2}$$

98 $y=-(x+9)^2-7$의 그래프와 x축에 대하여 대칭인 그래프의 식은 y 대신 $-y$를 대입하면

$$-y=-(x+9)^2-7$$
$$\therefore y=(x+9)^2+7$$

99 $y=2(x+3)^2-5$의 그래프와 y축에 대하여 대칭인 그래프의 식은 x 대신 $-x$를 대입하면

$$y=2(-x+3)^2-5$$
$$\quad=2(x-3)^2-5$$

이 그래프가 점 $(4, k)$를 지나므로

이 식에 $x=4$, $y=k$를 대입하면

$$k=2(4-3)^2-5=2-5=-3$$

100 $y=x^2-2x+5$의 그래프를 y축에 대하여 대칭이동한 그래프의 식은 x 대신 $-x$를 대입하면

$$y=(-x)^2-2\times(-x)+5$$
$$\quad=x^2+2x+5$$

이 그래프가 점 $(-5, k)$를 지나므로

이 식에 $x=-5$, $y=k$를 대입하면

$$k=(-5)^2+2\times(-5)+5$$
$$\quad=25-10+5=20$$

101 $y=5(x-2)^2+7$의 그래프를 y축에 대하여 대칭이동한 그래프의 식은 x 대신 $-x$를 대입하면

$$y=5(-x-2)^2+7=5(x+2)^2+7$$

따라서 이 이차함수의 그래프를 다시 x축에 대하여 대칭이동한 그래프의 식은 y 대신 $-y$를 대입하면

$-y=5(x+2)^2+7$, 즉 $y=-5(x+2)^2-7$

이고, 꼭짓점의 좌표는 $(-2, -7)$이다.

102 $y=\frac{1}{2}x^2+3x-5$의 그래프를 x축의 방향으로 -1만큼, y축의 방향으로 $-\frac{7}{2}$만큼 평행이동한 그래프의 식은

$$y+\frac{7}{2}=\frac{1}{2}(x+1)^2+3(x+1)-5$$

즉, $y=\frac{1}{2}x^2+4x-5$

이 그래프를 다시 x축에 대하여 대칭이동한 그래프의 식은 $y=\frac{1}{2}x^2+4x-5$의 y 대신 $-y$를 대입하면

$$-y=\frac{1}{2}x^2+4x-5$$

$$\therefore y=-\frac{1}{2}x^2-4x+5$$

103 $y=x^2+2x-24$에 $y=0$을 대입하면

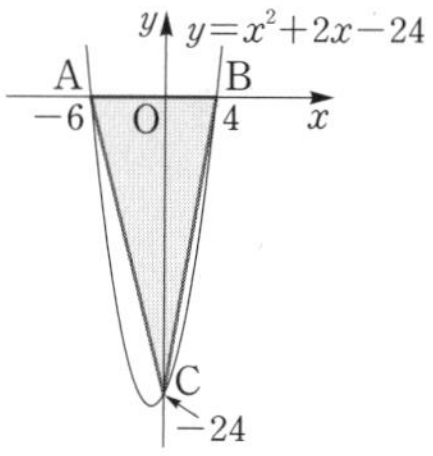

$$x^2+2x-24=0$$
$$(x+6)(x-4)=0$$
$$\therefore x=-6 \text{ 또는 } x=4$$

따라서 $A(-6, 0)$, $B(4, 0)$이므로

$$\overline{AB}=4-(-6)=10$$

또, 점 C는 y축 위의 점이므로 $y=x^2+2x-24$에 $x=0$을 대입하면 $y=-24$

$$\therefore \overline{OC}=24$$

$$\therefore \triangle ABC=\frac{1}{2}\times10\times24=120$$

104 오른쪽 그림에서 그래프가 원점을 지나고 축의 방정식이 $x=2$이므로 점 B의 좌표는 $(4, 0)$이다. 이 그래프가 점 $(4, 0)$을 지나므로

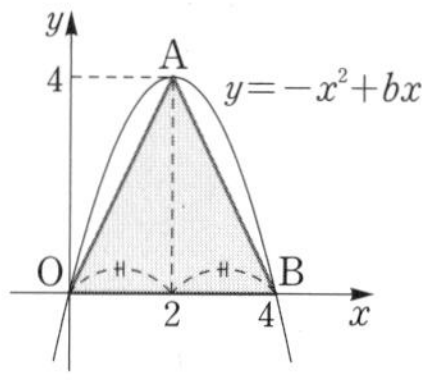

$y=-x^2+bx$에 $x=4$, $y=0$을 대입하면

$$0=-16+4b \quad \therefore b=4$$

따라서 주어진 이차함수는 $y=-x^2+4x$이고, 이 식에 $x=2$를 대입하면 꼭짓점 A의 y좌표는

$$y=-2^2+4\times2=4$$

$$\therefore \triangle AOB=\frac{1}{2}\times4\times4=8$$

105 $y=-x^2-4x+12$

$\quad\quad =-(x^2+4x+4-4)+12$

$\quad\quad =-(x+2)^2+12+4$

$\quad\quad =-(x+2)^2+16$

이므로 꼭짓점 C의 좌표는

$(-2, 16)$이다.

또, 점 A는 이차함수의 그래프가 x축과 만나는 점이

므로

$y=-x^2-4x+12$에 $y=0$을 대입하면

$-x^2-4x+12=0$, $x^2+4x-12=0$

$(x+6)(x-2)=0$

$\therefore x=-6$ 또는 $x=2$

그런데 점 A의 x좌표는 음수이므로

$A(-6, 0)$ $\quad \therefore \overline{AO}=6$

점 B는 이차함수의 그래프가 y축과 만나는 점이므로

$y=-x^2-4x+12$에 $x=0$을 대입하면 $y=12$에서

$B(0, 12)$ $\quad \therefore \overline{OB}=12$

$\therefore \square AOBC=\triangle AOC+\triangle COB$

$\quad\quad\quad\quad =\dfrac{1}{2}\times 6\times 16+\dfrac{1}{2}\times 12\times 2$

$\quad\quad\quad\quad =48+12=60$

106 $y=\dfrac{1}{2}x^2-3x+4$

$\quad\quad =\dfrac{1}{2}(x^2-6x+9-9)+4$

$\quad\quad =\dfrac{1}{2}(x-3)^2+4-\dfrac{9}{2}$

$\quad\quad =\dfrac{1}{2}(x-3)^2-\dfrac{1}{2}$

이므로 꼭짓점 C의 좌표는

$\left(3, -\dfrac{1}{2}\right)$이다. 또, 점 A는

이차함수의 그래프가 x축과

만나는 점이므로

$y=\dfrac{1}{2}x^2-3x+4$에 $y=0$을 대입하면

$\dfrac{1}{2}x^2-3x+4=0$, $x^2-6x+8=0$

$(x-2)(x-4)=0$ $\quad \therefore x=2$ 또는 $x=4$

그런데 점 A는 x축과 만나는 점 중 x좌표의 값이 큰

것이므로

$A(4, 0)$ $\quad \therefore \overline{OA}=4$

점 B는 이차함수 $y=\dfrac{1}{2}x^2-3x+4$의 그래프가 y축

과 만나는 점이므로 $x=0$을 대입하면 $y=4$에서

$B(0, 4)$ $\quad \therefore \overline{BO}=4$

$\therefore \triangle ABC=\square ABOC-\triangle BOC$

$\quad\quad\quad\quad =(\triangle BOA+\triangle AOC)-\triangle BOC$

$\quad\quad\quad\quad =\left(\dfrac{1}{2}\times 4\times 4+\dfrac{1}{2}\times 4\times \dfrac{1}{2}\right)-\dfrac{1}{2}\times 4\times 3$

$\quad\quad\quad\quad =8+1-6=3$

107 두 점 A, B는 이차함수 $y=-2x^2+8x+10$의 그래

프가 x축과 만나는 점이므로

이 식에 $y=0$을 대입하면

$-2x^2+8x+10=0$, $x^2-4x-5=0$

$(x+1)(x-5)=0$

$\therefore x=-1$ 또는 $x=5$

따라서 $A(-1, 0)$, $B(5, 0)$이다.

또, 점 C는 이차함수의 그래프가 y축과 만나는 점이

므로 $y=-2x^2+8x+10$에 $x=0$을 대입하면 $y=10$

$\therefore C(0, 10)$

이때 점 $C(0, 10)$을 지나고

$\triangle ABC$의 넓이를 이등분하

는 직선은 $\overline{AB}$의 중점, 즉

점 $(2, 0)$을 지나야 한다.

그러므로 구하는 직선은 기

울기가 $\dfrac{10-0}{0-2}=-5$이고,

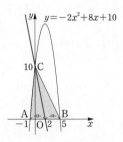

y절편이 10이므로 $y=-5x+10$

108 $y=ax^2$, $y=x^2$에 각각 $x=1$을 대입하면

$y=a\times 1^2=a$이므로 $A(1, a)$

$y=1^2=1$이므로 $B(1, 1)$

$\therefore \overline{AB}=a-1$

또, $y=ax^2$, $y=x^2$에 각각 $x=2$를 대입하면

$y=a\times 2^2=4a$이므로 $P(2, 4a)$

$y=2^2=4$이므로 $Q(2, 4)$

$\therefore \overline{PQ}=4a-4$

이때 $\square ABQP$는 높이가 $2-1=1$인 사다리꼴이므

로 구하는 넓이는

$\square ABQP=\dfrac{1}{2}\times(\overline{AB}+\overline{PQ})\times 1$

$\quad\quad\quad\quad =\dfrac{1}{2}\times\{(a-1)+(4a-4)\}\times 1$

$\quad\quad\quad\quad =\dfrac{1}{2}(5a-5)$

$\square ABQP$의 넓이가 $\dfrac{5}{2}$이므로

$\dfrac{1}{2}(5a-5)=\dfrac{5}{2}$, $5a-5=5$ $\quad \therefore a=2$

109 $y=x^2+2x-3$
$\quad=(x^2+2x+1-1)-3$
$\quad=(x+1)^2-4$

이므로 꼭짓점 A의 좌표는 $(-1, -4)$이다.

이 그래프가 x축과 만나는 점의 x좌표는

$y=x^2+2x-3$에 $y=0$을 대입하면

$x^2+2x-3=0$, $(x+3)(x-1)=0$

$\therefore x=-3$ 또는 $x=1$

그런데 점 C의 x좌표는 음수이므로

C$(-3, 0)$

$y=x^2-2x-3$
$\quad=(x^2-2x+1-1)-3$
$\quad=(x-1)^2-4$

이므로 꼭짓점 B의 좌표는 $(1, -4)$이다.

이 그래프가 x축과 만나는 점의 x좌표는

$y=x^2-2x-3$에 $y=0$을 대입하면

$x^2-2x-3=0$, $(x+1)(x-3)=0$

$\therefore x=-1$ 또는 $x=3$

그런데 점 D의 x좌표는 음수이므로

D$(-1, 0)$

한편 두 이차함수의 그래프의 폭이 같으므로 주어진 그림에서 어두운 부분을 다음 그림과 같이 이동하면 구하는 넓이는 직사각형 ABED의 넓이와 같다.

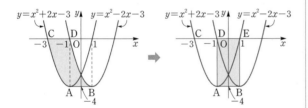

따라서 어두운 부분의 넓이는

$\square\text{ABED}=2\times4=8$

참고 다음 그림과 같이 어두운 부분의 넓이가 평행사변형 ABDC의 넓이와 같음을 이용할 수도 있다.

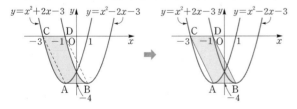

110 이차함수 $y=\dfrac{1}{2}x^2-4x+9$에서 y절편이 9이므로

A$(0, 9)$이고, 점 C의 x좌표가 8이므로 $x=8$을 대입하면 y좌표는

$y=\dfrac{1}{2}\times64-4\times8+9=9$

$\therefore$ C$(8, 9)$

또, 이차함수 $y=\dfrac{1}{2}x^2-4x+3$에서 y절편이 3이므로

B$(0, 3)$이고, 점 D의 x좌표가 8이므로 $x=8$을 대입하면 y좌표는

$y=\dfrac{1}{2}\times64-4\times8+3=3$

$\therefore$ D$(8, 3)$

이차함수 $y=\dfrac{1}{2}x^2-4x+9$의 그래프는

$y=\dfrac{1}{2}x^2-4x+3$의 그래프를 y축의 방향으로 6만큼 평행이동한 것이므로 두 이차함수의 그래프 사이의 거리는 6으로 일정하다.

따라서 어두운 부분의 넓이는 다음 그림에서 직사각형 ABDC의 넓이와 같고, $\overline{\text{AB}}=6$, $\overline{\text{BD}}=8$이므로

$\square\text{ABDC}=6\times8=48$

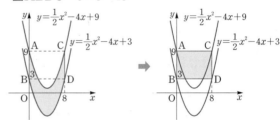

따라서 어두운 부분의 넓이는 48이다.

111 $y=2x^2-1$의 그래프를 x축의 방향으로 -2만큼, y축의 방향으로 -5만큼 평행이동한 그래프의 식은

$y=2(x+2)^2-1-5=2(x+2)^2-6$

이므로 꼭짓점의 좌표는

$(-2, -6)$이고 그래프는

오른쪽 그림과 같다.

따라서 y의 값의 범위는

$y\geq-6$이다.

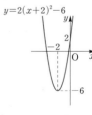

112 $y=2x^2+4x+k$
$\quad=2(x^2+2x+1-1)+k$
$\quad=2(x+1)^2+k-2$

이므로 꼭짓점이 좌표는

$(-1, k-2)$이고 그래프는 오른쪽 그림과 같다.

이때 y의 값의 범위는 $y\geq k-2$이므로

$k-2=6$ $\quad\therefore k=8$

113 $y=2x^2-4kx+3k$
$\quad=2(x^2-2kx+k^2-k^2)+3k$
$\quad=2(x-k)^2+3k-2k^2$
이므로 꼭짓점의 좌표는
$(k,\ 3k-2k^2)$이고 그래프는 오른쪽
그림과 같다.
이때 y의 값의 범위는 $y\geq3k-2k^2$이므로
$3k-2k^2=-5,\ 2k^2-3k-5=0$
$(k+1)(2k-5)=0$
$\therefore k=-1\ (\because k<0)$

114 $y=ax^2+4ax+3$
$\quad=a(x^2+4x+4-4)+3$
$\quad=a(x+2)^2+3-4a$
이므로 꼭짓점의 좌표는
$(-2,\ 3-4a)$이고 그래프는 오른
쪽 그림과 같다.
이때 y의 값의 범위는 $y\leq9$이므로
$3-4a=9,\ 4a=-6\qquad\therefore a=-\dfrac{3}{2}$

115 $y=-3x^2-6kx-2$
$\quad=-3(x^2+2kx+k^2-k^2)-2$
$\quad=-3(x+k)^2+3k^2-2$
이므로 꼭짓점의 좌표는
$(-k,\ 3k^2-2)$이고 그래프는 오
른쪽 그림과 같다.
이때 y의 값의 범위는 $y\leq k^2-2$이므로
$3k^2-2=13,\ 3k^2=15,\ k^2=5$
$\therefore k=\pm\sqrt5$

116 $y=-x^2+2x+2$
$\quad=-(x^2-2x+1-1)+2$
$\quad=-(x-1)^2+2+1$
$\quad=-(x-1)^2+3$
이므로 꼭짓점의 좌표는
$(1,\ 3)$이고 그래프는 오른쪽
그림과 같다.
꼭짓점의 x좌표 1이
$-2\leq x\leq2$에 속하고
$x=-2$일 때 $y=-6$
$x=1$일 때 $y=3$
$x=2$일 때 $y=2$

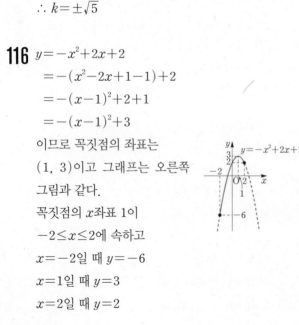

이므로 x의 값의 범위가 $-2\leq x\leq2$일 때, y의 값의
범위는 $-6\leq y\leq3$이다.

117 $y=3x^2-12x+1$
$\quad=3(x^2-4x+4-4)+1$
$\quad=3(x-2)^2+1-12$
$\quad=3(x-2)^2-11$
이므로 꼭짓점이 좌표는
$(2,\ -11)$이고 그래프는 오른쪽
그림과 같다.
꼭짓점의 x좌표 2가 $1\leq x\leq4$에 속하고
$x=1$일 때 $y=-8$
$x=2$일 때 $y=-11$
$x=4$일 때 $y=1$
이므로 x의 값의 범위가 $1\leq x\leq4$일 때, y의 값의 범
위는 $-11\leq y\leq1$, 즉 $m=-11,\ M=1$
$\therefore M+m=1+(-11)=-10$

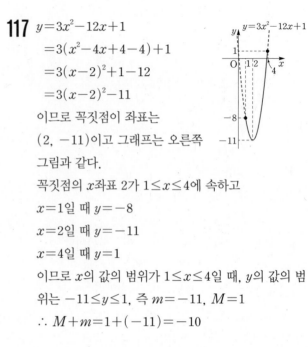

118 $y=2x^2-4x-3$
$\quad=2(x^2-2x+1-1)-3$
$\quad=2(x-1)^2-5$
이므로 꼭짓점의 좌표는
$(1,\ -5)$이고 그래프는 오른
쪽 그림과 같다.
꼭짓점의 x좌표 1이 $2\leq x\leq3$에 속하지 않고
$x=2$일 때 $y=-3$
$x=3$일 때 $y=3$
이므로 x의 값의 범위가 $2\leq x\leq3$일 때, y의 값의 범
위는 $-3\leq y\leq3$

119 $y=-x^2-2x+4$
$\quad=-(x^2+2x+1-1)+4$
$\quad=-(x+1)^2+5$
이므로 꼭짓점의 좌표는
$(-1,\ 5)$이고 그래프는 오
른쪽 그림과 같다.
꼭짓점의 x좌표 -1이
$0\leq x\leq2$에 속하지 않고
$x=0$일 때 $y=4$
$x=2$일 때 $y=-4$
이므로 x의 값의 범위가 $0\leq x\leq2$일 때, y의 값의 범

위는 $-4 \le y \le 4$, 즉 $m=-4$, $M=4$
∴ $M+m=4+(-4)=0$

120
$y=2x^2-4x+k$
$\quad =2(x^2-2x+1-1)+k$
$\quad =2(x-1)^2+k-2$
이므로 꼭짓점의 좌표는 $(1,\ k-2)$이다.
꼭짓점이 직선 $y=\dfrac{1}{2}x-7$ 위에 있으므로
이 식에 $x=1$, $y=k-2$를 대입하면
$k-2=\dfrac{1}{2}\times1-7$
∴ $k=-\dfrac{9}{2}$

121
$y=2x^2-2x+a$
$\quad =2\left(x^2-x+\dfrac{1}{4}-\dfrac{1}{4}\right)+a$
$\quad =2\left(x-\dfrac{1}{2}\right)^2+a-\dfrac{1}{2}$
이므로 꼭짓점의 좌표는 $\left(\dfrac{1}{2},\ a-\dfrac{1}{2}\right)$이다.
이 점이 직선 $y=-3x$ 위에 있으므로
이 식에 $x=\dfrac{1}{2}$, $y=a-\dfrac{1}{2}$을 대입하면
$a-\dfrac{1}{2}=-3\times\dfrac{1}{2}$ ∴ $a=-1$

122
$y=-x^2+6x-11$
$\quad =-(x^2-6x+9-9)-11$
$\quad =-(x-3)^2-2$
이차함수 $y=-x^2+6x-11$의 그래프의 꼭짓점의
좌표가 $(3,\ -2)$이므로 이차함수 $y=x^2+2px-q$의
그래프의 꼭짓점의 좌표도 $(3,\ -2)$이다.
$y=x^2+2px-q$
$\quad =x^2+2px+p^2-p^2-q$
$\quad =(x+p)^2-p^2-q$
에서 $-p=3$, $-p^2-q=-2$
따라서 $p=-3$, $q=-7$이므로
$p-q=-3-(-7)=4$

123
$y=-2x^2+2kx+3k-2$
$\quad =-2\left(x^2-kx+\dfrac{k^2}{4}-\dfrac{k^2}{4}\right)+3k-2$
$\quad =-2\left(x-\dfrac{k}{2}\right)^2+\dfrac{k^2}{2}+3k-2$

이 이차함수의 그래프의 꼭짓점의 좌표가 $\left(\dfrac{1}{2},\ p\right)$이
므로
$\dfrac{k}{2}=\dfrac{1}{2}$, $\dfrac{k^2}{2}+3k-2=p$
따라서 $k=1$, $p=\dfrac{1}{2}+3-2=\dfrac{3}{2}$이므로
$k+2p=1+2\times\dfrac{3}{2}=4$
다른 풀이 이차함수 $y=-2x^2+2kx+3k-2$의 그
래프의 꼭짓점의 좌표가 $\left(\dfrac{1}{2},\ p\right)$이므로
$y=-2\left(x-\dfrac{1}{2}\right)^2+p$로 놓을 수 있다.
$y=-2\left(x-\dfrac{1}{2}\right)^2+p=-2x^2+2x-\dfrac{1}{2}+p$에서
$2k=2$, $3k-2=-\dfrac{1}{2}+p$
이므로 $k=1$, $p=\dfrac{3}{2}$
∴ $k+2p=1+2\times\dfrac{3}{2}=4$

124
$y=x^2-6kx+9k^2+5k-2$
$\quad =(x^2-6kx+9k^2)+5k-2$
$\quad =(x-3k)^2+5k-2$
이므로 꼭짓점의 좌표는 $(3k,\ 5k-2)$이다.
그런데 꼭짓점이 제4사분면에 있으려면 꼭짓점의
x좌표는 양수, y좌표는 음수이어야 하므로
$3k>0$에서 $k>0$ ······ ㉠
$5k-2<0$에서 $k<\dfrac{2}{5}$ ······ ㉡
따라서 ㉠, ㉡에서 $0<k<\dfrac{2}{5}$

125
$y=-\dfrac{1}{2}x^2-2x+k+1$
$\quad =-\dfrac{1}{2}(x^2+4x+4-4)+k+1$
$\quad =-\dfrac{1}{2}(x+2)^2+k+1+2$
$\quad =-\dfrac{1}{2}(x+2)^2+k+3$

이므로 꼭짓점의 좌표는 $(-2,\ k+3)$이고, x^2의 계
수가 음수이므로 위로 볼록한 포물선이다.
따라서 이 이차함수의 그래프가
x축과 서로 다른 두 점에서 만
나려면 꼭짓점의 y좌표가 양수
이어야 하므로
$k+3>0$ ∴ $k>-3$

126 $y=x^2+ax+b$

$\quad =\left(x^2+ax+\dfrac{a^2}{4}-\dfrac{a^2}{4}\right)+b$

$\quad =\left(x+\dfrac{a}{2}\right)^2+b-\dfrac{a^2}{4}$

의 그래프는 아래로 볼록하므로 x축과 만나지 않으려면 꼭짓점의 y좌표가 양수이어야 한다.

즉, $b-\dfrac{a^2}{4}>0$에서 $a^2<4b$이고, 이 부등식을 만족하는 경우는 다음과 같다.

$a=1$일 때, $b=1, 2, 3, 4, 5, 6$

$a=2$일 때, $b=2, 3, 4, 5, 6$

$a=3$일 때, $b=3, 4, 5, 6$

$a=4$일 때, $b=5, 6$

따라서 이 그래프가 x축과 만나지 않는 경우는 17가지이므로 확률은 $\dfrac{17}{36}$이다.

127 두 점 A, B의 y좌표는 9이므로 $y=x^2-3x+5$에 $y=9$를 대입하면

$x^2-3x+5=9, \ x^2-3x-4=0$

$(x+1)(x-4)=0 \quad \therefore \ x=-1$ 또는 $x=4$

따라서 A$(-1, 9)$, B$(4, 9)$이므로

$\overline{AB}=4-(-1)=5$

다른 풀이 직선 $y=9$와 이차함수 $y=x^2-3x+5$의 그래프를 모두 y축의 방향으로 -9만큼 평행이동시키면 직선 $y=9$는 $y=9-9=0$에서 x축과 일치하고 이차함수 $y=x^2-3x+5$의 그래프는

$y=x^2-3x+5-9$

$\quad =x^2-3x-4$

의 그래프가 된다.

따라서 두 점 A, B 사이의 거리는 이차함수

$y=x^2-3x-4$의 그래프가 x축과 만나는 두 점 사이의 거리와 같다.

$y=x^2-3x-4$에 $y=0$을 대입하면

$x^2-3x-4=0, \ (x+1)(x-4)=0$

$\therefore \ x=-1$ 또는 $x=4$

따라서 x축과 만나는 두 점 사이의 거리는

$4-(-1)=5$

128 $y=2x^2+x-3$에 $y=0$을 대입하면

$2x^2+x-3=0, \ (x-1)(2x+3)=0$

$\therefore \ x=1$ 또는 $x=-\dfrac{3}{2}$

따라서 이차함수 $y=2x^2+x-3$의 그래프가 x축과 만나는 두 점의 좌표는 $(1, 0)$, $\left(-\dfrac{3}{2}, 0\right)$이다.

$y=2x^2+x-3$의 그래프와 직선 $y=x+k$가

(ⅰ) 점 $(1, 0)$에서 만날 때

$\quad y=x+k$에 $x=1, y=0$을 대입하면

$\quad 0=1+k \quad \therefore \ k=-1$

(ⅱ) 점 $\left(-\dfrac{3}{2}, 0\right)$에서 만날 때

$\quad y=x+k$에 $x=-\dfrac{3}{2}, y=0$을 대입하면

$\quad 0=-\dfrac{3}{2}+k \quad \therefore \ k=\dfrac{3}{2}$

(ⅰ), (ⅱ)에 의해 $k=-1$ 또는 $k=\dfrac{3}{2}$

129 이차함수 $y=x^2-5x+4$의 그래프와 직선 $y=-x+1$의 교점의 x좌표는

$x^2-5x+4=-x+1$에서

$x^2-4x+3=0, \ (x-1)(x-3)=0$

$\therefore \ x=1$ 또는 $x=3$

$x=1$일 때, $y=-1+1=0$

$x=3$일 때, $y=-3+1=-2$

따라서 이차함수 $y=x^2-5x+4$의 그래프와 직선 $y=-x+1$의 두 교점의 좌표는 $(1, 0)$, $(3, -2)$이다.

이 두 점은 이차함수 $y=ax^2-9x+7$의 그래프도 지나므로 이 식에 $x=1, y=0$을 대입하면

$0=a\times 1^2-9\times 1+7$

$a-2=0 \quad \therefore \ a=2$

130 점 P의 x좌표를 t라 하면

P(t, t^2-t+3), Q$(t, t-2)$

$\overline{PQ}=t^2-t+3-(t-2)$

$\quad =t^2-2t+5$

$\quad =(t^2-2t+1-1)+5$

$\quad =(t-1)^2+4$

이므로 $t=1$일 때, 가장 짧은 $\overline{PQ}$의 길이는 4이다.

131 $h=-5t^2+120t+300$

$\quad =-5(t^2-24t+144-144)+300$

$\quad =-5(t-12)^2+300+720$

$\quad =-5(t-12)^2+1020$

이므로 물체는 쏘아 올린 지 12초 후에 지면으로부터 최고 1020 m의 높이까지 올라간다.

132
$$h = 40t - 5t^2$$
$$= -5(t^2 - 8t + 16 - 16)$$
$$= -5(t-4)^2 + 80$$
이므로 물체는 쏘아 올린 지 4초 후에 지면으로부터 최고 높이인 80 m에 도달한다.

133
$$h = -5x^2 + 30x$$
$$= -5(x^2 - 6x + 9 - 9)$$
$$= -5(x-3)^2 + 45$$
이므로 물로켓은 3초 후 최고 45 m의 높이에 도달하게 된다.

134 물체가 지면에 떨어질 때의 높이는 0 m이므로
$$-5x^2 + 40x + 100 = 0, \ x^2 - 8x - 20 = 0$$
$$(x+2)(x-10) = 0$$
$$\therefore x = -2 \ \text{또는} \ x = 10$$
그런데 $x \geq 0$이므로 $x = 10$
따라서 물체는 쏘아 올린 지 10초 후에 지면에 떨어진다.

135
① $x = 0$을 대입하면 $y = \dfrac{6}{5}$이므로 공을 던지기 전의 공의 높이는 $\dfrac{6}{5}$ m이다.

② $x = 2$를 대입하면 $y = -\dfrac{4}{5} + 2 + \dfrac{6}{5} = \dfrac{12}{5}$이므로 공을 던진 지 2초 후에 공의 높이는 $\dfrac{12}{5}$ m이다.

③, ④ $y = -\dfrac{1}{5}x^2 + x + \dfrac{6}{5}$
$$= -\dfrac{1}{5}\left(x^2 - 5x + \dfrac{25}{5} - \dfrac{25}{5}\right) + \dfrac{6}{5}$$
$$= -\dfrac{1}{5}\left(x - \dfrac{5}{2}\right)^2 + \dfrac{5}{4} + \dfrac{6}{5}$$
$$= -\dfrac{1}{5}\left(x - \dfrac{5}{2}\right)^2 + \dfrac{49}{20}$$

따라서 공은 $\dfrac{5}{2}(=2.5)$초 후에 최고 $\dfrac{49}{20}$ m까지 올라간다.

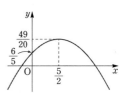

⑤ $y = 0$을 대입하면
$$0 = -\dfrac{1}{5}x^2 + x + \dfrac{6}{5}, \ x^2 - 5x - 6 = 0$$
$$(x+1)(x-6) = 0$$
$$\therefore x = -1 \ \text{또는} \ x = 6$$
따라서 공이 땅에 떨어질 때까지 걸린 시간은 6초이다.

단원 종합 문제

01 ① - ㄴ, ② - ㄹ, ③ - ㅁ, ④ - ㄷ, ⑤ - ㄱ	**02** ①	**03** ③, ④	**04** ③	**05** ①
06 ③	**07** ②	**08** ④	**09** 63	**10** ③
11 (2, 7)	**12** ①	**13** ①	**14** ⑤	**15** ④
16 ⑤	**17** ⑤	**18** $y \leq 17$	**19** ④	**20** $-\dfrac{3}{2}$
21 16	**22** $\dfrac{7}{8}$ m	**23** 64	**24** 16	

01 주어진 그래프에서 ①, ②, ③은 아래로 볼록하므로 x^2의 계수가 양수이다.

따라서 ㄴ, ㄹ, ㅁ의 그래프이고, x^2의 계수의 절댓값이 클수록 폭이 좁아지므로 ① - ㄴ, ② - ㄹ, ③ - ㅁ이다.

또, ④, ⑤는 위로 볼록하므로 x^2의 계수가 음수이다.

따라서 ㄱ, ㄷ의 그래프이고, x^2의 계수의 절댓값이 클수록 폭이 좁아지므로 ④ - ㄷ, ⑤ - ㄱ이다.

02 $y = 2ax^2$의 그래프가 위로 볼록하므로

$2a < 0$, 즉 $a < 0$

$y = 2ax^2$의 그래프는 $y = -\dfrac{1}{3}x^2$의 그래프보다 폭이 좁고, $y = -4x^2$의 그래프보다 폭이 넓으므로 $2a$의 절댓값은 $-\dfrac{1}{3}$의 절댓값보다 크고 -4의 절댓값보다 작다.

즉, $-4 < 2a < -\dfrac{1}{3}$

$\therefore -2 < a < -\dfrac{1}{6}$

따라서 a의 값이 될 수 없는 것은 ①이다.

03 $y = -2x^2 + 7x - 5$

$\quad = -2\left(x^2 - \dfrac{7}{2}x + \dfrac{49}{16} - \dfrac{49}{16}\right) - 5$

$\quad = -2\left(x - \dfrac{7}{4}\right)^2 - 5 + \dfrac{49}{8}$

$\quad = -2\left(x - \dfrac{7}{4}\right)^2 + \dfrac{9}{8}$

에서 꼭짓점의 좌표는 $\left(\dfrac{7}{4}, \dfrac{9}{8}\right)$이고, y절편은 -5이므로 그래프는 오른쪽 그림과 같다.

① 축의 방정식은 $x = \dfrac{7}{4}$이다.

② x축과 두 점에서 만난다.

⑤ 대응되는 y의 값의 범위는 $y \leq \dfrac{9}{8}$이다.

따라서 옳은 것은 ③, ④이다.

04 $y = ax^2 - 8ax + a^2 + 6a + 19$

$\quad = a(x^2 - 8x + 16 - 16) + a^2 + 6a + 19$

$\quad = a(x - 4)^2 + a^2 - 10a + 19$

이 이차함수의 그래프의 꼭짓점의 좌표가 $(4, -6)$이므로

$a^2 - 10a + 19 = -6$, $a^2 - 10a + 25 = 0$

$(a - 5)^2 = 0$ $\quad \therefore a = 5$

다른 풀이 이차함수 $y = ax^2 - 8ax + a^2 + 6a + 19$의 그래프의 꼭짓점의 좌표가 $(4, -6)$이므로 이 식을 $y = a(x - 4)^2 - 6$으로 놓을 수 있다.

따라서 $y = a(x - 4)^2 - 6 = ax^2 - 8ax + 16a - 6$에서

$a^2 + 6a + 19 = 16a - 6$, $a^2 - 10a + 25 = 0$

$(a - 5)^2 = 0$ $\quad \therefore a = 5$

05 $y = x^2 - 2ax + b$

$\quad = (x^2 - 2ax + a^2 - a^2) + b$

$\quad = (x - a)^2 - a^2 + b$

이 이차함수의 그래프의 꼭짓점의 좌표가 $(-3, -8)$이므로

$a = -3$, $-a^2 + b = -8$

$\therefore a = -3$, $b = a^2 - 8 = (-3)^2 - 8 = 1$

따라서 주어진 이차함수는 $y = x^2 + 6x + 1$이고, 점 $(-2, c)$를 지나므로 이 식에 $x = -2$, $y = c$를 대입하면

$c = (-2)^2 + 6 \times (-2) + 1 = -7$

다른 풀이 $a - b - c = -3 - 1 - (-7) = 3$

$y = x^2 - 2ax + b$의 그래프의 꼭짓점의 좌표가 $(-3, -8)$이므로 이 식을 $y = (x + 3)^2 - 8$로 놓으면

$y = (x + 3)^2 - 8 = x^2 + 6x + 1$에서

$-2a = 6$, $b = 1$

$\therefore a = -3$, $b = 1$

또, 이 이차함수 $y=x^2+6x+1$의 그래프가 점 $(-2, c)$를 지나므로 이 식에 $x=-2$, $y=c$를 대입하면

$c=(-2)^2+6\times(-2)+1=-7$

$\therefore a-b-c=-3-1-(-7)=3$

06 주어진 이차함수의 그래프는 위로 볼록하므로 $a<0$
꼭짓점의 좌표가 $(-p, q)$이고, 이것이 제1사분면에 있으므로

$-p>0$, $q>0$

$\therefore a<0$, $p<0$, $q>0$

07 $y=ax-b$의 그래프의 기울기가 음수이므로 $a<0$
y절편이 0보다 크므로 $-b>0$, 즉 $b<0$
따라서 이차함수 $y=bx^2-ax$의 그래프는 이차항의 계수가 음수이므로 위로 볼록한 포물선이다.

또, $-a>0$에서 이차항의 계수와 일차항의 계수의 부호가 다르므로 대칭축은 y축의 오른쪽에 위치하며, y절편이 0이므로 원점을 지난다.

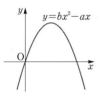

따라서 $y=bx^2-ax$의 그래프를 그리면 오른쪽 그림과 같으므로 제2사분면을 지나지 않는다.

08 꼭짓점의 좌표가 $(-6, 9)$이므로 구하는 이차함수의 식을 $y=a(x+6)^2+9$로 놓을 수 있다. 이 그래프가 점 $(0, 1)$을 지나므로
이 식에 $x=0$, $y=1$을 대입하면

$1=a(0+6)^2+9$, $36a=-8$

$\therefore a=-\dfrac{2}{9}$

따라서 $y=-\dfrac{2}{9}(x+6)^2+9$이고, 이 이차함수의 그래프가 점 $(3, k)$를 지나므로 이 식에 $x=3$, $y=k$를 대입하면 $k=-\dfrac{2}{9}(3+6)^2+9=-18+9=-9$

09 축의 방정식이 $x=-2$이므로 주어진 이차함수의 식을 $y=a(x+2)^2+q$로 놓을 수 있다. 이 그래프가 두 점 $\left(-3, \dfrac{5}{2}\right)$, $(0, 7)$을 지나므로 각 점의 좌표를 대입하면

$\dfrac{5}{2}=a(-3+2)^2+q$에서

$a+q=\dfrac{5}{2}$ ······ ㉠

$7=a(0+2)^2+q$에서

$4a+q=7$ ······ ㉡

㉠, ㉡을 연립하여 풀면

$a=\dfrac{3}{2}$, $q=1$

따라서 구하는 이차함수의 식은

$y=\dfrac{3}{2}(x+2)^2+1=\dfrac{3}{2}x^2+6x+7$

이므로 $a=\dfrac{3}{2}$, $b=6$, $c=7$

$\therefore abc=\dfrac{3}{2}\times6\times7=63$

10 $y=-x^2+px+q$의 그래프가 x축과 두 점 $(1, 0)$, $(9, 0)$에서 만나므로 이 이차함수의 식은

$y=-(x-1)(x-9)=-x^2+10x-9$

이 그래프가 점 $(2, k)$를 지나므로
이 식에 $x=2$, $y=k$를 대입하면

$k=-2^2+10\times2-9=7$

11 이차함수 $y=ax^2+bx+c$의 그래프가 세 점 $(-3, 5)$, $(0, 8)$, $(4, -16)$을 지나므로 각 점의 좌표를 대입하면

$9a-3b+c=5$ ······ ㉠

$c=8$ ······ ㉡

$16a+4b+c=-16$ ······ ㉢

㉡을 ㉠, ㉢에 각각 대입하면

$9a-3b+8=5$에서

$3a-b=-1$ ······ ㉣

$16a+4b+8=-16$에서

$4a+b=-6$ ······ ㉤

㉣, ㉤을 연립하여 풀면

$a=-1$, $b=-2$

$\therefore y=bx^2+cx+a$

$\quad=-2x^2+8x-1$

$\quad=-2(x^2-4x+4-4)-1$

$\quad=-2(x-2)^2-1+8$

$\quad=-2(x-2)^2+7$

따라서 이 이차함수의 그래프의 꼭짓점의 좌표는 $(2, 7)$이다.

12 $y=-x^2+4x+1$

$\quad=-(x^2-4x+4-4)+1$

$\quad=-(x-2)^2+1+4$

$\quad=-(x-2)^2+5$

의 그래프를 x축의 방향으로 m만큼, y축의 방향으로 n만큼 평행이동한 그래프의 식은
$$y=-(x-2-m)^2+5+n$$
이 그래프가
$$y=-x^2+6x-3$$
$$=-(x^2-6x+9-9)-3$$
$$=-(x-3)^2-3+9$$
$$=-(x-3)^2+6$$
의 그래프와 일치하므로
$$-2-m=-3,\ 5+n=6$$
따라서 $m=1,\ n=1$이므로
$$5m-3n=5-3=2$$

13 이차함수 $y=\dfrac{1}{2}x^2+a$의 그래프를 x축의 방향으로 -4만큼, y축의 방향으로 10만큼 평행이동한 그래프의 식은
$$y=\dfrac{1}{2}(x+4)^2+a+10$$
$$=\dfrac{1}{2}x^2+4x+a+18$$
이것이 $y=bx^2+4x+19$와 같으므로
$$b=\dfrac{1}{2},\ a+18=19$$
따라서 $a=1,\ b=\dfrac{1}{2}$이므로
$$2ab=2\times1\times\dfrac{1}{2}=1$$

14 $y=-(x+3)^2-5$의 그래프를 y축에 대하여 대칭이동한 그래프의 식은 x 대신 $-x$를 대입하면
$$y=-(-x+3)^2-5$$
$$=-(x-3)^2-5$$

15 $y=\dfrac{1}{4}x^2-x+3$
$$=\dfrac{1}{4}(x^2-4x+4-4)+3$$
$$=\dfrac{1}{4}(x-2)^2+3-1$$
$$=\dfrac{1}{4}(x-2)^2+2$$

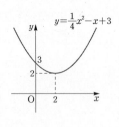

이므로 y의 값의 범위는 $y\geq2$이다.
① $y=5(x+1)^2+3$이므로 y의 값의 범위는 $y\geq3$이다.
② $y=-2x^2+12x-16$
$$=-2(x^2-6x+9-9)-16$$
$$=-2(x-3)^2-16+18$$
$$=-2(x-3)^2+2$$

이므로 y의 값의 범위는 $y\leq2$이다.
③ $y=\dfrac{1}{2}x^2+3$이므로 y의 값의 범위는 $y\geq3$이다.
④ $y=3x^2-6x+5$
$$=3(x^2-2x+1-1)+5$$
$$=3(x-1)^2+5-3$$
$$=3(x-1)^2+2$$
이므로 y의 값의 범위는 $y\geq2$이다.
⑤ $y=\dfrac{1}{4}x^2-x+2$
$$=\dfrac{1}{4}(x^2-4x+4-4)+2$$
$$=\dfrac{1}{4}(x-2)^2+2-1$$
$$=\dfrac{1}{4}(x-2)^2+1$$
이므로 y의 값의 범위는 $y\geq1$이다.
따라서 주어진 이차함수와 y의 값의 범위가 같은 이차함수는 ④이다.

16 주어진 이차함수의 y의 값의 범위를 각각 구하면
① $y=-\dfrac{3}{2}x^2+6$이므로 y의 값의 범위는 $y\leq6$이다.
② $y=-4x^2+6x$
$$=-4\left(x^2-\dfrac{3}{2}x+\dfrac{9}{16}-\dfrac{9}{16}\right)$$
$$=-4\left(x-\dfrac{3}{4}\right)^2+\dfrac{9}{4}$$
이므로 y의 값의 범위는 $y\leq\dfrac{9}{4}$이다.
③ $y=3x^2-12x+9$
$$=3(x^2-4x+4-4)+9$$
$$=3(x-2)^2+9-12$$
$$=3(x-2)^2-3$$
이므로 y의 값의 범위는 $y\geq-3$이다.
④ $y=2(x-3)^2+4$이므로 y의 값의 범위는 $y\geq4$이다.
⑤ $y=-x^2+6x+7$
$$=-(x^2-6x+9-9)+7$$
$$=-(x-3)^2+7+9$$
$$=-(x-3)^2+16$$
이므로 y의 값의 범위는 $y\leq16$이다.
따라서 이차함수와 그 y의 값의 범위가 바르게 짝지어진 것은 ⑤이다.

17
$$y=\frac{1}{2}x^2-x+k$$
$$=\frac{1}{2}(x^2-2x+1-1)+k$$
$$=\frac{1}{2}(x-1)^2+k-\frac{1}{2}$$

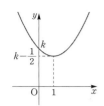

에서 y의 값의 범위가 $y\geq k-\frac{1}{2}$이므로

$$k-\frac{1}{2}=2 \qquad \therefore k=\frac{5}{2}$$

따라서 주어진 이차함수는 $y=\frac{1}{2}x^2-x+\frac{5}{2}$이므로

이 그래프가 y축과 만나는 점의 좌표는 $\left(0, \frac{5}{2}\right)$이다.

18 구하는 이차함수의 식을 $y=ax^2+bx+c$라 하면
㈎ $y=3x^2$의 그래프와 폭이 같고, 위로 볼록한 그래프이므로 $a<0$ $\quad \therefore a=-3$
㈏ y절편이 5이므로 $c=5$
㈐ ㈎, ㈏에서 $y=-3x^2+bx+5$이고, 점 $(1, 14)$를 지나므로
$$14=-3\times 1^2+b\times 1+5 \quad \therefore b=12$$
따라서 구하는 이차함수의 식은
$$y=-3x^2+12x+5$$
$$=-3(x-2)^2+17$$
에서 y의 값의 범위는 $y\leq 17$이다.

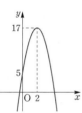

19 $y=3x^2-14x-5$에 $y=0$을 대입하면
$$3x^2-14x-5=0, (x-5)(3x+1)=0$$
$$\therefore x=5 \text{ 또는 } x=-\frac{1}{3}$$
$$\therefore p=5, q=-\frac{1}{3}$$
또, $y=3x^2-14x-5$에 $x=0$을 대입하면
$$y=-5 \quad \therefore r=-5$$
$$\therefore \frac{3pq}{r}=\frac{3\times 5\times\left(-\frac{1}{3}\right)}{-5}=1$$

20 이차함수 $y=-2x^2+kx-2-k$의 그래프가 x축과 만나는 점의 x좌표가 -3이므로 이 그래프는 점 $(-3, 0)$을 지난다.
따라서 $x=-3, y=0$을 대입하면
$$0=-2\times(-3)^2+k\times(-3)-2-k$$
$$4k=-20 \quad \therefore k=-5$$
즉, 주어진 이차함수는 $y=-2x^2-5x+3$이므로 이

식에 $y=0$을 대입하면
$$-2x^2-5x+3=0, 2x^2+5x-3=0$$
$$(2x-1)(x+3)=0$$
$$\therefore x=\frac{1}{2} \text{ 또는 } x=-3$$
따라서 x축과 만나는 다른 한 점의 x좌표 $a=\frac{1}{2}$
또, $y=-2x^2-5x+3$의 그래프가 y축과 만나는 점의 y좌표는 $x=0$을 대입하면 $y=3$
$$\therefore b=3$$
$$\therefore a+b+k=\frac{1}{2}+3+(-5)=-\frac{3}{2}$$

21 $y=-x^2+mx+n$의 그래프가 y축과 만나는 점의 좌표가 $(0, 24)$이므로 $x=0, y=24$를 대입하면
$$n=24$$
또, x축과 만나는 점의 좌표가 $(4, 0)$이므로
$x=4, y=0, n=24$를 대입하면
$$0=-4^2+4m+24, 4m=-8$$
$$\therefore m=-2$$
따라서 주어진 이차함수의 식은
$$y=-x^2-2x+24$$
이 이차함수의 식에 $y=0$을 대입하면
$$-x^2-2x+24=0, x^2+2x-24=0$$
$$(x+6)(x-4)=0$$
$$\therefore x=-6 \text{ 또는 } x=4$$
따라서 x축과 만나는 다른 한 점의 좌표는 $(-6, 0)$
이므로 $k=-6$
$$\therefore k+m+n=-6+(-2)+24=16$$

22 두 점 P, Q의 중점을 원점으로 하는 포물선을 좌표평면에 나타내면 오른쪽 그림과 같다.

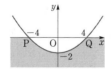

이 이차함수의 그래프의 식을
$y=ax^2-2$라 하면 점 $(4, 0), (-4, 0)$을 지나므로
$x=4, y=0$을 대입하면 $0=16a-2$ $\quad \therefore a=\frac{1}{8}$

따라서 이차함수의 식은 $y=\frac{1}{8}x^2-2$이다.

이때 연못의 양 끝 P, Q 지점에서 1 m인 지점은
$x=3$ 또는 $x=-3$인 지점이므로 $x=3$을 대입하면
$$y=\frac{1}{8}\times 3^2-2=-\frac{7}{8}$$

따라서 이 지점의 수심은 $\frac{7}{8}$ m이다.

23 $y=-x^2+6x+7$

$\quad = -(x^2-6x+9-9)+7$

$\quad = -(x-3)^2+7+9$

$\quad = -(x-3)^2+16$

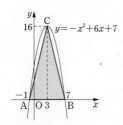

에서 꼭짓점의 좌표는

C$(3,\ 16)$이다.

또, $y=-x^2+6x+7$에 $y=0$을 대입하면

$-x^2+6x+7=0,\ x^2-6x-7=0$

$(x+1)(x-7)=0$

$\therefore\ x=-1$ 또는 $x=7$

따라서 A$(-1,\ 0)$, B$(7,\ 0)$이므로

$\overline{AB}=7-(-1)=8$

$\therefore\ \triangle ABC=\dfrac{1}{2}\times8\times16=64$

24 $y=2x^2-4x+k$

$\quad = 2(x^2-2x+1-1)+k$

$\quad = 2(x-1)^2+k-2$

이므로 이차함수 $y=2x^2-4x+k$의 그래프의 축의

방정식은 $x=1$이다.

그런데 주어진 조건에서

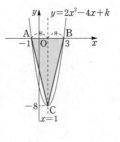

$\overline{AB}=4$이므로 두 점 A, B의

좌표는 A$(-1,\ 0)$, B$(3,\ 0)$

따라서 $y=2x^2-4x+k$에 점

A$(-1,\ 0)$의 좌표를 대입하면

$0=2\times(-1)^2-4\times(-1)+k$

$2+4+k=0$ $\quad \therefore\ k=-6$

따라서 주어진 이차함수의 식은

$y=2(x-1)^2+k-2=2(x-1)^2-8$

이므로 꼭짓점 C의 y좌표는 -8이다.

$\therefore\ \triangle ABC=\dfrac{1}{2}\times4\times8=16$

개념 확장

최상위수학

수학적 사고력 확장을 위한
심화 학습 교재

심화 완성

개념부터
심화까지

수학은 개념이다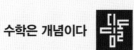